# ELIZABETH COOKE

# CIEMNE DZIKIE

## kwiaty

PRZEŁOŻYŁA AGATA ŻBIKOWSKA

WYDAWNICTWO MARGINESY

*The Wild Dark Flowers*

Najstarszemu bratu mojej mamy,
Williamowi Davidowi Nashowi
z 11 batalionu Pułku Granicznego.
Zginął na polu bitwy 1 lipca 1916 roku
w wieku dwudziestu lat.

1

Schodząc ze ścieżki prowadzącej do północnej części lasu, William Cavendish zatrzymał się, żeby popatrzeć na rozciągającą się przed nim dolinę. W ten spokojny, piękny majowy poranek rozmyślał o ojcu.

William Cavendish senior, siódmy hrabia Rutherford, był cichym, mądrym człowiekiem o nieskazitelnym charakterze. William żałował, że nie może porozmawiać ze swoim dobrotliwym ojcem, bo potrzebował jego porady. Pomiędzy drzewami rysował się pięćsetletni budynek Rutherford Park, rozległy i majestatyczny. W porannym świetle miał barwę terakoty. William widział spiralnie rzeźbione kominy w piaskowym kolorze, pochodzące z epoki Tudorów, i szprosowe okna. Powiódł spojrzeniem po wiodącej do wioski alei wysadzanej bukami, które rosły tu niemal od wieku.

Rutherford jak zawsze wyglądało pięknie, czarująco i romantycznie. Królowało nad całą doliną w Yorkshire. William usiadł w lesie między tańczącymi cieniami drzew i patrzył na swoje dziedzictwo.

Gdzieś tam w dole – szukał wzrokiem właściwego okna na górnym piętrze południowo-zachodniego skrzydła – spała jego żona Octavia. Dochodziła piąta rano, słońce wzeszło niemal przed godziną.

Właśnie tutaj – William rozejrzał się wokół – albo gdzieś bardzo blisko tego miejsca, przyprowadził go kiedyś ojciec, był podobnie uroczy poranek. William miał wtedy czternaście lat i cierpiał z powodu małostkowych zniewag w Eaton, które sprawiły, że przez cały semestr nikt go nie polubił. Ojciec słuchał i niewiele mówił. Przechadzali się tu i tam wzdłuż pól tarasowych, łąk i zaczającej łagodny łuk rzeki. W pewnej chwili ojciec położył mu rękę na ramieniu i odwrócił się w jego stronę.

– Musisz ugiąć się jak wierzba albo złamać jak dąb – powiedział. Widząc zdumienie na twarzy syna, wyjaśnił: – To takie wschodnie przysłowie, Williamie. Pamiętaj o nim w podobnych sytuacjach. Niezależnie od tego, co mówią, siła nie płynie z uporu.

William opierał teraz na kolanach zaciśnięte pięści. Bóg świadkiem, że starał się stosować do tej rady przez całe życie, ale poniósł sromotną porażkę. Dopiero wydarzenia zeszłego roku, między innymi miłość jego żony do innego mężczyzny, sprawiły, że twardy charakter trochę złagodniał.

Kiedy Amerykanin wyjechał (nigdy nie nazywał Johna Goulda w myślach inaczej), William odkrył z trwogą, że stał się tak słaby i niegodny zaufania, jak źle zawiązany węzeł. Przyglądał się Octavii zupełnie bezradnie; jej udręka – choć bardzo starała się ją ukryć – była dla niego oczywista.

Zrozumiał, że jego serce jest narządem wrażliwym i podatnym na stres, otulonym zasłoną milczenia. Nawet teraz z trudem znajdował słowa, by wyjaśnić żonie, co czuje. Bał się, że Rutherford, mimo swojej wspaniałości, może okazać się dla nich niewystarczającym spoiwem.

Wstał, wciąż nie odrywając wzroku od posiadłości. Zauważył ruch – ogrodnicy już zabrali się do pracy. Na sznurach za domem kowala śnieżnobiałe pranie wydymało się i opadało, tworząc linię bieli. W olbrzymiej przeszklonej oranżerii ktoś otwierał okna dachowe, które rzucały słoneczne refleksy. Przy zakręcie rzeki widział konie – pełne życia kreseczki pędzące po trawie.

Jego ojciec uwielbiał Rutherford, zarówno sam budynek, jak i całą posiadłość, którą można było rządzić spokojnie i z godnością. W żyłach Williama nie płynęła ani jedna kropla okrutnej krwi, a to ona pozwoliła jego osiemnastowiecznym przodkom ukształtować

Karaiby zgodnie ze swoimi pragnieniami i założyć plantacje cukru; przyniosły one fortunę rodzinie. Mimo to William czuł w sercu przede wszystkim ciężar odpowiedzialności za Rutherford, a nie zachwyt nad wyjątkowej urody pałacem. Teraz musiał sprawić, aby w samym środku wojny, która zagnała jego syna do Francji, dwór wciąż funkcjonował.

Na myśl o Harrym – chłopak nie skończył jeszcze dwudziestu jeden lat i służył w Królewskim Korpusie Lotniczym – William zdenerwował się tak bardzo, że poczuł mdłości. Dzień wcześniej otrzymali telegram: Harry miał przyjechać do domu na kilkudniową przepustkę. Octavia aż zadrżała z radości. Późniejszą pocztą William otrzymał list od dowódcy Harry'ego. Zawarte w nim informacje wyprowadziły go z równowagi, obudził się wcześnie rano i ruszył na spacer po posiadłości, wciąż od nowa roztrząsając je w myślach. Jeszcze nie pokazał listu Octavii – szczerze wątpił, czy w ogóle powinien to zrobić.

Odczekał kilka minut, patrząc na wciąż wschodzące słońce i niebo, które przybierało idealny odcień błękitu. Całe to piękno, wielobarwna układanka ziem, farm, wrzosowisk, rzeki, lasów i ogrodów, to wszystko mogło przepaść, jeśli syn nie wróci tu po zakończeniu wojny. Harry był ich jedynym spadkobiercą.

– Wróci – zapewnił Octavię William w poprzednie Boże Narodzenie, gdy trzymała w dłoni najnowsze, nabazgrane pismem Harry'ego wieści z pola bitwy gdzieś we Francji. – Nie obawiaj się, kochanie.

„Nie obawiaj się".

Nadzwyczaj ironiczne.

Bo utrata Harry'ego była tym, czego William Cavendish bał się najbardziej na świecie.

William mylił się, sądząc, że Octavia wciąż śpi.

Leżała na łożu z baldachimem i wpatrywała się w żółte, atłasowe zasłony. Wyhaftowane na nich stadko błękitników wyglądało niemal tak, jakby przelatywało nad jej głową. Błękitnik od wieków był rodowym ptakiem Beckfordów, jeszcze w czasach prapradziadka Williama, zanim ten otrzymał tytuł szlachecki. Błękitne akcenty pojawiały się w całym domu. Tapicerka w salonie i w pokojach dziennych była niebiesko-biała. Na słupach przy bramie wjazdowej wyrzeźbiono w granicie przycupnięte na trzcinie cukrowej, splecione ze sobą ptaki. W wybudowanej za Tudorów sali kominkowej gipsowe błękitniki ozdabiały ściany. Przy głównej, wyłożonej mahoniem klatce schodowej ptaki te rozciągały skrzydła pod ogromnym portretem Octavii pędzla Singera Sargenta.

Westchnęła i odwróciła głowę. Ptaki, dom, męcząca nuda zwyczajnego życia... Czasem miała wrażenie, że się dusi. Usiadła na łóżku, odrzuciła kołdrę i podeszła do okna. Stojący obok łóżka zegar z domu towarowego Liberty wskazywał wpół do szóstej rano.

Dziś Harry wróci do domu. Wieczorem go zobaczy, będzie mogła wziąć za rękę. Od jego poprzedniej przepustki minęło siedem miesięcy. Już wtedy dostrzegła, że dwudziestojednoletni chłopak zmienił się w mężczyznę, jego twarz znaczyły wspomnienia trudnych doświadczeń. Widziała na niej cienie, on jednak wzruszył ramionami, pocałował ją i się uśmiechnął.

– Nie wolno ci się o mnie martwić – nakazał. – Dobrze się bawię.

Dobra zabawa. Odwrót z Mons, rozpaczliwa walka, która przyniosła tyle ofiar po stronie angielskiej i francuskiej – wiedziała, że Harry tam był. Ale nie chciał o tym rozmawiać. Zmienił temat i skierował rozmowę na swoją córeczkę, Cecilię, zdrobniale Sessy. Urodziła ją jedna z pokojówek w święto Bożego Narodzenia dwa lata wcześniej – ten romans wywołał ogromny skandal. Niewątpliwie jednak była córką Harry'ego i wyglądała dokładnie jak on. Upór Octavii sprawił, że dziewczynka zamieszkała w Rutherford.

Oparła się o parapet i wdychała słaby zapach kwiatów napływający z położonego niżej tarasu. Postanowiła, że później odwiedzi Sessy w pokoju dziecinnym. Może zabierze ją na przechadzkę po ogrodzie. Dziewczynka przypominała jej Harry'ego, gdy był w tym samym wieku. Okazała się stanowcza i odważna. Zaciskała w piąstce różę, z całej siły powstrzymując się od płaczu, kiedy kolec wbił się w jej kciuk i popłynęła krew. Była do niego tak podobna. Ale Harry urodził się w czasach, gdy wojna oznaczała zaledwie odległy pomruk na terenie Imperium, problemy na granicach Indii czy konflikt burski. Nie tutaj. Nie w odległości dwunastu mil, po drugiej stronie Kanału Angielskiego. Wojna nie odbierała ludziom synów i nie unicestwiała ich tysiącami.

Octavia zadrżała. Usiadła na fotelu, otuliła się szalem i patrzyła przed siebie, lecz niczego nie dostrzegała.

Zdziwiła się, kiedy pół godziny później usłyszała pukanie.

Zmarszczyła brwi, wiedząc, że wciąż jest zbyt wcześnie na jej pokojówkę, Amelie.

– Tak? – zawołała.

Drzwi się otworzyły. W progu, w stroju wyjściowym, stał William.

– Mogę wejść? – spytał.

– Oczywiście.

Patrzyła, jak przechodzi przez pokój.

William był od niej niemal dwadzieścia lat starszy. Pobrali się, kiedy Octavia ledwo co skończyła dziewiętnaście lat. Nie wiedziała wtedy nic o mężczyznach i bardzo niewiele o społeczeństwie. Ojciec, którego się bała, trzymał ją blisko siebie. Olbrzymi posag – odkryła to po latach – przyciągnął Williama Cavendisha. W dniu ślubu była w nim szaleńczo zakochana. Mąż pokochał ją dopiero w trakcie trwania związku. Lecz to nie ten rodzaj miłości, jakiej doświadczyła zeszłego roku z Johnem Gouldem. Między nimi nigdy tak nie będzie. Nie mogło tak być, nie teraz.

William ujął jej dłoń i pocałował. Usiadł naprzeciwko.

– Zdziwiłem się, że już nie śpisz. Ale cieszy mnie to. – Podał jej poranną gazetę, którą przyniósł ze sobą. – Właśnie przyszła. Złapałem chłopca na posyłki, kiedy niósł ją przez dziedziniec.

Spojrzała na gazetę i z powrotem na niego. Poczuła ukłucie paniki.

– Tylko nie Harry...

– Czy gdyby coś mu się stało, dowiedzielibyśmy się z gazety? – spytał, unosząc brew. – Nie chodzi o Harry'ego. Chodzi o Kentów. O ich syna Ruperta.

– Och, nie – szepnęła.

Kentowie, ich najstarsi przyjaciele w okolicy, mieli dwóch synów, zawodowych żołnierzy stacjonujących we Francji. Kiedy ostatnio widziała się z Elizabeth Kent, ona, jak wszystkie matki, z przerażeniem mówiła o wojnie. Przyjaciółka pokazała Octavii listy Ruperta. Pisał o okopach zalanych lodowatą wodą, w których musieli stać godzinami. Wspominał też o pułkach kanadyjskich, ich odwadze pod obstrzałem.

Octavia wciąż rozmyślała o liście od Ruperta. Wojna przybierała w nich konkretną formę. „Najtrudniej jest, kiedy ginie ktoś porządny" – pisał. – „Przedwczoraj straciliśmy sierżanta. Nigdy tego nie zapomnę. Był starym wygą, wesołym człowiekiem. Wydawał właśnie rozkazy strzelcom, kiedy obok uderzył zabłąkany pocisk artyleryjski. Pobiegłem z powrotem w ich stronę – całej sceny nie będę opisywał – ale nasz sierżant leżał na plecach. Wyglądał, jakby nic mu się nie stało, jakby odpoczywał. Na jego ciele nie widać było żadnych ran, a jednak nie żył. Bliski wybuch pocisku powoduje taki właśnie efekt. Zaledwie kilka sekund wcześniej się do mnie uśmiechał, a teraz leżał, z twarzą wciąż pełną życia...".

Rupert Kent pięknie pisał.

Elizabeth i Hamiltonowi zostaną po nim wyłącznie listy.

Na liście ofiar zamieszczono informację, że kapitan Rupert Kent zginął w miejscowości Langemark dwudziestego drugiego kwietnia.

– Muszę zobaczyć się z Elizabeth – szepnęła Octavia. – Na pewno jest zdruzgotana. – Oderwała oczy od listy poległych i z namysłem złożyła stronę. – A co z Alexandrem? – spytała. Alexander był drugim synem Kentów.

– Zapewne wciąż tam jest – odparł William.

Zakryła oczy, w myślach powtarzając: „Proszę, niech Harry już wróci. Teraz, w tej chwili". Czuła – choć zdawała sobie sprawę, że to absurdalne – że nie wytrzyma ani chwili dłużej. Nie uwierzy, że jej syn jest bezpieczny, dopóki go nie zobaczy.

Poczuła na ramieniu dłoń Williama. Spojrzała na męża.

– Umówiliśmy się, że nie będziemy się zamartwiać – przypomniał jej.

Nie potrafiła zdobyć się na odpowiedź. Widziała, że zerknął na łóżko. Gładził jej dłoń.

– Czy miałbyś... czy miałbyś coś przeciwko temu, żebym zadzwoniła po Amelie? – spytała. – Muszę napić się herbaty.

Spostrzegła, że źle przyjął to odtrącenie. Jego twarz niemal komicznie skrzywiła się w wyrazie rozczarowania.

– Oczywiście, że nie – wymamrotał i wstał.

Kiedy drzwi się za nim zamknęły, Octavia odetchnęła głęboko.

Bez wątpienia postąpiła okrutnie i egoistycznie. Żona nie powinna się tak zachowywać, a William był zbyt wielkim dżentelmenem, by naciskać. Odkąd John Gould wyjechał, jej serce zmieniło się w bryłę lodu. Została ze względu na dzieci, nie tylko Harry'ego, lecz również Louisę i Charlotte, jego młodsze siostry. I oczywiście małą Sessy. Octavia szanowała Williama. Czasami mu współczuła, więc ulegała mu tak często, jak uważała za stosowne. Ale kochać go, naprawdę go kochać? Na to nie potrafiła się zdobyć.

Na dole Rutherford nie spało. O szóstej trzydzieści praca wrzała.

Dwie pokojówki, Mary Richards i Jenny Best, były na nogach już od pół godziny. Uwijały się, rozpalając ogień w wygasłych kominkach, rozsuwając zasłony i otwierając okna, wpuszczając do pokojów piękne światło poranka. Wyglądały jak dwa kontrastujące ze sobą obrazki, niemal przeciwieństwa. Mary, niska brunetka, poruszała się szybko i sprawnie radziła sobie z robotą. Wysoka, szczupła Jenny o blond włosach i łagodnym głosie cicho podążała za koleżanką. Zamieciono już schody i korytarze, przygotowano tace z herbatą i dostarczono je ochmistrzyni, przełożonej pokojówek oraz kamerdynerowi. Albert, chłopak do wszystkiego, odstawił na miejsce wypucowane buty jaśnie pana, po czym przez pół godziny zajmował się brudną robotą – ładowaniem koszyków z węglem i drewnem w pomieszczeniach gospodarczych po drugiej stronie podwórza. Pod czujnym okiem kucharki, pani Carlisle, rozpalono pod piecem, w którym teraz wypiekał się chleb. O siódmej rano wszyscy spotkali się w kuchni dla służby, gdzie na wielkim, wyszorowanym do czysta stole nakryto do śniadania.

Dziś zebrali się w jednym miejscu, ale kiedyś było inaczej. W przeszłości lokaje i pokojówki jadali osobno. Jednak z powodu wojny liczba służących znacznie zmalała. Zaledwie trzy lata wcześniej wraz z osobami pracującymi na zewnątrz, w ogrodach i stajniach, Rutherford zatrudniało dwudziestu czterech ludzi. Teraz – oprócz zjawiających się od czasu do czasu pomocników z wioski – zostało ich jedenaścioro.

Dwóch stajennych i dwóch uczniów ogrodnika przebywało teraz na ćwiczeniach wojskowych przed wyjazdem do Francji. Podkuchenna Grace i jedna z pokojówek, ociężała i wiecznie skwaszona Cyntia, wybrały pracę w przędzalniach, skuszone obietnicą wyższej pensji i błaganiem własnych matek, których mężowie i synowie zaciągnęli się do Armii Ochotników Lorda Kitchenera, jak wielu innych przed nimi. Lokaje Nash i Harrison również się zaciągnęli. Wysoki, beztroski Harrison zniknął bez ostrzeżenia niemal w tej samej chwili, gdy wypowiedziano wojnę. Nash, poważny, cichy i lojalny do bólu, wciąż jeszcze przebywał na szkoleniu.

Pan Bradfield z trudem sobie radził, mając tylko jednego lokaja oraz głupkowatego chłopaka do wszystkiego, Alfreda.

Pani Carlisle ze stoickim spokojem znosiła długie godziny pracy, podczas których przyuczała do pracy pomywaczkę Enid. Regularnie prosiła też ochmistrzynię, by znalazła jej do pomocy kogoś, kto zamieszkałby w majątku. Na szczęście odkąd zaczęła się wojna w domu Cavendishów rzadko urządzano wystawne kolacje.

Przełożonej pokojówek, pannie Dodd, zostały na piętrze tylko Mary i Jenny. Zresztą wszyscy sądzili, że nawet Elizabeth Dodd planuje powrót do Sheffield, aby znaleźć się bliżej rodziny swojego ukochanego. Amelie, pokojówka pani domu, oraz Cooper, kamerdyner lorda, tak samo jak niańka nigdy nie schodzili na dół. Może i byli częścią służby, ale nie mieszali się z tymi, których uważali za gorszych od siebie. Między nimi istniała przepaść.

Zatem o siódmej rano wokół kuchennego stołu zebrała się niewielka grupa osób. Mimo okoliczności, zgodnie ze zwyczajem nikt nie usiadł, dopóki nie zjawili się pani Jocelyn i pan Bradfield.

Mary Richards się niecierpliwiła. Wreszcie usłyszeli na kamiennej posadzce korytarza szybkie kroki pani Jocelyn, a po chwili ciche i równomierne stąpanie pana Bradfielda. Pani Jocelyn weszła do kuchni, ściskając mocno Biblię – wracała właśnie z porannej, samotnej modlitwy. W jej oczach pobłyskiwało nabożne skupienie i nieżyczliwość. Mary pomyślała, że kobieta bardzo schudła przez ostatni rok, jakby trawiła ją nieustanna gorączka. Wykrochmalony kołnierzyk nie opinał ciasno jej szyi, a uważny obserwator mógł stwierdzić, że kościste dłonie drżą.

Mary przeniosła wzrok z pani Jocelyn na pana Bradfielda. On z kolei wyglądał jak zawsze – wysoki i spokojny, o gładko zaczesanych rudoblond włosach. Czasem dało się go przyłapać na uroczym i czarującym zamyśleniu, trochę rozmarzonego.

Bradfield odsunął krzesło pani Jocelyn. Wszyscy usiedli. Śniadanie jedli w milczeniu. Posiłek nie trwał długo, składał się głównie z herbaty i grzanek. Wyrafinowane dania z jajek, ryb i ryżu, które grzały się na piecu za nimi, przeznaczone były dla

państwa. Kiedy napełniono dolewką herbaty ostatni kubek, Bradfield wyjął gazetę. Przekazał też wszelkie listy, jakie otrzymał, ich
odbiorcom.

Tego ranka jedna z kopert zaadresowana była do Mary.

Dziewczyna spojrzała uważnie na znaczek. List nadano
w Carlisle.

– Co tam masz? – spytała pani Jocelyn.

– To od Davida, proszę pani.

– Davida?

– Pana Nasha.

Pani Jocelyn odwróciła głowę.

– To cud, że ma czas na pisanie. – Zdecydowanie się jej nie
podobało, że lokaj spoufala się z pokojówką. Jej zdaniem to śliski
grunt, może wręcz nieprzyzwoitość. Pani Jocelyn uwielbiała wydawać sądy dotyczące moralności innych. Teraz spojrzała oskar-
życielsko na Jenny.

– A ty?

Jenny poczerwieniała jak burak. Trzymała list, którego nadaw-
cę zdradzało wyraziste pismo. Korespondencja pochodziła od Harrisona. Wyciągnęła kopertę przed siebie, po czym upuściła ją na
stół, jakby się wstydziła.

Pani Jocelyn niemal się na nią rzuciła.

– Ten mężczyzna odszedł ze służby bez słowa.

– Jest w londyńskim pułku – odważyła się powiedzieć Jenny.

– A niby z jakiej racji tam trafił?

– Nie wiem – przyznała Jenny. I dodała cicho: – Rzadko pisuje.

Wreszcie pani Jocelyn zostawiła ich i ruszyła na górę, żeby
ustalić z lady Cavendish menu na dzisiejszy dzień. Mary widziała
na twarzy starszej kobiety toczącą się wewnętrzną walkę – z całej
siły pragnęła mocniej skrytykować Davida Nasha i Harrisona. Oni
jednak zaciągnęli się do wojska, więc zasługiwali na pewną dozę
szacunku. Zapewne, doszła do wniosku Mary, zdaniem ochmistrzyni walka o kraj jest mniej ważna niż polerowanie sreber jaśnie

pana. Dla pani Jocelyn nie istniało nic ważniejszego niż wygoda Williama Cavendisha.

Dopiero kiedy kobieta zniknęła na dobre, a służący usłyszeli głuchy trzask zielonych, obitych tkaniną drzwi na górze, Mary się skrzywiła.

– Stara krowa.

Na szczęście – wśród szczęku talerzy – nikt nie usłyszał jej słów.

– Jakieś wieści? Co napisał? – spytała Jenny.

– Dostanie kilka dni przepustki.

– Przyjedzie tu?

Mary wepchnęła list do kieszeni.

– Możliwe. A Donald?

Jenny pokazała jej pospieszne bazgroły Harrisona – zajmowały zaledwie jedną stronę. To nie był list miłosny, wręcz przeciwnie – zawierał opis londyńskiej grupy muzycznej, która odwiedziła ich w obozie szkoleniowym. Mary spojrzała na Jenny i zastanawiała się, co dziewczyna o tym myśli. Harrison z pewnością nie należał do jej ulubieńców – zbyt pewny siebie i zanadto przekonany o własnej wyższości – ale nie chciała psuć Jenny radości, którą zapewne czerpała z jego listów. Bądź co bądź Jenny była miłą dziewczyną, choć naiwną. Budziła w Mary opiekuńcze uczucia.

Jenny zmarszczyła czoło.

– Pisze, że wkrótce wyruszają do Francji. Dlaczego on jedzie, skoro nie wszyscy jeszcze skończyli szkolenia?

– Niektórzy ochotnicy z Londynu zostają oddelegowani do regularnych oddziałów – odparła Mary. – Słyszałam, jak mówił o tym pan Bradfield.

Jenny złożyła kartkę i schowała.

– Nie rozumiem połowy tego, o czym on pisze – mruknęła. – Nie wiem, kim dla niego w ogóle jestem.

Mary, ku swojemu przerażeniu, dojrzała w oczach Jenny łzy. Już chciała powiedzieć: „Nie pozwól, żeby jakiś mężczyzna cię skrzywdził", kiedy dziewczyna wstała, wzięła swój talerz do umycia, a gdy skończyła, szybko wyszła z kuchni.

Czterdzieści mil od Rutherford, wysoko na wzgórzach Westmorlandu, David Nash szedł po grzbiecie Helvellyn. Tego ranka wspiął się na zachodnią ścianę wysokiej góry, a teraz zatrzymał się na jej szczycie, wciągając głęboko w płuca czyste, ostre powietrze.

Za plecami miał doliny Cumberland, Borrowdale i Thirlmere, a przed sobą linię Ullswater. Właśnie w okolice jeziora zamierzał dotrzeć przed wieczorem. Wyliczył, że na miejsce dojdzie za jakieś trzy godziny. Daleko w dole jezioro Red Tarn wyglądało jak niemal idealne, ciemnoniebieskie kółko leżące u stóp ostrego, wysokiego na tysiąc stóp urwiska.

Mimo że rozciągał się przed nim tak piękny widok, myślał o Mary Richards i Rutherford. Liczył na to, że uda mu się spędzić w majątku choć jeden dzień. Zawsze był zbyt nieśmiały, by powiedzieć Mary, co do niej czuje. Lepiej wychodziło mu przelewanie słów na papier. Mary wydawała się zawsze taka pewna siebie. Przerażała go myśl, że jeśli zdradzi jej swoje uczucia, ona oceni go zmrużonymi oczami.

Ostatnim razem, kiedy znalazł się na szczycie Helvellyn (musiało to być już cztery lata temu, gdy awansował na lokaja), mgła była taka, że nie widział swojej wyciągniętej dłoni. Chmury opadły nagle, a on krążył, zdezorientowany, tuż przy krawędzi urwiska. Nagle spojrzał w dół – mgła kotłowała się w rozpadlinie, jak woda wirująca w studzience ściekowej.

Odsunął się wtedy od krawędzi, czując na plecach zimny pot. Znalazł się o krok od upadku. Ale teraz, w ten późnowiosenny ranek, na niebie nie widział ani jednej chmurki. Gdy patrzył w stronę, w której znajdowało się Yorkshire i Rutherford, był nawet w stanie dostrzec Góry Pennińskie. Nie słyszał też niemal żadnych dźwięków – równie dobrze mógł być jedynym człowiekiem na ziemi.

Usiadł na gładkiej, nisko wyrośniętej darni i spojrzał ponownie w stronę Brown Cove Crags, skąd przyszedł. Trasa wspinaczki prowadziła wąskim parowem po żwirowatym podłożu, gdzie kamienie co rusz zdradliwie usuwały mu się spod nóg. Daleko w dolinie majaczyła długa, niewyraźna plama Thirlmere, sztucznego zbiornika stworzonego, by zaopatrywać Manchester w wodę. Kiedy padła propozycja utworzenia jeziora, wybuchły liczne protesty – pamiętał, jak opowiadali mu o tym rodzice. Teraz niewielka dolina i leżące w niej pola zniknęły pod wodą. Zastanawiał się, jakie jeszcze zmiany nadejdą w przyszłości. Położył się na plecach i wpatrywał w niebo.

Jego brat pracował kilka mil na wschód od Ullswater, w małej wiosce zwanej Orton – był tam stajennym. We wrześniu minionego roku David wziął należne mu trzy dni wolnego i pojechał szukać Arthura. Znalazł brata na terenie stajni. Wybierał gnój, pogwizdując głośno. Piękny szary koń – używany przez właściciela majątku podczas polowań – stał uwiązany na podwórku. Na widok Davida Arthur oparł się na łopacie i uśmiechnął.

– Idziesz? – spytał David. Nie musiał mówić dokąd. Obaj wiedzieli. Minął niecały miesiąc, odkąd wybuchła wojna.

– Jeśli ty pójdziesz ze mną – brzmiała odpowiedź.

Nie padły więcej żadne słowa. Arthur zniknął w domu i wrócił pół godziny później. Razem poszli do wioski, gdzie złapali podwózkę. Na tyle wozu dojechali do Keswick. Kiedy dotarli do punktu werbunkowego, było już późne popołudnie, ale wielu mężczyzn wciąż czekało w kolejce. Wszyscy poklepywali się po plecach i uśmiechali, gadali o tym, jak przegonią z Belgii Hunów. David, jako starszy, wszedł pierwszy. Potem patrzył, jak Arthur podpisuje swoje zgłoszenie. Zaśmiał się pod nosem, gdy młodszy brat się zawahał i w rubryce „zawód", wpisał „lokaj", podobnie jak David. Arthur był lokajem w takim samym stopniu, jak astronomem, lecz David mrugnął tylko do niego konspiracyjnie, kiedy opuszczali posterunek jako nowi członkowie pułku.

Potem poszli do pubu. David uśmiechnął się szeroko do brata.

– Cóż, zrobiliśmy to – stwierdził.

– Nie da się ukryć – zgodził się Arthur. Zaróżowieni i szczęśliwi, obaj pękali z dumy. Trącali się nawzajem łokciami, dołączyli do śpiewów. Ktoś zaintonował *Władaj, Brytanio*, a potem *Kwiat w dolinie*. Wyszli z pubu roześmiani.

Nashowi jednak przestało być do śmiechu, kiedy wrócił do Rutherford i poszedł odwiedzić matkę w wiosce. Urodziła trzech synów i cztery córki. Trzy z nich pracowały na służbie. Jej mąż, a ich ojciec, zmarł wiele lat wcześniej. Nash miał również drugą rodzinę kilka wiosek dalej – dzieci pierwszej żony ojca. Wszyscy dorośli. On, Arthur i jego siostry byli znacznie młodsi. Razem było ich piętnaścioro, ale człowiek, który ich spłodził, jego ukochany, milczący ojciec, od dawna już nie żył. Pochowano go na cmentarzu parafialnym, kiedy David miał zaledwie pięć lat. Jego matka została sama z szóstką dzieci, a była to kobieta zgorzkniała i gwałtowna jak burza. Szczypała, szarpała i rozdawała klapsy bez opamiętania.

Mimo to, ku jego całkowitemu zaskoczeniu, milczała, kiedy pokazał jej papiery werbunkowe i oznajmił, że zaciągnęli się z Arthurem do wojska. Przytrzymała się framugi, a oczy wypełniły jej łzy. David poczuł wzruszenie, wręcz wstrząs. Chciał złapać matkę za rękę, ale ona stanęła tyłem i zabrała się ponownie do prania ubrań w kamiennym zlewie.

– Wrócimy, zanim się obejrzysz – zapewnił ją, starając się, żeby zabrzmiało to radośnie. – Przywiozę ci z Francji coś ładnego.

Zerknęła na niego.

– Musiałeś zabierać ze sobą Arthura? – spytała.

– Chciał iść bardziej niż ja – odparł.

Potrząsnęła głową, jakby mu nie uwierzyła. Jego młodsza siostra Gertie zjawiła się w drzwiach przybudówki i stała tak, ssąc kciuk i przesuwając czubkiem buta po kamiennej podłodze. Nie była całkiem normalna, biedna, głupiutka Gertie. Tylko ona teraz matce została.

– Muszę jechać. Nie mogę nie brać w tym udziału – wyjaśniał.

– W wiosce wisi ogłoszenie. Napisane jest na nim, że albo się jest mężczyzną, albo myszą. Nie mogę pozwolić, żeby nazywano mnie tchórzem, mamo.

– Widziałam je – mruknęła. Przestała szorować i wbiła wzrok w ścianę. – Dlaczego nie możesz poczekać, aż cię powołają?

– Mogliby mnie wcale nie powołać – stwierdził. – Tak by się mogło stać. Wszystko szybko się skończy i już zawsze będę żałować, że się nie zaciągnąłem. – Poklepał Gertie po głowie, a ona spojrzała na niego wzrokiem wiernego psa. – Poza tym lord Cavendish mówił, że naszym obowiązkiem jest walczyć.

Jego matka prychnęła drwiąco.

– A co on tam wie – wymamrotała. – W poprzedniej wojnie nie walczył. W tej też nie widzę go na polu walki.

– Ale pracuje w Ministerstwie Wojny – zauważył David.

– Coś takiego? – zdziwiła się złośliwie matka. – To wspaniale z jego strony.

– I jego syn jest we Francji. Korpus Lotniczy wysłano razem z Korpusem Ekspedycyjnym.

Nie odpowiedziała.

On i Arthur najpierw zostali zabrani do miejscowości Ormskirk, na południe od Lakes, leżącej nieopodal Liverpoolu. Całą zimę spędzili na szkoleniu. Potem ćwiczyli kopanie okopów na płaskim, otwartym terenie toru wyścigowego Carlisle i wracali do obozu. Niekończąca się musztra, trwające wieczność marsze, ciągłe krzyki, tupanie i sprzątanie. Oni byli jednak od dzieciństwa przyzwyczajeni do wykonywania rozkazów. Wstawali zmarznięci i przemoczeni, rozgrzewali się, biegając, dźwigając i przenosząc rzeczy, a wszystko to niewiele różniło się od ich codziennej pracy w służbie u państwa.

Powiedziano im, że Francja przypomina ten płaski, błotnisty teren. To w porządku, komentowali między sobą. Trochę błota jeszcze nigdy nikomu nie zaszkodziło. Biedny to żołnierz, który nie potrafi znieść błota i deszczu. A najbardziej im się podobało, że spędzają razem czas, razem ćwiczą, są częścią czegoś większego niż oni sami, i wszyscy stanowią jedność. Są wielką, maszerującą armią. Jednym ciałem, jedną myślą i jednym celem.

Kiedy się zaciągali, mieli pewność, że wojna skończy się do Bożego Narodzenia. Ciągnące się miesiące zimowych ćwiczeń ich przygnębiały. Wyglądało na to, że przepowiednia Davida może się spełnić – będzie po wszystkim, zanim ich pułk zdąży wyruszyć.

Na wiosnę marzenia o bohaterstwie zaczęły brzmieć fałszywie – słyszał to wyraźnie we własnym głosie. Wielka przygoda spowszedniała, zniknęła gdzieś radość, beztroskę zastąpił ponury, rozpaczliwy humor. Wiedzieli z gazet, ilu zginęło, i zaczynali rozumieć, jakie mają szanse na przeżycie. Od poprzedniego października słowo „Ypres" nabrało gorzkiego, obrzydliwego posmaku. Wszystko wskazywało na to, że przed miesiącem po raz kolejny wybuchło tam piekło. David nie miał wątpliwości, że właśnie tam – albo w okolicach – wyląduje jego pułk. I nie dało się już wycofać. Mało tego: pojechać stało się nawet bardziej istotne niż wcześniej.

Patrzył teraz na piękne błękitne niebo i myślał, że on sam jest tylko niewiele znaczącym człowiekiem leżącym na szczycie wysokiej na trzy tysiące stóp góry, równie wartościowym co trawa. Sam w sobie nie miał znaczenia. Nie w codziennym życiu. Z zewnątrz był całkowicie zwyczajny i wiedział o tym. Ale może wojna sprawi, że stanie się silniejszy. Będzie pożyteczny, osiągnie jakiś cel. Może to uczyni go twardszym i lepszym w sposób, którego nie potrafił wyjaśnić ani zdefiniować.

Wiedział, że jest raczej nijaki. Żaden z niego przystojniak. Nikt by go nie zauważył w szeregu innych. W trakcie ćwiczeń zrobiono żołnierzom zdjęcia i przypięto je do ścian baraków. Kiedy przyszedł na nie popatrzeć, przez dłuższy czas nie potrafił odnaleźć siebie samego. Gdy wreszcie mu się to udało, z pewnym rozgoryczeniem stwierdził, że nie ma w nim nic wyjątkowego. Nic nie sprawiało, że wyróżniał się z tłumu. Był wysoki, to fakt, ale chodził zgarbiony. Przypuszczał, że nabrał tak służalczego wyglądu z powodu wielu lat służby. Był też chudy, miał blade dłonie i cienkie nadgarstki. Zdecydowanie sporo brakowało mu do ideału żołnierza.

Mary zaskoczyła wieść, że się zaciągnął. Uniosła brwi.

– Myślałam, że jesteś spokojnym mężczyzną.

Rozsierdziła go ta subtelna insynuacja. Na widok jego zdenerwowanej miny dziewczyna się uśmiechnęła.

– Nie widzę cię w roli żołnierza, tylko o to mi chodziło – szepnęła, kiedy znów się mijali w prowadzącym do kuchni korytarzu. – Z twoją poezją i w ogóle.

Zastanowił się nad jej słowami.

– Poeta też może nosić broń – powiedział. – Kiedy wrócę tu w mundurze, zobaczymy, jak ci się spodobam.

– Już teraz wystarczająco cię lubię. – Uśmiechnęła się.

Zaskoczony, patrzył na jej plecy, kiedy odchodziła szybkim krokiem.

Podniósł się na łokciu i zerknął w dół, w stronę Ullswater. Tuż obok zaczynała się Krawędź Piechura, długi, wąski występ skalny, który prowadził od Helvellyn aż do odległego jeziora i wioski Glenridding. Szedł tamtędy już wcześniej – okazał się nie tak straszny. Znajdzie się na miejscu przed zachodem słońca. Zejście było łatwiejsze niż podejście z Dale Head, a to miał już za sobą – wycieńczająca, nieubłagana, radosna wspinaczka. Następnego dnia planował wejść na Bampton Common, dotrzeć na Sharp i tam oprzeć plecy o kamień Guggleby – relikt sprzed tysiąca lat albo starszy, element kręgu kamieni i alejek, których znaczenia nikt nie rozumiał.

Wspinał się, żeby móc zabrać ze sobą wspomnienie tego spaceru i tych gór, aby te obrazy przetrwały w jego umyśle jak niewidzialna pamiątka.

Rok wcześniej o tej porze nie zdawał sobie sprawy, że wojna jest możliwa. Nigdy sobie tego nie wyobrażał. Robił w Rutherford to, co zawsze – podawał do stołu, kładł obrusy, polerował srebra. Pomyślał o wnętrzu gorącej kuchni dla służby, gdzie Mary pewnie nawet w tej chwili pracowicie przygotowywała tace na popołudniową herbatę. Spróbował sobie wyobrazić, że stoi obok niego. Marzył o tym, żeby położyć rękę, mimo że chudą, może wręcz kruchą, na jej czerwonych i spracowanych palcach. Wyobraził sobie, jak przerywa jej pracę i patrzy w tę poważną, szczerą twarz, w brązowe oczy pełne powściągliwego humoru i dobroci. Wyobraził sobie coś, czego nigdy nie zrobił – że podnosi jej palce do ust i delikatnie całuje.

Może drwiłaby z niego. Zastanawiał się, czy rzeczywiście by tak było. Roześmiałaby się, odwróciła albo zażartowała. A może wcale by się nie roześmiała. Może zwróciłaby w jego stronę swoje poważne spojrzenie i pochyliła głowę. On spojrzałby na jej gęste, brązowe włosy ściągnięte skromnie na karku. Patrzyłby, jak jej gadatliwe usta rozchylają się w uśmiechu. Może nawet położyłaby dłoń na jego ramieniu.

Uśmiechnął się mimo woli. Byłaby z nich taka osobliwa para. Chodziło tylko o to, że ona zawsze z nim rozmawiała. Lubił dźwięk jej głosu. Poprosił, żeby do niego pisała, dzięki czemu ten głos będzie mu towarzyszyć wszędzie, gdzie się znajdzie.

– Tak zrobię – zapewniła.

– Obiecujesz? – spytał.

– Nie rzucam słów na wiatr – odparła ostro.

Odgarnął włosy. Owiewał go chłodny wiaterek. Wyjął z kieszeni kartkę papieru i ołówek. W głowie kotłowały się rymy, które nie były do końca rymami. Delektował się słowami, jakby miały smak. Układał je w myślach, próbując zrozumieć górę zwiniętą pod nim jak wielki pies. Chciał pojąć, skąd się bierze jej siła, jak tętni jej puls. Zamknął oczy i wczuł się w bezmiar rozciągających się przed nim mil.

Otworzył oczy, wygładził na kolanie papier i zaczął pisać.

Louisa Cavendish siedziała cały ranek w bibliotece ojca i nie ruszyła się z miejsca nawet w porze obiadowej. Jej ojciec miał spotkanie z zarządcą posiadłości, matka była na zakupach w Richmond z jej siostrą Charlotte. Ale samotność nie przeszkadzała jej tak bardzo ostatnimi czasy. Właściwie nawet się z niej cieszyła.

Opierając się, zauważyła swoje odbicie w wiszącym na ścianie małym lusterku w mahoniowej ramce, należącym do ojca. Była drobną, zgrabną, raczej ładną dziewczyną. Zastanawiała się, czy jej wygląd zmienił się od poprzedniego roku. Miała niespełna dwadzieścia lat, ale czasami czuła się na pięćdziesiąt. Wszystko przez to, że Charles de Montfort tak podle ją potraktował. Przechyliła głowę w bok i przyglądała się sobie. Może doświadczenie i to, że została porzucona w tak dramatycznych okolicznościach, dodały jej wyrazu? Może stała się bardziej chmurna, a jej charakter wyrazistszy?

Potrząsnęła głową i uśmiechnęła się smutno.

– Z pewnością jesteś śmieszną, niemądrą idiotką – powiedziała twarzy w lustrze.

Odkąd w sierpniu zeszłego roku wróciła z Francji, biblioteka stała się miejscem, w którym czuła się najbardziej komfortowo. W młodości nigdy wiele nie czytała – książki wydawały jej się zbytnią stratą czasu. Unikała też lekcji, jeśli tylko mogła. W przeciwieństwie do siostry, z przyjemnością rzuciłaby lekturą, zamiast się do niej zabrać, a naukę francuskiego uważała za najgorszą torturę. Cóż za ironia, uznała teraz. Francuski okazał się dla niej językiem braku zaufania i rozpaczy. Mowa kłamców, takich jak Charles de Montfort.

Czasami, gdy się nie pilnowała, myślała o nim ciepło, jakby stanowił część groteskowej baśni, która z każdym powtórzeniem robiła się coraz mniej realna. Był przystojny – nie pamiętała, żeby kiedykolwiek spotkała przystojniejszego mężczyznę – i taki zabawny, taki beztroski. Wciąż nie mogła uwierzyć, jak bardzo się pomyliła w ocenie. Całkowicie w siebie zwątpiła. Przede wszystkim to – bardziej niż szepty o skandalu i hańba spowodowana faktem, że tak teatralnie ją porzucono – wytrąciło ją z równowagi. Zaczęła wątpić we wszystko, w co kiedykolwiek wierzyła, nawet w swoje zalety. Bo to właśnie popularność, lekkomyślność, trzpiotowatość, jej dobry humor i uroda sprawiły, że tak nisko upadła.

Długi czas po tym, jak ojciec i Harry uratowali ją i przywieźli do Rutherford po klęsce, jaką okazała się jej ucieczka, Louisa nie ufała sobie nawet na tyle, by się odezwać, nie wspominając już o czerpaniu z życia jakiejkolwiek przyjemności. Matka siadywała poprzedniej jesieni na jej łóżku, głaskała ją po twarzy, ściskała dłonie i mówiła:

– Kochanie, proszę, odezwij się do mnie. Możesz ze mną porozmawiać, nie będę cię oceniać.

Lecz łagodność matki tylko pogarszała sprawę. Louisa leżała na łóżku, a łzy płynęły po jej twarzy.

– To nie twoja wina – oznajmił ojciec, kiedy zdołała po raz pierwszy zejść na kolację. – Nie ty byłaś za to odpowiedzialna. – Ale oczywiście, była odpowiedzialna. Rozumiała to. Wykazała się wyjątkowo spektakularnym brakiem rozsądku.

Teraz jednak przyjemność z życia powoli wracała. Ku swojemu zdumieniu, najczęściej odczuwała ją w bibliotece, kiedy ostrożnie przeglądała książki, przesuwała dłonią po historiach, mapach i świadectwach życia innych ludzi. Tutaj i w archiwum, gdzie lord William trzymał wszystkie pamiętniki swojego ojca, czuła troskę rodziny; chroniła ją delikatnie, łagodnie nakłaniając, żeby spojrzała na zewnątrz, poza siebie.

Czasami przychodził ojciec i stawał obok. Niewiele mówił. Od czasu do czasu kładł jej rękę na ramieniu, a potem pochylał się, by pocałować ją w policzek.

Proponował: „Poczytaj Homera" albo „Obejrzyj rysunki botaniczne, są dobre". Wiedziała, że podsuwa jej to, co jego cieszyło najbardziej. Chciał się z nią podzielić. Gdy podnosiła wzrok, czerwienił się i z zakłopotaniem poklepywał ją po ramieniu.

– Dobra dziewczynka – mówił jak do pięciolatki. – Moja dobra dziewczynka.

Louisa wstała i przeciągnęła się. Wyjrzała na taras, po czym otworzyła olbrzymie drzwi na korytarz i przeszła na druga stronę, do gabinetu ojca. Tam, na biurku, leżała poranna gazeta, wciąż złożona stroną z wiadomością o śmierci Ruperta Kenta do góry. Louisa z namysłem położyła na niej dłoń.

Nie miała zbyt wielu wspomnień o Rupercie. Był od niej dziewięć lat starszy. Byłby od niej dziewięć lat starszy, poprawiła się w myślach, marszcząc mocno czoło. Natychmiast w jej umyśle pojawił się obraz Harry'ego, takiego, jakim widziała go w październiku zeszłego roku. Brat objął ją i szepnął:

– Rozchmurz się, kochana siostrzyczko, dobrze? Dla mnie, jeśli nie widzisz innego powodu. Nie chcę myśleć, że siedzisz tutaj i się smucisz. – Uśmiechnęła się do niego. Nie dało się nie uśmiechnąć na myśl o niepoprawnym optymizmie Harry'ego.

– Postaram się – obiecała.

– I tak trzymaj – odparł, udając, że klepie ją w podbródek.

Potrząsnęła głową nad tym wspomnieniem. Powoli wyszła z pokoju i udała się do palmiarni.

Oranżeria ciągnęła się wzdłuż południowej ściany domu. Palmy sięgały aż do sufitu, w powietrzu unosił się ciepły, mocny zapach. Przez kilka minut stała i patrzyła na ogród, po czym podjęła decyzję. Podniosła kapelusz z wyplatanego trzcinowego krzesła, przeszła przez podwójne drzwi na zewnątrz i ruszyła wyłożoną cegłami w jodełkę ścieżką. Minęła znajdujący się za wysokim murem ogród kuchenny i wreszcie stanęła koło stajni w jasnym, popołudniowym słońcu.

Przez podwórze przechodził właśnie Jack Armitage. Na jej widok stanął jak wryty.

– Witaj, Jack.

– Dzień dobry, panienko.

Uśmiechnęła się do niego.

– Jesteś zajęty?

Zawahał się, oglądając szybko za siebie.

– Oczywiście, że jesteś – odpowiedziała za niego. – Dwóch twoich chłopaków wyjechało, prawda? – Wiedziała, że pomocnicy stajenni już dawno zaciągnęli się do wojska.

– Tak jest.

– Gdzie się szkolą?

– Już pojechali, są we Francji.

– Tak szybko?

– Niektórych tak wysyłają – wyjaśnił. – I chłopaki z Blessington też jadą w tym tygodniu.

– Naprawdę? – Chodziło o grupę mężczyzn pracujących w znajdującej się dwanaście mil od majątku przędzalni jej matki, po drugiej stronie porośniętych wrzosami wzgórz. Zaciągnęli się razem.

– I Harrison, i Nash.

– Tak, oczywiście – odparła.

Patrzył na nią bez ruchu. Podobało się jej, że tak niewiele mówi – to dawało jej poczucie bezpieczeństwa. Najbardziej męczyli ją ludzie, którym nie zamykały się usta. Jack okazał się dobrym człowiekiem, od dzieciństwa stale obecnym w jej życiu. Lubiła jego bezkompromisowość. Był wysoki i miał ciemne włosy. Różnica wieku między nimi wynosiła zaledwie sześć czy siedem lat. On i Harry przyjaźnili się w dzieciństwie na tyle, na ile to możliwe w przypadku syna właściciela majątku i chłopaka głównego stajennego.

– Jack? – zapytała. – Widziałeś ostatnio Cecilię, małą Sessy?

Trochę się zaczerwienił. Temat córki Harry'ego wciąż należał do sfery tabu. Odkąd dziewczynka na stałe zamieszkała w Rutherford, pracownicy unikali rozmów na jej temat. Louisa odnosiła wrażenie, że panuje między nimi zmowa milczenia. Starała się poruszać ostrożnie. Nie pamiętała właściwie Emily Maitland, wiedziała tylko, że była to jedna z pokojówek, blada, krucha dziewczyna. O tym, że Sessy jest córką Harry'ego i Emily, Louisa dowiedziała się dopiero jakiś czas po powrocie z Francji. Podczas letniej potańcówki dla służby wzięła nawet małą na kolana, trzymała w dłoni jej drobne paluszki, patrzyła na nią – a wszystko to bez świadomości, że są spokrewnione. Matka wyjawiła jej prawdę tuż przed świętami Bożego Narodzenia.

– Dziecko, które tu przychodzi... – zaczęła. – Dostanie niańkę. Zatrudniłam ją. Zamieszka tu.

– Dziewczynka z wioski, Sessy? – Louisa wiedziała, że Octavia uwielbia małą, ale w gęstej mgle, która otaczała ją w okresie choroby i rekonwalescencji po aferze w Paryżu, nie zdawała sobie sprawy, jak bardzo jest to znaczące.

Octavia, siedząc obok córki w saloniku, przekazywała wieści. Był przeraźliwie zimny, późny listopadowy poranek. Kiedy piły poranną herbatę, na kominku buzował ogień. Louisa trzymała na kolanach otwarty magazyn, ale go nie czytała. Stroje przestały ją interesować. Powoli docierało do niej, co właściwie próbuje powiedzieć matka.

– To córka Harry'ego, kochanie. Z pewnością o tym wiedziałaś.

Louisa patrzyła na nią zdumiona.

– Nie. Nie wiedziałam. Ależ jestem głupia! – Nagle przypomniał jej się Harry podczas październikowej wizyty, jak patrzył przez okno na mały, dwukołowy powozik jeżdżący do miasteczka. – To dlatego tak często się tam wybierał – mruknęła. – Myślałam, że chodzi o dziewczynę. Albo raczej, wiesz, o kogoś, kogo lubił. – Spojrzała na matkę. – Choć rzeczywiście chodziło o osobę, którą lubił.

– Tak – zgodziła się Octavia. – A teraz ona zamieszka tutaj. Ojciec się zgodził.

Louisa rozmyślała przez chwilę nad jej słowami.

– A matka...?

Octavia siedziała sztywno, jakby obawiała się protestów.

– Emily Maitland.

– Cóż... – stwierdziła Louisa, w pierwszej chwili zaskoczona i przerażona. – Wygląda na to, że wystawiliśmy was na ciężką próbę, Harry i ja. Znieśliście ją wyjątkowo dobrze.

Octavia uśmiechnęła się, ale nic nie powiedziała. Później w swoim pokoju Louisa pomyślała, że rok temu to wszystko okazałoby się straszliwym skandalem, lecz wojna usunęła w cień podobne problemy. Życie było kruche i krótkie, tę lekcję dobrze pojęli w ciągu ostatnich kilku miesięcy. Mała dziewczynka stała się teraz czymś innym – iskierką nadziei, symbolem życia w tym przerażającym wojennym świecie. Jednak nawet biorąc to wszystko pod uwagę, wręcz nieprawdopodobne wydawało się, że Octavia – i William, mój Boże! – postanowili stawić czoło nieustannym plotkom. Kim będzie dla niej Cecilia? Siostrzenicą. Członkiem rodziny Cavendishów. Kolejną dorastającą w Rutherford dziewczynką, i że najpewniej przyjmie nazwisko Harry'ego.

Louisa bardzo długo spoglądała przez okno sypialni, rozmyślając w zaciszu własnego kąta o Emily Maitland – kobiecie, która umarła, gdy urodziła się jej córeczka, a której Louisa nigdy nie znała i już nie pozna.

Sessy zamieszkała w Rutherford jak członek rodziny, ale że jej pokój dziecinny znajdował się w dużym oddaleniu od serca domu, widywało się ją dość rzadko. Gdy tylko mogła – starając się przy tym nie wchodzić w drogę krzepkiej kobiecie opiekującej się Sessy – Louisa zakradała się, żeby pobawić się z małą.

– Nie musisz się krępować – zapewniła teraz Jacka. – Ona mieszka w pokoju dziecinnym, wiesz?

– Wiem.

Zrobiła krok w jego stronę.

– Jest bardzo kochana – dodała.

– Tego nie mogę potwierdzić, rzadko ją widuję.

– Obawiam się, że jest bardzo silna i raczej uparta. – Nie skomentował. – Zastanawiałam się... myślisz, że jest za wcześnie, żeby znaleźć dla niej kucyka?

Wyglądał na zaskoczonego.

– To jeszcze szkrab.

– Ma siedemnaście miesięcy i już chodzi.

– Aha. Może.

– Może już czas posadzić ją na kucyka? Polubiłaby to. Ja miałam Szarą Gąskę, kiedy byłam malutka.

Uśmiechnął się.

– To był świetny konik.

– Tak... – zgodziła się Louisa. – Wciąż za nią tęsknię.

Przez chwilę patrzyli na siebie w milczeniu. Potem Jack z wielkim zainteresowaniem zaczął wpatrywać się w piaskowy żwirek pod stopami.

– Porozmawiam z ojcem.

– Jasne – zgodził się.

– Pomożesz mi znaleźć właściwego konika? – Uniósł wzrok. – Sama nie dam rady – powiedziała i uśmiechnęła się, gdy wzruszył ramionami w odpowiedzi. – Czyli załatwione.

Odwróciła się, żeby odejść, po czym zatrzymała się i spojrzała na niego ponownie.

– Pamiętasz, jak tańczyliśmy w sadzie?

– Tak.

Uśmiechnęła się niepewnie.

– Beztroskie dni – szepnęła. I dodała bardziej do siebie: – Przez większość życia byłam małym potworem, bez dwóch zdań. Zadowolonym z siebie i bezmyślnym... Czy tańczyłeś jeszcze kiedyś do tej piosenki?

– Rzadko tańczę – odparł. – Nie ma teraz okazji.

– Niezbyt dobry czas na rozmowy o tańcach.

– Chyba tak – przytaknął.

Znów miała odejść, ale spytała:

– Ty się nie zaciągniesz, prawda?

– Twój ojciec powiedział, że nie może sobie na to pozwolić.

– I nie będziesz słuchał tego gadania, że trzeba jechać tak czy inaczej?

– Nie wiem – szepnął. – Pewnie gdy nadejdzie czas, będę musiał pojechać.

Zmarszczyła brwi. Jack skinął głową i wzruszył niepewnie ramionami.

– Jeśli nie do wojska, to wyślą mnie do pracy w polu.

– No tak, oczywiście.

Odprowadzała go wzrokiem, aż zniknął za bramą podwórka.

Tego wieczoru, kiedy taksówka wlokła się ze stacji kolejowej wąskimi dróżkami Yorku, siedzący w niej Harry Cavendish czuł ogromne znużenie.

To było dziwne, bo udało mu się nie zapaść w sen przez całą drogę z Londynu. Rozkoszował się zielonym i spokojnym krajobrazem za oknami pociągu. Współpasażerowie zagadywali go, pragnąc poznać jego wersję wojennych wydarzeń.

Może zmęczył go wysiłek naświetlania w opowieści wyłącznie jasnych stron – obowiązkiem żołnierza jest okazywać beztroskę, nawet obcesowość, i nie należy zdradzać choćby gestem, jakim koszmarem okazała się Flandria – lecz gdy postawił stopę na peronie w Yorku, oczy zaczęły mu się kleić.

Taksówka ruszyła i już po chwili zmorzył go sen. Poczuł, że łagodnie kołysze się na ciepłej fali, a szachownica pól, która jeszcze przed momentem była jego rodzinnym krajem, zmieniła się w czarno-białe fotografie wywiadowcze z Francji, ułożone w niekończące się rzędy, w niewyraźnie zaznaczone w błocie linie, niegdyś farmy, pola i zabudowania.

Ręce położył swobodnie na kolanach, lewą dłoń owijał mu gruby bandaż. We śnie z trudem utrzymywał nad krawędzią kabiny samolotu Avro aparat fotograficzny w mahoniowym, ważącym dziesięć funtów futerale, i próbował robić zdjęcia. Był niemal pewien, że siedzący za nim obserwator jest martwy, że przypomina krwawy strzęp. Jakoś udało mu się przejąć aparat. Samolot przechylił się, kiedy Harry puścił ster jedną ręką, żeby zrobić zdjęcie.

I wtedy, zupełnie niedorzecznie, zaczął śnić, że szkicuje widoczne poniżej linie. Starał się zrozumieć, do kogo należą poszczególne okopy. Zadanie okazało się nie lada wyzwaniem, bo powierzchnia ziemi wyglądała jak rysunek szaleńca, któremu krople atramentu kapały z pióra pomiędzy znajdujące się o włos od siebie, wijące się linie. Harry miał bolesną świadomość, że mocno zaznaczone kreski oznaczają tysiące żywych ludzi, plamy atramentu zaś to głębokie, wypełnione zabitymi leje po bombach.

Cały czas ostrzeliwali go z dołu. Próbował nie stracić panowania nad sterami.

– Cholerne dranie – mruknął.

Kierowca taksówki odwrócił się i kiedy dostrzegł, że pasażer mówi przez sen, uśmiechnął się pod nosem.

Zdjęcia Harry'ego pozwoliły w marcu tego roku zaplanować bitwę pod Neuve Chapelle. Okropnym Neuve Chapelle. Wciąż śnił, zatopiony we wspomnieniach, gdy dziwna nierzeczywistość obrazów nagle nabrała ostrości. Znalazł się nad Saint-Omer, jak przed rokiem, był piękny słoneczny dzień. Harry wyjrzał ze swojego BE2 i zauważył, że drogą na Maubeuge wycofują się oddziały.

Dopóki nie nastało piekło, przez kilka pierwszych dni minionego roku czuł się taki beztroski... Brytyjski Korpus Ekspedycyjny i francuskie oddziały goniły Niemców, och, jak goniły, spychały ich z powrotem. Tak przynajmniej sądzono. Wtedy wszyscy byli jeszcze niewinni. Pełni optymizmu. Jakże pewni siebie w ostatnich tygodniach lata 1914 roku.

Chciał wyrwać się ze snu. Wolał tego nie oglądać, pragnął zapomnieć o strasznym, budzącym bezsilność widoku. Bo korpus i Francuzi wcale nie odepchnęli Niemców, mój Boże, nie. Po kilku krótkich godzinach w cichej, rozgrywającej się pod nim pantomimie, tysiące ludzi wróciło. Mężczyźni, którzy porzucili broń, nieśli rannych, pośrodku drogi stały działa artyleryjskie, konie cofały. Pomiędzy żołnierzami cywile wlekli ze sobą wózki i bydło, dzieci biegały i darły się w dojrzałej pszenicy, której nikt już teraz nie zetnie.

Odwrót do Saint-Omer. Bitwa pod Mons, dwudziestego trzeciego sierpnia. On i pozostali piloci wylądowali we Francji zaledwie dziesięć dni wcześniej. Harry dostał przydział do Korpusu Lotniczego przed kilkoma dniami, a certyfikat Królewskiego Aeroklubu tydzień wcześniej. Sądził, że musiał w tym maczać palce jego ojciec, chociaż zarzekał się, że nienawidzi latania, bo sprawy ułożyły się zbyt prosto i łatwo. Ale Harry nie miał czasu, żeby zobaczyć się z ojcem i podziękować mu za przysługę ani żeby jechać do Rutherford. Niemal w mgnieniu oka wyszkolono ich, nadano stopnie i wysłano w drogę. Każdego, kto potrafił latać, posadzono w samolocie.

W wieczór przed odlotem z Anglii Harry wybrał się popatrzeć na samoloty. Światło dnia powoli znikało, był łagodny, cudowny letni wieczór. Stał samotnie i myślał: „Mam dwadzieścia lat. Mam dwadzieścia lat i dwa miesiące. Jutro wyruszam na wojnę".

Następnego dnia przeleciał nad Kanałem w farmanie, niedorzecznie powolnej maszynie, która nie chciała rozwinąć prędkości większej niż jakieś pięćdziesiąt mil na godzinę. Marzył o blériocie, kolega pokazał mu to cudo w Hendon: rozwijał prędkość większą o dwadzieścia mil. Farman powlókł się nad kanałem do Cap Gris Nez, najkrótszą możliwą trasą.

Niemal godzinę Harry leciał do Francji nad wzburzonym morzem, wioząc ze sobą nieufnego pasażera, kierowcę, którego oddelegowano na stanowisko mechanika i który głośno modlił się przez całą drogę. Harry nigdy nie czuł takiego przerażenia i szczęścia zarazem, nawet podczas swojego pierwszego lotu. Siedział sztywny i przygarbiony, nie odrywając wzroku od układu sterowania, samolotu, morza i horyzontu – wszystko stało się mieszaniną granatu i bieli. Myślał o swoim absurdalnym bagażu, zwłaszcza o dętkach do opon, które zakupiono w sklepach rowerowych w Dover – w razie lądowania na morzu, miał je nadmuchiwać ustami.

Nim dotarli na drugi brzeg, Harry szczękał zębami. Jego twarz była tak wysmagana wiatrem, że wydawała się zamarznięta; wargi przykleiły mu się do zębów, gardło miał zaciśnięte. Kiedy zobaczył w oddali linię brzegową, poczuł taki tryumf, jakby samodzielnie wygrał całą wojnę.

Dolecieli do aerodromu w Amiens. Harry, ku swojemu zaskoczeniu, zobaczył pięćdziesiąt samolotów, stały jeden obok drugiego, jak podczas pokazu, i wiwatujące tłumy. Poczuł falę wstydu, kiedy lecący z nim opryskliwy mechanik również zaczął machać. Posadził farmana na ziemi i złapał mężczyznę, kiedy wysiedli i odeszli od maszyny.

– Nigdy więcej nie rób takiego przedstawienia – syknął. – Albo dostaniesz w łeb.

Och, ciemne, szare wody Kanału, siąpiący w Amiens deszcz i to poczucie, że jest się aniołem zemsty, gotowym przelecieć nad całą północną Francją i patrzeć, jak Korpus Ekspedycyjny zmusza Niemców do odwrotu za belgijską granicę – och, jakież to cudowne! Wolał być w samolocie, nieważne jakim, niż na ziemi. Gdy odrywał się od ziemi, czuł, że naprawdę żyje. Nawet stery w jego rękach wydawały się surrealistyczne, jasno podświetlone, jakby miały więcej niż trzy wymiary. Do samolotu podchodził, jakby wybierał się na poranną przechadzkę z brzęczącymi monetami w kieszeni. Lubił myśleć, że zmusiłby do tańca każdą maszynę. To była wolność w czystej postaci.

Starsi mężczyźni, oczywiście, go otrzeźwili.

– Niedojrzałość i beztroska młodych! – Harry usłyszał, jak jeden z nich komentuje fakt, że osiemnastoletni pilot, świeżo po szkoleniu, zupełnie jak on, rozbił maszynę na wzgórzach South Downs, zanim w ogóle dotarł do Kanału. – Zgaszone lampy.

Harry spytał, co mężczyzna ma na myśli.

– Sir... „zgaszone lampy"? – Zastanawiał się, czy to żargon oznaczający jakiś termin techniczny. Mężczyzna wlał do gardła całą whisky ze swojej szklanki. Stali w prowizorycznej kantynie.

– „Niebo przez oszczędność wszystkie swe lampy zgasiło"*.
Czy jakoś tak – odparł mężczyzna. Otaksował Harry'ego wzrokiem
i się uśmiechnął. – Nie znasz tej sztuki?

– Nie, sir.

Oficer parsknął śmiechem.

– Może to i dobrze. Podobno przynosi pecha.

Harry doszedł do wniosku, że oficer przesadza, bo za dużo wy-
pił. Ale fraza została. Zgaszone lampy. Wszyscy oni byli lampami.
Zwłaszcza młodzi. Małe lampki migoczące w ciemnościach. Teraz
wreszcie to rozumiał.

To prawda, młodzi umierali. Niemniej ginęli wszyscy, niezależnie od wieku. Wielu równie irytująco lekkomyślnych podzieliło
los chłopaka, który rozbił się na ziemiach hrabstwa Sussex, jak
choćby biedny Allentyne, został bowiem postrzelony w miejsce,
które gwarantowało, że nigdy nie będzie małych Allentynków.
„Przez kadłub samolotu prosto w mój własny" – żartował, kiedy
wyciągano go z wraku. Samolot runął w trakcie lotu zwiadowczego
zaledwie cztery dni po tym, jak znaleźli się we Francji.

Taksówka gwałtownie zwolniła i skręciła ostro w prawo.

Harry obudził się i zadrżał: widział twarz Allentyne'a tak wyraźnie, że przez chwilę był przekonany, iż biedny drań siedzi tuż
obok niego. Wyprostował się. Kierowca zauważył ruch na tylnym
siedzeniu.

– Już dojeżdżamy do domu, sir – powiedział.

I tak było. Rutherford w słodkim wieczornym powietrzu. Roz-
goryczony Harry poczuł, że chce mu się płakać. Szybko przesunął
dłonią po twarzy.

Z końca podjazdu widział już prowadzące do domu schody.
Olbrzymie drzwi frontowe otworzyły się i na zewnątrz wyszła
jego najmłodsza siostra, Charlotte. Klasnęła w dłonie i wróciła do

* Fragment *Makbeta* Williama Shakespeare'a w przekładzie Leona Ulricha
(przypisy pochodzą od tłumaczki).

środka. Wtedy pojawili się jego rodzice – matka promieniała radością, ojciec uśmiechał się, trzymając jedną rękę w kieszeni, drugą na biodrze. „Mój Boże" – pomyślał Harry. – „Staruszek wygląda na wykończonego".

Taksówka stanęła i Harry otworzył drzwi. Charlotte biegła po schodach. W drzwiach stał Bradfield i również się uśmiechał.

Charlotte rzuciła się bratu w ramiona.

– Harry!

Roześmiał się.

– Cześć, kruszynko.

Odsunęła się od niego.

– Kruszynko?

– Bardzo panią przepraszam – zmitygował się. Pocałował dłoń siostry. – Widzę, że mam przed sobą całkiem dorosłą pannę.

Matka czekała u szczytu schodów. Wyciągnęła ręce, żeby go uścisnąć.

– Kochanie – szepnęła. – Kochany chłopiec.

Czuł, że drżała. Zrobiła krok do tyłu i ze zmarszczonym czołem dotknęła blizny na jego policzku.

– Co to takiego? – spytała przerażona.

– Mały prezent od fryca. Któregoś dnia leciałem zbyt nisko.

– Kula?!

– Wiesz, trochę ich tam lata.

– Och, Harry. – Spojrzała na jego rękę. – A to?

Wzruszył ramionami.

– Właśnie z tego powodu dali mi kilka dni wolnego. W Londynie odwiedziłem lekarza. Powiedział, że wszystko dobrze. – Poruszył palcami pod bandażem. – Za to jednak nie mogę winić fryca – powiedział. – Pewien koleżka postawił na niej krzesło. Cała od tego zdrętwiała, niech mnie diabli. Przez pewien czas niczego nie mogłem utrzymać.

– Krzesło? Ale jak on to zrobił?

Harry uśmiechnął się.

– Obawiam się, że leżałem na podłodze. *De trop vino.* Żenujące.

Kątem oka zauważył, że ojciec zmarszczył brwi. Za nimi, w cieniu drzwi, rozległ się głos.

– Spóźniłeś się okropnie – skarciła go Louisa. – Ktoś tutaj od dawna powinien spać.

Do tej chwili Harry trzymał się całkiem nieźle – zdążył uwolnić się z objęć Octavii i ściskał akurat dłoń ojcu, gdy stanęła obok niego Louisa, a Sessy rzuciła mu się w ramiona. Małe, przypominające rozgwiazdy paluszki złapały kołnierz jego munduru. Spojrzał na poważną, śliczną twarzyczkę i okalające ją sztywne loki, które wyglądały niemal jak wykrochmalone. Patrzyły na niego oczy Emily Maitland.

I nagle wszystko stało się jednym – biegnące z krzykiem dzieci na drodze z Mons, nieustanny lęk podczas wypadów zwiadowczych, gasnące ludzkie lampy we wzburzonych morzach błota albo w górze, na ciepłych falach prądów powietrznych, nakrapianych brązowymi plamkami ogni przeciwlotniczych.

Schował twarz w małym, okrągłym ramionku Sessy. Te same wścibskie, drobne rączki dotknęły czubka jego głowy, jakby go błogosławiły.

Dwa razy w miesiącu Edwin Bradfield chodził z Rutherford do wioski. Zawsze był sam – nie spędzał czasu ani w towarzystwie służby, która znajdowała się w hierarchii niżej od niego, ani z członkami rodziny, którzy znajdowali się wyżej. Inni mogli uważać to zarówno za brzemię, jak i błogosławieństwo, ale on nie zastanawiał się nad swoimi potrzebami. Właściwie od tylu lat służył rodzinie Cavendishów jako kamerdyner, że nie wiedział, jakie potrzeby mógłby mieć. Odkrył w każdym razie, że pogoń za szczęściem jest tylko pustym pragnieniem. Rzadko przynosi satysfakcję.

Szedł równym krokiem, pewnie, tak jak robił wiele innych rzeczy. Młodemu człowiekowi – a kiedyś zaiste przemierzał tę trasę jako młody człowiek – przejście czterech mil zajmowało około godziny. Teraz miał już sześćdziesiąt lat i trwało to zdecydowanie dłużej.

Przez jakiś czas stał na moście i patrzył, jak płynie woda, po czym usiadł na ławce wbudowanej w ścianę cmentarnego muru. Mała wioska – podobnie jak wielkie domostwo, ukryte teraz za drzewami i niewielkim wzgórzem – ucieleśniała spokój. Przysadziste kamienne chatki stały skupione wokół porośniętego trawą placu, a normański kościół otaczał mur z dużą, malowniczą, zadaszoną bramą cmentarną. Teren wokół cmentarza porastały kasztanowce. Bradfield spojrzał wzdłuż linii nagrobków na skromny nowy kamień stojący w trawie w zachodnim rogu cmentarza. „Emily Maitland" – głosił napis. „1895–1913". Zmarszczył brwi i splótł ręce na kolanach.

Emily Maitland. Widział ją teraz, kruchą, drobną dziewczynę w za dużej służbowej sukience. Była szczupła i śliczna. Ciężko pracowała, musiał to przyznać. Ale popełniła dwa błędy – słuchała Harry'ego Cavendisha i uwierzyła w to, co jej powiedział. Młodzi mężczyźni okłamują młode kobiety – ostrzegłby ją, gdyby wykazał się większą czujnością. Pani Jocelyn, ochmistrzyni, może pouczać pokojówki w kwestii właściwego zachowania oraz cytować im bezlitośnie Biblię, ale to się zupełnie nie sprawdza, kiedy dziewczyna zostaje z mężczyzną sam na sam. Zwłaszcza z takim młodym mężczyzną jak Harry Cavendish.

Bradfield sam był młodym, zaledwie trzydziestoletnim mężczyzną, kiedy zaczynał pracę w Rutherford. Był 1884 rok. Zastąpił starego Watbridge'a, który przez pięćdziesiąt lat pracował dla rodziców lorda Williama. Czasy były wtedy inne – w Rutherford mieszkał kawaler. Rodzice lorda Williama wkrótce zmarli i zostawili syna samego. Rok lub dwa później stanowisko ochmistrzyni objęła pani Jocelyn. Odtąd we dwójkę prowadzili Rutherford – Bradfield zarządzał mężczyznami, dbał o zaopatrzenie i obsługę oraz decydował o sprawach praktycznych, a pani Jocelyn zajmowała się kuchniami, wyposażeniem i pokojówkami.

Szybko się zorientował, że nie zaprzyjaźni się z panią Jocelyn, która nie dopuszczała do stworzenia żadnych bliskich relacji. W kilka godzin od poznania jej, Edwin zrozumiał, że ich światy nigdy się nie spotkają. Każde rządziło osobnym królestwem ze swojego małego, dusznego, umeblowanego pokoju na przeciwległych krańcach kamiennego korytarza na dole. Ochmistrzyni była przerażającą kobietą.

Niedawno, w ciągu ostatniego roku, zaczął poważnie martwić się o panią Jocelyn. Więcej czasu spędzała w swoim pokoju, a pokojówki często zastawały ją na żarliwej modlitwie. Po tym, jak gościł u nich młody Amerykanin Gould, bardzo uprzedziła się do lady Octavii. W najdziwniejszych momentach, ni stąd, ni zowąd, wspominała o lojalności i hańbie, rzucała też ponuro, że wojna to sposób Boga na sprawdzenie ludzkości. Kilka młodszych dziewczyn bało się jej, wiedział o tym. Ale nie wiedział, co robić. Bradfield był przekonany, że lord William nigdy się nie ożeni. W dawnych czasach należał do mężczyzn cichych i wstydliwych. Zajęty pracą w Izbie Lordów wracał do Rutherford tylko na święta Bożego Narodzenia, Wielkanoc i w lipcu. Bradfield i pani Jocelyn jeździli do Londynu na zmianę, żeby tam prowadzić mu dom. Od czasu do czasu wyruszali razem, jeśli w stolicy planowano większe przyjęcie. To jednak zdarzało się rzadko. Jaśnie pan nieczęsto zapraszał gości.

Bradfield w pewnym stopniu podziwiał prosty tryb życia lorda, choć jednocześnie było mu go szkoda. Patrzył na Williama i widział siebie samego – człowieka ogarniętego obsesją, spiętego i samotnego. Swoje uczucia lord William przelewał na psy – mastify siedziały obok niego przy śniadaniu, podróżowały z nim i spały w jego sypialni. Pani Jocelyn, o dziwo, tolerowała tę słabość. „Takie jest życzenie jaśnie pana". Ubóstwiała tego człowieka.

Rutherford stało się dla Bradfielda całym światem, gdy tylko minął próg. W pierwszym roku służby czytywał gazety – o oblężeniu Chartumu, sprezentowaniu Stanom Zjednoczonym wielkiej statuy symbolizującej wolność, premierze książki *Przygody Hucka*, która została później ulubioną powieścią Harry'ego. Ale wszystkie te wiadomości szybko stawały się tylko odległym echem. Słyszał, jak lord William rozmawia o Gladstonie z gośćmi, którzy przyjechali na polowanie. Imię królowej wypowiadali oczywiście niemalże z nabożeństwem. Ale te sprawy przestały się liczyć dla Edwina Bradfielda.

Tak czy inaczej, czasy się zmieniły. A największa zmiana nadeszła wraz z małżeństwem lorda Williama. Rutherford po przybyciu Octavii zostało dosłownie rozdarte. Pojawiła się potężna klatka schodowa, która połączyła obydwa skrzydła domu, szeroka galeria na piętrze, postawiono szklarnie i dwie chaty dla „osób z zewnątrz" – ogrodników i pomocników. Dobudowano kilka dodatkowych sypialni i dwie łazienki na piętrze, gdzie wcześniej nie było żadnej. Kuchnie rozbudowano, postawiono nowe palenisko i urządzono porządną pralnię. Życzenia Octavii Cavendish płynęły przez dom jak świeża, czysta woda. Męski kąt, śmierdzący psami, kurzem i pleśnią zmienił się we wspaniałe, bogate domostwo. Rutherford wyłoniło się jak motyl z poczwarki.

– Widzę, że korzysta pan z dnia – rozległ się głos. Wyrwany z zamyślenia Bradfield spojrzał w twarz Stephena Whittakera, wiejskiego pastora. Nie słyszał, jak mężczyzna podchodzi do niego ścieżką. Pastor się uśmiechnął. – Czy mogę do pana dołączyć?

– Oczywiście, proszę.

Whittaker usiadł.

– Śliczna pogoda.

– W rzeczy samej. – Bradfield nie był zbyt biegły w sztuce konwersacji, przyzwyczajony raczej do zachowywania milczenia. Kamerdynerów rzadko pytano o zdanie.

– Co nowego w Rutherford? – spytał pastor. – Pańscy pracodawcy pozostają w dobrym zdrowiu?

– Tak, w całkiem dobrym.

– Słyszałem, że liczba personelu została znacznie uszczuplona.

– Owszem – potwierdził Bradfield. – Rozmawiałem dziś o tym z panem Grayem, zarządcą. Nie ma na farmach dzierżawnych nikogo, kto nadawałby się do pracy w domu. Jako drugi lokaj został nam tylko Edward Hardy. Potrzebuję przynajmniej dwóch dodatkowych osób. – Zamilkł. – Chociaż wątpię, by udało mi się je znaleźć.

– Wszyscy się zaciągają – zauważył Whittaker. – Tak jest w całym kraju. Matka mówi, że w Londynie zaczęto zatrudniać kobiety do prowadzenia omnibusów, sprzedawania biletów i tym podobnych zajęć. Zdaje się, że robią również amunicję w fabrykach.

– Dobry Boże – westchnął Bradfield.

Mężczyźni siedzieli w ciszy. Po chwili Bradfield zauważył, że Whittakerowi coś nie daje spokoju. Pochylił się, twarz miał bladą.

Dopiero teraz Bradfield zwrócił uwagę, jak bardzo pastor schudł. W słońcu jego skóra wyglądała jak pergamin. Szyja wystająca z kołnierzyka duchownego zdawała się nadzwyczaj wątła.

– Musiałem podjąć decyzję – oznajmił nagle Whittaker.

– Tak?

– Decyzję... – powiedział pastor i zamilkł. Po chwili odezwał się ponownie: – Powinienem być we Francji. Potrzebują mnie tam.

– Potrzebujemy pana tutaj.

Na ustach Whittakera zagościł na chwilę uśmiech.

– Och, żebym częstował wszystkich banałami. To wszystko. I to przy okazji dwóch pogrzebów, ale żadnych małżeństw, chrztów czy konfirmacji. Trudno nazwać to pracowitym życiem.

Bradfield był wstrząśnięty. Popatrzył na mężczyznę, na jego błękitne oczy, które zawsze wyglądały, jakby miały z nich trysnąć łzy. Wiedział, że Whittaker nie jest całkiem zdrowy – w dzieciństwie cierpiał na gruźlicę. Był samotnikiem, spędzał czas na czytaniu lub na obowiązkowych codziennych spacerach, podczas których nigdy nie brudził wypolerowanych butów.

– Z pewnością nie może pan opuścić swojej parafii.

– Nie traktuję tego jako opuszczenia parafii, panie Bradfield. Widzę to jako podążanie za moimi parafianami. Są we Francji kapelani, oni wykonują istotną pracę. Mężczyźni, którzy opuścili Rutherford, znacznie bardziej będą potrzebować mnie we Francji, niż kiedykolwiek potrzebowali mnie tutaj.

– Nie wątpię w to. Ale...

Niepokój Bradfielda wynikał głównie z poczucia, które gnębiło też samego Whittakera, że Anglię, wszystkie te małe wioski i miasteczka, rozrywano na strzępy. Jej podstawowa struktura była zagrożona. Co zrobią wspólnoty bez pracujących mężczyzn albo księży? Jak poradzą sobie miasta bez kierowców? Jak będą funkcjonować domy, jeśli nie będzie w nich kobiet?

– Poprosiłem o przydział.

– Dostanie go pan?

Whittaker przechylił głowę i wzruszył ramionami.

– Ma pan na myśli moje zdrowie.

– Tak. Czy to mądre?

Pastor zamyślił się. Spojrzał na pola rozciągające się po drugiej stronie drogi. Na wąskim pastwisku między rzeką a żywopłotem pasły się cztery konie.

– One też jadą – stwierdził Whittaker.

– Ma pan na myśli konie?

– Tak. Nie poznaje ich pan? Ciągnęły wozy z beczkami dla browaru.

Bradfield popatrzył w tym samym kierunku, co jego towarzysz. Nie mógł jednak szczerze powiedzieć, że zna te konie.

Whittaker odwrócił się w jego stronę.

– Wie pan, że tysiące koni płynie do Francji z Ameryki? – spytał. – I z Indii oraz z Chin. Z Chin! To niewiarygodne, prawda? Biedne stworzenia. Wie pan, co się z nimi stanie?

Bradfield potrząsnął głową.

– Mam dalekiego kuzyna, który do mnie pisze – kontynuował pastor. – Jest łącznościowcem. Koni używa się do wszystkiego. Zabierają je na front. Poprzedniej zimy tonęli zarówno ludzie, jak i konie. Na drogach. W transporcie. Konie, muły i ludzie. Tam jest błoto, widzi pan. Te rejony poprzecinane są kanałami i bagnami. A ziemia jest... cóż, błoto...

Zamilkł. Ponad nimi gałęzie kasztanowców leniwie tańczyły na wietrze. Bradfield odwrócił wzrok od koni i spojrzał na swoje dłonie. W głębi duszy był przekonany, że w opowieściach o błocie i koniach płynących z Chin musi być pewna przesada. To ten rodzaj niedbałej, pełnej przeinaczeń gadki, której zupełnie nie pochwalał.

Whittaker wyprostował się na ławce.

– Ale zatrzymuję pana.

– W żadnym razie.

Młodszy mężczyzna wyciągnął rękę. Bradfield ujął ją i zmartwił się kościstym uściskiem. Widział, że Whittaker jest nie tylko młody i słabowity, ale również gna go determinacja większa od jego możliwości. Widział również, że gryzie go sumienie.

– Proszę zrozumieć, nie mogę tu zostać – westchnął Whittaker. – Czuję, że to niemożliwe.

Bradfield wstał razem z nim.

– To z pana strony bardzo przyzwoite. Szlachetne.

– Naprawdę? – spytał Whittaker.

Pochylił się, jakby bardzo pragnął usłyszeć odpowiedź.

– Oczywiście.

Młodszy mężczyzna się uśmiechnął.

– Dziękuję, panie Bradfield – odparł i skinął głową. – Chciałbym myśleć, że jest w tym jakaś szlachetność. I zrobię, co w mojej mocy, wie pan. To właśnie wszyscy powinniśmy robić, nie uważa pan? Dla króla i kraju? Co w naszej mocy.

Bradfield patrzył w ślad za odchodzącym mężczyzną – strach na wróble w za dużym ubraniu. Potem, wzdychając głęboko, porzucił myśl o zjedzeniu podwieczorku na trawie i ruszył z powrotem do Rutherford.

Octavia Cavendish znajdowała się w znacznie mniej przyjemnym miejscu.

Siedziała w przeszklonym biurze nadzorcy i spoglądała na olbrzymią halę największej przędzalni w Blessington. Było to jedno z wielu pomieszczeń, a szklana szyba nie tłumiła hałasu krosien. Tutaj Octavia musiała podnosić głos, żeby ją słyszano. Na dole pracownicy używali języka migowego, by się porozumieć.

Był z nią zarządca przędzalni, Ferrow, oraz sam nadzorca, Capthwaite. Jej wizyta różniła się od poprzednich z jednego powodu – dzisiaj przyjechał z nią Harry.

Harry bardzo tęsknił za jazdą małym sportowym metzem, więc wybrali się nim do przędzalni. Kiedy wysiedli, jej syn zatrzymał się i spojrzał na olbrzymi czarny budynek.

– Kiedy byłem tu po raz ostatni? – spytał.

– Zapewne osiem albo dziewięć lat temu.

Wziął ją pod rękę bez skrępowania.

– I uważasz, że powinienem się tym zająć?

– To wszystko będzie kiedyś twoje – odparła. – Rutherford to spadek po jednym dziadku... Blessington po drugim. A zatem... tak, kochanie. Uważam, że powinieneś się tym zająć.

– Ojciec z tobą nie przyjeżdża?

– Nie – odparła. – Nie zawsze.

Jej syn wyraźnie się zdziwił. Uznał nieobecność ojca za coś niezwykłego.

– Poza tym pojechał się dzisiaj z kimś spotkać. Najwyraźniej to coś pilnego. Ale wszyscy wrócimy do domu na obiad.

Nie zdradziła, że zarządzanie przędzalniami oraz dobro jej pracowników stały się poprzedniej jesieni powodem kłótni pomiędzy nią a mężem. John Gould oferował jej wolność i chociaż nie pojechała z nim do Ameryki, zainspirował ją. Chciała zostać kimś więcej niż ładnym obrazkiem, dekoracją Rutherford. William wciąż pragnął traktować ją jak ozdobną różę, ona musiała jednak znaleźć dla siebie zajęcie poza domem. Przędzalnie w Blessington były przed ślubem jej własnością. Wróciła do nich nie tylko dlatego, że pragnęła zachować zdrowie psychiczne i odnaleźć poczucie celu, ale również z powodu ciekawości, jak one działają.

Teraz Harry siedział wyprostowany na krześle i przysłuchiwał się rozmowie. Octavia widziała, że zwłaszcza nadzorca zrobił na nim złe wrażenie. Był to mężczyzna o niemiłym wyglądzie i ogromnym brzuchu, ledwie zasłoniętym przez zatłuszczoną kamizelkę. Znała go od dawna, pracował jeszcze dla jej ojca. Na czerwonej twarzy nieustannie miał przyklejony szeroki, pusty uśmiech. Był to grymas tak fałszywy, że Octavia czuła niepokój od samego patrzenia, a im dłużej mówiła, tym uśmiech stawał się szerszy. Wzrok mężczyzny prześlizgiwał się bez skrępowania pomiędzy nią a jej synem. Nie miała wątpliwości, że Capthwaite świetnie się bawi jej kosztem. Od czasu do czasu próbował jej coś wyperswadować, i to tonem, jakim mówi się do małych dziewczynek. Skakało jej przez to ciśnienie i stopniowo zalewała ją wściekłość.

Zwróciła się do Ferrowa.

– Dlaczego wciąż pracują tu dzieci?

– Takie jest lokalne prawo – odparł Ferrow. – Jaśnie pan je zatwierdził.

– Wyglądają na dziewięć, może dziesięć lat.

– Nie, proszę pani – wtrącił Capthwaite. – Najmłodsze ma jedenaście.

Oślizgły ton prowokował ją do ataku. Była pewna, że kłamie, ale nie potrafiła tego udowodnić.

– Nie pozwolę, żeby pracowały tu małe dzieci. – Spojrzała twardo na Capthwaite'a i znów zwróciła się do Ferrowa. – Czy wyrażam się jasno?

Wiedziała, że zatrudnianie dzieci jest niezgodne z prawem i że przędzalnie oraz fabryki w Yorkshire i Lancashire zazwyczaj to ignorowały. Jedenastolatkowie, dziewczynki i chłopcy, pracowali na pół etatu. Gdy kończyli dwanaście, zatrudniano ich na etat.

– Proszę nie mieć mi tego za złe, lady Cavendish – odezwał się Ferrow – ale to coś, czego pragną rodziny i same dzieci. Chcą pracować. Teraz bardziej niż kiedykolwiek. Mężczyźni wyjeżdżają. Ktoś musi ich zastąpić. A rozkazy...

Znała rozkazy. Przędzalnia pracowała non stop, starając się sprostać wymaganiom wojska. W zeszłe Boże Narodzenie rozpoczęli produkcję dwadzieścia cztery godziny na dobę.

Spojrzała na halę. Widziała dziewczyny w wieku Charlotte i młodsze, biegające tam i z powrotem. Powietrze przesycał zapach lanoliny i oleju. Wsiąkał w drewno i w podłogi. Wszędzie unosiły się wełniane włókna. Nawet w zamkniętym biurze czuła je w gardle.

Harry uśmiechnął się do Capthwaite'a.

– Ma pan dzieci? – spytał.

– Tak, proszę pana. Syna.

– Pracuje tu?

Capthwaite się zaczerwienił.

– Nie. Jest w szkole.

– A dlaczego?

– To świetny chłopak, coś z niego będzie.

– Będzie? Ma pan na myśli, że coś osiągnie?

– Tak, proszę pana.

– A te dzieci nie?

Uśmiech Capthwaite'a się poszerzył.

– One? Nie. – Sięgnął ręką do skórzanego paska przy kamizelce. – To straszne ponuraki. Uparte. – Wysunął podbródek i popatrzył na pracujących poniżej. – Dobrzy do krosien i niczego więcej.

– I pan to wie, tak? O każdym z nich?

– O każdym, tak. – Spojrzał Harry'emu bezczelnie w oczy. Nie odwrócił wzroku.

Odezwała się Octavia:

– Dziękuję, panie Capthwaite. Nie chcemy dłużej odrywać pana od pracy.

Capthwaite spojrzał na Ferrowa, który skinął głową. Patrzyli, jak mężczyzna schodzi ostrożnie w dół po metalowych schodach. Kroczył dumnie główną alejką, rzucając spojrzenia na lewo i prawo. Octavia zauważyła, że kiedy znalazł się w połowie hali, przyjrzał się lubieżnie jednej z dziewcząt.

– Nadzwyczajne – mruknął Harry.

– Panie Ferrow – odezwała się Octavia – czy wybierze się pan z nami na chwilę na dwór?

Wyszli z budynku po zewnętrznych schodach. Z wysokości kamiennych stopni patrzyli na podwórze, gdzie stały wozy zaprzężone w konie. Ładowano transport do Bradford.

– Samochody z platformami zostały zarekwirowane – wyjaśnił Ferrow.

– Czytałam pana raporty – krótko oświadczyła Octavia. – Zdaję sobie z tego sprawę.

– Były zupełnie nowe.

– Nic nie można na to poradzić.

– Tak, proszę pani – przyznał. I znów uśmiechnął się pod nosem, jakby domyślał się, że próbowała grać w męską grę. Na dowód zwrócił się do Harry'ego: – Może mógłby pan poprosić ojca o interwencję, aby niczego więcej nie zabierano? Mamy jeszcze jeden samochód, ale potrzebujemy go. Jest o wiele szybszy niż konie.

– Jestem pewien, że matka o to zadba – odparł Harry.

Ferrow odchrząknął.

– Czy jeszcze jacyś mężczyźni zostali powołani do wojska w ostatnim miesiącu? – spytała Octavia.

– Dwudziestu dwóch, proszę pani.

– Lord Cavendish szykuje pismo, które chce przedstawić w parlamencie. Pragnie prosić, by nie zabierano z przędzalni więcej doświadczonych pracowników – powiedziała. – Mamy nadzieję, że zostaniemy wysłuchani. Nie podoba mi się, że kobiety są odciągane od dzieci, by wykonywać męską pracę.

– Kobiety dobrze pracują – odparł Ferrow.

Octavia pamiętała marcową niedzielę sprzed dwóch miesięcy, kiedy wyjeżdżała grupa mężczyzn. Ona i William przyjechali z Rutherford, by stanąć na prowizorycznej scenie i ich pożegnać. Czuli, że powinni. Były flagi i orkiestra dęta, a mężczyźni, mijając ich, śpiewali *Długą drogę do Tipperary*. Wszystkie twarze zwrócone w stronę jej i Williama rozciągały się w szerokich uśmiechach. Niektórzy nawet głośno się śmiali i machali rękami. Podobnie działo się w całym kraju, zwłaszcza w miastach przędzalniczych w Lancashire i Yorkshire. Mężczyźni wyjeżdżali z miast fabrycznych, takich jak Blessington. Opuszczali nawet londyńskie urzędy – państwowe urzędy. Sklepy, linie kolejowe. Uniwersytety. Robiło się od tego niedobrze – wszyscy ci optymiści, setki tysięcy opuszczających domy. Młodzi mężczyźni i ojcowie rodzin, bez których nie mogły się obejść ich żony ani pracodawcy. A jednak wyjeżdżali i wciąż wyjeżdżają.

We trójkę minęli bramy zakładu i skręcili w stronę długich ulic pełnych wąskich domków ciągnących się w dół wzgórza. Stały tak blisko siebie, że wyglądały, jakby powpadały na siebie. W rynsztokach bawiły się w słońcu umorusane dzieci. Na schodach siedziały stare kobiety i patrzyły na nich.

Octavia odwróciła się do zarządcy.

– Panie Ferrow, zdaję sobie sprawę, że wolałby pan, by to mój mąż przyjeżdżał na spotkania z panem, nie ja – zaczęła.

– Ależ nic podobnego, proszę pani...

Machnęła ręką, żeby uciąć to kłamstwo.

– Ale spędziłam całe dzieciństwo na słuchaniu opowieści ojca o wszystkich aspektach pracy przędzalni. – Spojrzała na niego znacząco. Sam Ferrow, jego wady i umiejętności, zostały w jej obecności niejednokrotnie przedyskutowane. Zarządca poczerwieniał. Przynajmniej ten pocisk trafił do celu. – A zatem rozumie pan... – kontynuowała cicho – że gdy jaśnie pan zajęty jest innymi sprawami, ja będę tu przyjeżdżać w jego imieniu. Będę też mieć pełną świadomość wszystkiego, czym należy się zająć.

Ferrow skinął głową w milczeniu.

– Nie tylko tutejsze kobiety muszą pomagać – wyjaśniła. – Ja również mam rolę do odegrania, podobnie jak one.

Zarządca się poruszył, ale nie odpowiedział, odwrócił się, chcąc już odejść.

– Zna pan mężczyznę o nazwisku Richards? – spytała.

Zatrzymał się, zmieszany.

– Richards? W przędzalniach?

– Nie – wyjaśniła. – On już nie pracuje w przędzalni. Pracował tu niegdyś, ale potem zdarzył mu się wypadek, a jego syn zginął. Będzie miał dzisiaj, jak sądzę, około pięćdziesięciu lat.

Twarz Ferrowa się rozjaśniła.

– Francis Richards?

– Tak. Jego córka Mary jest jedną z naszych pokojówek.

Ferrow skinął głową.

– Zamiata podwórka. Wykonuje dla nas różne prace.

– Jest solidny?

– Tak solidny, jak może być zniszczony człowiek.

Spojrzała uważnie na zarządcę.

– Rozumiem – odparła. – Dziękuję, że poświęcił pan nam czas, panie Ferrow.

W drodze do domu Octavia poprosiła Harry'ego, żeby samochód zatrzymał na wzgórzu przed wrzosowiskami.

Siedzieli wpatrzeni w kominy przędzalni, z których buchały kłęby dymu i skulone za nimi miasteczka. Trudno było uwierzyć, że po drugiej stronie wrzosowisk leżało Rutherford, w całej swojej nieporuszonej okazałości.

– Tęsknisz za nią? – spytała. – Mam na myśli Anglię. Dom.

– W każdej chwili.

– Czy tam jest... bardzo źle? – Zamilkła. – Gazety mówią o zwycięstwach, ale ja w to nie wierzę, Harry.

– Tak – potwierdził w końcu. – Jest bardzo źle.

Ucieszyła się, że zdobył się na szczerość. Czekała, mając nadzieję, że może chce opowiedzieć jej tyle, ile ona pragnęłaby usłyszeć.

– Prześladują człowieka najdziwniejsze rzeczy – mruknął, patrząc przed siebie. – Niedaleko jednej z naszych kwater znajdowała się wiejska stacyjka kolejowa. Niegdyś musiało korzystać z niej wielu ludzi, miała nastawnię. – Uśmiechnął się blado. – Tuż obok peronu stał pociąg. Przykro się na niego patrzyło, używano go do ćwiczeń strzeleckich. – Odwrócił się i spojrzał na nią. – Tu i ówdzie zostają grupki cywilów. Rozumiesz, zagubionych dusz, które nie chcą wyjechać. I każdego ranka do nastawni przychodził nastawniczy. Znajdował drogę wśród gruzów i siedział tam, jakby to był zwyczajny dzień. Był obłąkany.

– Co się z nim stało? – spytała Octavia.

– Nie wiem – odpowiedział. – Ruszyliśmy dalej. Ale pewnie nie żyje. Jak pszczelarka.

Uwagę Octavii na chwilę rozproszyły dłonie syna. Prawa tkwiła w bezruchu, lewa jednak drżała, a palce kreśliły na materiale kurtki niewielkie kółeczka.

– W jednym z gospodarstw mieszkała taka miła staruszka – ciągnął Harry. Mówił cicho, niemal sennie. – Żeby przynieść wodę, chodziła wzdłuż jednego z okopów zaopatrzeniowych. Okazała się bardzo miła, przynosiła nam miód. Interesowała się naszymi samolotami i dla każdego miała dobre słowo. To było jednak głupie. Absurdalnie niebezpieczne. Kazano jej wyjechać. Powiedziała, że pszczołom nie przeszkadza ostrzał artyleryjski. Ule w zasadzie pracowały lepiej. A potem, któregoś dnia, pocisk spadł prosto na jej gospodarstwo.

– Och, nie.

– To była kwestia czasu. Pociski latają wszędzie, czasami bardzo daleko od celu. Nigdy więcej jej nie zobaczyliśmy, pewnie wyparowała. Ale ule na tyłach jej domu zostały nietknięte. I... te pszczoły wlatywały z ula i wracały do niego. Pracowały dalej bez niej. A nad tym całym piekłem śpiewały ptaki...

Oczy jej syna szkliły się od łez.

– Harry, kochanie...

Nagle gwałtownie się od niej odsunął.

– Dosyć tego – powiedział głośno i uruchomił silnik. Metz zawył i zakaszlał. – Rozmowa na ten temat to strata urlopu. Strata pięknego dnia.

Wcisnął gaz i popędzili przed siebie.

W Rutherford nadeszła pora na poranną kawę, ale w domu były tylko Louisa i Charlotte. Dziewczyny siedziały razem na obłożonej poduchami ławie w ogrodzie i cieszyły się słońcem.

Louisa przyglądała się Charlotte, która w skupieniu czytała rozłożoną na kolanach książkę. W końcu wyrwała ją siostrze i spojrzała na okładkę. Kochała Charlotte, niemniej jej ciągłe zainteresowanie bieżącymi wydarzeniami i ryzykowny dobór lektur potrafiły ją zirytować.

– Co to u licha jest?

– James Joyce – odpowiedziała Charlotte. – *Dublińczycy.*

– Brzmi okropnie ponuro.

Siostra zabrała jej książkę.

– Nie interesujesz się zanadto polityką, prawda?

– Ostatnio polubiłam książki, ale nie takie jak ta. Nie mów mi, że ty je lubisz.

Charlotte się uśmiechnęła.

– Wszyscy w Anglii powinni interesować się teraz Irlandią.

– Cóż, ja nie – stwierdziła Louisa. – Na świecie i tak jest zbyt wiele problemów. Jestem już nimi śmiertelnie zmęczona. Chodźmy usiąść w oranżerii – zasugerowała. – Sprawdzimy, co teraz kwitnie.

Charlotte westchnęła, ale się nie sprzeciwiała. Ramię w ramię weszły w parne gorąco eleganckiej, wiktoriańskiej szklarni i usiadły na ławce w pobliżu przeciwległych drzwi. Dla kogoś z zewnątrz wyglądałyby jak dwa śliczne kwiaty, całkiem pasujące do otoczenia. Na pierwszy rzut oka były niemal identyczne w białych, sztywnych lnianych sukienkach. Dopiero z bliska dało się zauważyć obycie i ślad smutnych doświadczeń na twarzy starszej dziewczyny oraz przebłysk buntu u młodszej. W tej chwili jednak wyglądały jak wcielenie spokoju. Słychać było pieśń ptaków i cichy szum płynącej rurami gorącej wody.

Nagle Charlotte spytała.

– Myślisz o nim czasem?

– O kim?

– Dobrze wiesz. O Charlesie de Montfort.

– Nie – odparła Louisa.

Młodsza siostra nie przestawała drążyć.

– Przyznaj, że myślisz.

– Staram się tego nie robić.

– Czy on... no wiesz...

Louisa uniosła brew.

– Nie mam ci nic do powiedzenia, ty mała bestyjko.

– Jestem wystarczająco duża, żeby wiedzieć.

– Nie ma o czym opowiadać.

Charlotte podniosła liść i powoli go podarła.

– Myślę, że to bardzo źle, kiedy własna siostra nie chce ci nic zdradzić.

– Nie ma co zdradzać – westchnęła Louisa. – Chciałabym uraczyć cię emocjonującą opowieścią, ale cóż...

– Nie było nawet pocałunku?

Louisa gwałtownie oderwała rękę od ramienia Charlotty.

– Myślisz, że to coś, o czym chciałabym dyskutować? – spytała ostro.

– Powinnaś.

– Dlaczego? Żebyś mogła się w tym pławić?

Charlotte wyraźnie się obruszyła.

– To niesprawiedliwe. Po prostu chciałabym wiedzieć.

– Och, musisz wszystko wiedzieć, prawda? – jęknęła Louisa. – Co z ojcem, rządem, wojną, Irlandczykami. Jakby to miało z nami cokolwiek wspólnego. I co z prawem głosu dla kobiet. Jesteś bardzo męcząca, Charlotte, naprawdę. To nie twoja sprawa, tak samo jak Charles de Montfort.

– Myślę, że wszystko, co dzieje się na świecie, jest moją sprawą. I twoją także – zaprotestowała Charlotte. – Ojciec mówi, że jesteśmy odpowiedzialni...

– Wybacz – przerwała jej Louisa. – Ale ojciec ma na myśli rozumnych mężczyzn. Powiedział to wczoraj przy śniadaniu. Nie wspomniał ani słowem o kobietach. Wiesz doskonale, że nie znosi, kiedy kobiety mieszają się do polityki.

– Cóż, wygląda na to, że matka nie ma ochoty chować głowy w piasek, nawet jeśli ty masz – odgryzła się Charlotte. – Popatrz na wszystko, co zrobiła w Blessington.

Louisa westchnęła.

– Tak nie powinno się dziać.

– Przędzalnie są własnością matki!

– Przędzalnie nie są własnością matki. Nie, odkąd wyszła za mąż, głuptasie. Należą do ojca.

– Ale należały do jej rodziny. Dlaczego nie miałaby czegoś z nimi robić?

– Bo to w złym guście. Podobnie jak kobieta zajmująca się polityką. W złym guście i bardzo niestosowne. – Przez chwilę ze zmarszczonymi brwiami przyglądała się siostrze. – Mam nadzieję, że nie przyszło ci do głowy sprzeciwiać się ojcu, Charlotte.

– Ty się sprzeciwiłaś.

– Nic podobnego! – zaprzeczyła Louisa gwałtownie.

– Tak czy inaczej, dobry gust daleko cię nie zaprowadził – złośliwie rzuciła Charlotte. – Właściwie w dość niestosowne rejony.

Louisa popatrzyła na nią zraniona.

– Przepraszam – ustąpiła po chwili lub dwóch Charlotte.

– To było bardzo okrutne.

– Dlatego przeprosiłam.

Louisa westchnęła.

– Posłuchaj, Charlie. Popełniłam błąd. Lepiej, żeby stał się on dla ciebie ostrzeżeniem. Potraktuj go jak wskazówkę. Masz dopiero siedemnaście lat. Słuchaj, co mówią ludzie. Słuchaj ojca i matki.

Charlotte wstała i rozejrzała się.

– Tu jest za gorąco. Wychodzę. Co będziesz robić?

– Pewnie się na chwilę położę.

Charlotte sapnęła z niezadowoleniem.

– Posłuchaj. Nie mam ochoty słuchać rozkazów mężczyzn – powiedziała stanowczo. – Nie zamierzam nikogo poślubiać, wyjeżdżać z nikim do Paryża ani pozwalać komuś takiemu jak ojciec, który może i jest kochany, ale jednocześnie dużo starszy ode mnie...

– Charlie!

– Taka jest prawda. Niektórzy ludzie mają dziadków w jego wieku.

– To bardzo szanowany człowiek.

– Wiem o tym. Ale mamy tysiąc dziewięćset piętnasty rok, Louiso. Nie tysiąc osiemset piętnasty. Poglądy ojca są przestarzałe, zwłaszcza te dotyczące kobiet.

– On cię uwielbia, Charlie. Matkę również. Pamiętaj o tym.

Charlotte zarumieniła się i odwróciła.

– Pamiętam – przyznała. – Ale mam mózg i zamierzam go używać. – Ruszyła w stronę drzwi i mruknęła do siebie: – Nie pozwolę nikomu sterować moim życiem. Ani typkowi w rodzaju de Montforta, ani ojcu, ani nikomu innemu.

Kiedy ponownie znalazła się w ogrodzie, zawahała się przez moment, po czym skręciła w stronę domu. Zamiast jednak wejść do środka, tarasem poszła przed budynek. Tutaj, na szerokich, kamiennych stopniach, spojrzała na podjazd i ciągnące się za nim trawniki. Po chwili ruszyła dalej, kontynuując spacer wokół domu. Szła wciąż tą samą, kamienną ścieżką.

W połowie drogi wzdłuż wschodniego skrzydła zatrzymała się i spojrzała na wzór pod stopami. Ścieżka była bardzo stara, zrobiona z tej samej cegły co centralna część domu. W czasach sprzed rozbudowy Rutherford prowadziła przez ogrody. Charlotte przyglądała się uważnie jej powierzchni, w niektórych miejscach wygładzonej przez stopy pokoleń, w innych podziurawionej przez deszcz setek zim i upały setek lat. Każde pęknięcie i każde zgrubienie miało inną historię. Pan March, ogrodnik, powiedział jej kiedyś, że cegły pochodzą z wioski znad rzeki Ouse na wschodzie Yorku. Twierdził, że po barwie jest w stanie rozpoznać, skąd są. Wspominał również, że mieszkańcy wioski wykopywali glinianki na swoich polach od tak dawna, że miejscowość otaczały teraz wypełnione wodą prostokąty i rowy. Wszystko to trafiło do Rutherford, żeby miejsce mogło stać się piękne i żeby można było chodzić tu suchą stopą.

Charlotte stanęła i spojrzała na wschód, w kierunku, gdzie musiała leżeć ta anonimowa wioska. Tam, w świecie, całe społeczności służyły Rutherford, ale słyszała też rozmowy rodziców, że kraj wyludnia się z mężczyzn. Dostrzegała zmiany wywołane przez wojnę, czytała gazety i chociaż nic nie mówiła, coraz bardziej czuła się jak podróżny wyrzucony na brzeg bezludnej wyspy – pięknej wyspy na zielonym morzu.

W innych miejscach na ziemi życie miało ostre krawędzie, niewygładzone przez czas i ustalony od wieków porządek. Cegiełki, które tworzyły świat – ludzie, miasta – nie leżały elegancko ułożone. Rozdzielały się, zmieniały i ustalały nowy porządek. Rozbijano je na kawałki, a one się odbudowywały albo ginęły, marniały, grzebały się. Tworzyły nowe kształty i rzucały się w wir kolejnych przedsięwzięć. Dokonywały odkryć, poruszały, fantazjowały i odnosiły sukcesy. Czas nie stał dla nich w miejscu, jak to się mogło wydawać w Rutherford. Za ogromnymi bramami i parkami świat pędził przed siebie. Chciała stać się jego częścią – czuła, że musi. Nie zamierzała jednak biec za wolnością tak, jak to zrobiła Louisa. Wymyśli jakiś sposób, ułoży plan.

Ruszyła dalej i minęła wschodnią ścianę domu. Na tyłach głównego budynku ukazały się jej w całej okazałości ogrody w stylu francuskim. Serpentynowe kompozycje przecinały żwirowane ścieżki, a rosnące nieco dalej wawrzyny przystrzyżono w ozdobne kształty. Wzdłuż krawędzi ciągnęły się szeroko sadzone krzewy lawendy. Mury ogrodów kuchennych otaczały ogłowione lipy.

– Nie rozumiem, dlaczego trzeba pastwić się nad drzewami i przycinać je w określone kształty – poskarżyła się kiedyś ojcu. – To sprawia, że brzydko wyglądają zimą i tak dziwnie na wiosnę.

– March wie najlepiej – brzmiała odpowiedź. Teraz, patrząc na drzewa, doszła do wniosku, że ich wygląd odzwierciedla okrutną naturę Marcha.

– March nie jest potworem – ofuknęła ją Louisa, kiedy podzieliła się z nią tą myślą. – Przecież hoduje takie piękne róże!

W głównym ogrodniku Charlotte dostrzegała coś więcej. Widziała go, wybuchowego starego człowieka, jak na lewo i prawo rozdaje razy swoim pomocnikom. Widziała, jak sekatorem i toporami tnie i rąbie drzewa oraz żywopłoty. Niektóre dzieci Marcha zachowywały się na przyjęciu bożonarodzeniowym jak mali i grubi tyrani – napychali buzie jedzeniem i bili swoich przyjaciół.

– Zbyt łatwo ferujesz wyroki – powiedziała Louisa.

Charlotte zastanawiała się teraz, czy to prawda. Być może za wiele widziała, za dużo myślała. Nie należała do osób sentymentalnych, mimo to widok przyciętych drzew wywoływał w niej niepokój. Martwiła się, że za pięknem Rutherford czai się coś więcej. Przed wiekami historia rodzinna spływała krwią, a przelewali ją Beckforthowie. Tak jakby drzewa, ich obcesowo przycięte gałęzie, dziwacznie wystrzyżone prostokąty wawrzynu, symbolizowały nienaturalne skłonności do dominacji. Zastanawiała się, czy ona też taka jest. Czy posiada stanowczość, żądzę krwi i odwagę swoich dalekich przodków? Wiedziała, że Louisa tego nie czuje, ale zastanawiała się, czy nie to właśnie kieruje Harrym, kiedy zrzuca na ludzi z nieba bomby.

Westchnęła sfrustrowana krętymi ścieżkami, którymi podążały jej myśli. Podeszła do stojącego za ogrodami muru i znalazła się w cieniu czereśni. Drzewo posadzono w ogródku warzywnym, ale kwiaty ścieliły dróżkę po drugiej stronie. Stała tak przez chwilę i bezmyślnie strząsała płatki z sukienki i włosów.

Na podwórku przy stajniach zegar wybił jedenastą. Opadające kwiaty tańczyły w rytm cichych, mosiężnych uderzeń.

William wrócił do Rutherford przed żoną i synem, ale nie poszedł zobaczyć się z córkami. Udał się do sypialni i rozsiadł w fotelu, z którego miał widok na dolinę.

Rozmowa z Attickerem okazała się długa i trudna. Chociaż Henry był jego starym przyjacielem, William nie chciał zdradzać prawdziwej przyczyny swojej wizyty.

Rozmawiali przez jakiś czas o posiadłościach, o tym, czy wypada organizować polowanie w sierpniu, biorąc pod uwagę braki w służbie, o Rupercie Kencie i udrękach, z jakimi musiała się teraz mierzyć jego rodzina.

– Wiesz oczywiście, co się stało w Langemark? – spytał Atticker.

William przyznał, że nie zna szczegółów.

– Gaz – wyjaśnił mu przyjaciel. – Cholerne Szwaby użyły gazu.

– W jaki sposób?

– Pięć tysięcy butli z chlorem, tak mi mówiono. – Atticker zapalił cygaro i z ciężkim westchnieniem wypuścił dym.

William patrzył na niego, wstrząśnięty.

– Czy to nie wbrew konwencjom haskim?

Henry zaśmiał się ponuro.

– Konwencje haskie? Co wroga obchodzą jakieś konwencje? Chemikalia trafiły w Algierczyków. Kanadyjczycy myśleli, że użyto jakiegoś nowego rodzaju prochu, bo wszędzie kłębił się żółtozielony dym. Biedni żołnierze z francuskich kolonii dławili się i biegali w amoku.

– Dobry Boże – jęknął William. – To zabiło Ruperta Kenta?

– Najprawdopodobniej. Rupert i jego ludzie zostali wysłani jako posiłki na linię frontu. Zginęło trzy tysiące ludzi.

William na moment zamknął oczy. Myślał o Hamiltonie i Elizabeth Kentach mieszkających w wielkiej palladiańskiej rezydencji czterdzieści mil dalej. Miał nadzieję, że zwłaszcza Elizabeth nie będzie rozmyślać zbyt wiele o tych okropieństwach. Bardziej jednak martwił się o Hamiltona. Był to uroczy, zawsze uśmiechnięty człowiek o beznadziejnie łagodnej naturze, dziecinny w swoim entuzjazmie. Trudno sobie wyobrazić, że sprosta czemuś takiemu. „Muszę do niego natychmiast napisać" – postanowił.

Podniósł wzrok na przyjaciela.

– Harry wrócił do domu wczoraj wieczorem – powiedział.

– Naprawdę? To dobrze. Jak on się trzyma?

– Jest lekko ranny, ale... – William znów się zawahał, po czym wyciągnął z kieszonki na piersi list. – Znasz zapewne Charlesa Banbury'ego?

– Charlesa? Tak. To mój daleki kuzyn, służy teraz w eskadrze lotniczej.

– Jest dowódcą mojego syna.

– Nie ma lepszych niż on.

William wskazał palcem kopertę.

– Napisał do mnie w sprawie Harry'ego.

– Naprawdę? Dlaczego?

– Pisze, że Harry dziwnie się zachowuje.

– Mój Boże – zmartwił się Atticker. – Przedziwne. A co ty myślisz o jego stanie?

Zanim odpowiedział, William przez chwilę się zastanawiał.

– Trudno powiedzieć.

– Nie okazuje po sobie emocji?

– Nie.

William podał Henry'emu list.

Była to na swój sposób urocza korespondencja. Charles Banbury delikatnie wskazywał, jakie niebezpieczeństwa czyhają na pilotów. Fragment listu poświęcił faktowi, że zakwaterowano ich w miejscu zwanym Château de Rose, „chociaż obawiam się, że wszelkie podobieństwo do dworu czy róży dawno już zanikło...". Pisał o odwadze Harry'ego, ale również o jego bezsenności i skłonności do picia. „Oczywiście, nie jesteśmy przeciwni alkoholowi...".

Atticker musiał właśnie dotrzeć do tego fragmentu. Roześmiał się drwiąco.

– Wiesz oczywiście, że Banbury'owie pochodzą z protestanckiej części rodziny, z Gloucestershire?

– Naprawdę? – William był zaskoczony.

Henry postukał palcem w kartkę.

– Całkowity abstynent. Ale nie może powstrzymać innego żołnierza od picia. To byłoby wbrew naturze.

Wrócił do lektury. Banbury nie opisywał konkretnych wydarzeń, zostałyby one i tak ocenzurowane, wspominał jednak o tym, jak Harry na nie reagował. „Okazało się, że lunatykuje. Wydaje się, że nie je zbyt wiele...".

Wreszcie Atticker odłożył list.

– Rozmawiałeś z chłopakiem?

– Jeszcze nie.

– Potrzebujesz mojej rady?

– Jeśli nie masz nic przeciwko.

Atticker przez chwilę się zastanawiał.

– Wysłaliśmy na tę wojnę armię z ubiegłego wieku, która używa przestarzałej taktyki – odezwał się wreszcie. – Tej samej taktyki, jakiej używaliśmy przeciwko Burom i Zulusom.

– Wtedy się sprawdzała.

– Istotnie. Ale teraz jest inaczej. Teraz walczą ze sobą maszyny. Wysyłamy kawalerię przeciwko broni automatycznej. To gra dla młodych, jej zasady są pisane od nowa. A Harry jest młody i tworzy tę wojnę w trakcie jej trwania. Nie ma wyznaczonych ścieżek, którymi mógłby iść, prawa nie istnieją. Tłuczemy ich tam, Williamie, w samolotach z kartonu i blachy, a nasi chłopcy przeżywają dzięki inteligencji i sprytowi. Muszą być lekkomyślni, żeby przetrwać.

– A jednak...

Atticker złożył list i oddał Williamowi.

– Charles pisze, że Harry dostał tydzień urlopu. Zabierz gdzieś chłopaka. Na ryby. W jakieś spokojne miejsce. Albo pozwól mu odpocząć. Tylko tyle możesz zrobić.

– Banbury prosi, żebym porozmawiał z synem.

– Odradzam ci rozmowę. Nie daj się zwieść temu, co pisze jego dowódca. To nie jest reprymenda, tylko informacja. Bardzo nietypowa; kto by pomyślał, że Banbury znalazł na to czas... Ale zatrzymaj ją dla siebie. Harry'ego tylko by wzburzyła, takie jest moje zdanie.

Mężczyźni podeszli do drzwi. Atticker położył dłoń na ramieniu Williama.

– Na twoim miejscu – dodał z uśmiechem – nie wspominałbym nic Octavii. Nie powinniśmy zanadto denerwować naszych ukochanych pań, prawda?

Do południa Harry i Octavia wrócili do Rutherford.

Wciąż została jeszcze godzina do obiadu, więc rozstali się na schodach. Octavia poszła do swojego pokoju.

Zrzuciła płaszcz i z westchnieniem usiadła w fotelu. Amelie wkrótce znalazła się przy niej.

– Mogę coś pani przynieść?

– Nie, dziękuję – odparła. – Nie zajmuj się też moim kapeluszem, sama go zdejmę. Proszę, wróć za pół godziny i przynieś moją popołudniową sukienkę.

– Jak pani sobie życzy.

Amelia wyszła i cicho zamknęła za sobą drzwi.

Octavia siedziała nieruchomo jak posąg, po czym ze złością jęknęła.

– Mój Boże.

Z kapelusza wyciągnęła długą, zakończoną pawim ogonem szpilkę, która utrzymywała go w miejscu, i zerwała z głowy. Rękawiczki również rzuciła na podłogę.

Nie tylko zachowanie Ferrowa w Blessington tak ją rozwścieczyło. Nie chodziło też o to okropne uczucie, jakie towarzyszyło jej za każdym razem, kiedy w domu zjawiał się Harry – uczucie, że ten wyczekiwany od dawna moment nadszedł i mija zbyt szybko. To jeszcze nie wszystko. Nie była to nawet kwestia zdumionych i pełnych pytań spojrzeń Williama, który jakby pragnął zajrzeć w głąb jej duszy.

Źródło jej frustracji leżało dużo głębiej.

Czasami siadywała w swojej sypialni i myślała o Johnie Gouldzie. Wspominała chwile, kiedy był przy niej, gdy ją obejmował, przypominała sobie jego słowa. Rozmyślała o rzeczach, które zrobił. Wtedy czuła przenikające ją zimno, a każda kość w ciele bolała, jakby Octavia musiała dźwigać zbyt duży ciężar. Nie chodziło tylko o fizyczną tęsknotę. John patrzył na życie z radością, a ona tego pragnęła – jego entuzjazmu, poczucia humoru. Chciała wziąć go za rękę. Usłyszeć jego głos.

Wciąż dzielili sekret: sekret ukryty w tym domu, w jej pokoju. John Gould pisał do niej od miesięcy.

Amelie przynosiła listy. Octavia poleciła jej przechwytywać korespondencję, zanim trafi do pokoju śniadaniowego. Nie chciała robić Williamowi przykrości, a jednocześnie musiała mieć te listy. Tylko tyle jej zostało po krótkiej, szalonej chwili szczęścia sprzed roku. Te wiadomości były jak małe oazy na pustyni, jak światełka rozjaśniające ponury koszmar wypełnionego obowiązkami życia. Czytała słowa Johna raz po raz i starała się nad nimi nie płakać, bo łzy wydawały się zbyt dziecinne. Ale i tak serce jej pękało.

Jego ostatni list był teraz głęboko schowany w jej kieszeni i chociaż próbowała – nieustannie się starała – odwrócić się od niego, słowa zawsze znajdowały do niej drogę. „Co porabiasz tej wiosny?" – pytał. – „Mam nadzieję, że trzęsiesz kratami tej swojej ślicznej klatki". Nie wspominał jednak, że powinna do niego przyjechać. Nie musiał – mogła wyczytać tę prośbę między wersami. Opowiadał jej o domu, który budował na Cape Cod, choć nie nazywał go „naszym domem". Opisywał go jednak, tak jakby powinna w przyszłości umieć go rozpoznać.

*Jest naprawdę diablo ładny, Octavio. Otacza go wychodzący w morze piękny taras, tak szeroki, że zmieszczą się na nim kanapa i krzesła. Dach jest nisko. Zamówiłem lampy naftowe na wypadek sztormu, bardzo ładne i proste. Czy potrafisz sobie wyobrazić, jak pięknie będą wyglądać, gdy zapali się je o zmierzchu? Trawa jednak całkiem zmarniała przez zimę. Może to był błąd. Matka zaleca posadzenie trawy morskiej, żeby ogród stał się po prostu częścią wybrzeża. Zastanawiam*

*się, co Twoim zdaniem należałoby posadzić, żeby trochę ubarwić to*
*miejsce. A może zgodziłabyś się z nią...*

Octavia nigdy mu nie odpisała. Ani razu. Nie ufała sobie na tyle, żeby dotknąć piórem papieru. Bała się, że jej słowa zabrzmią desperacko. Milczenie go jednak nie odstraszało. John Gould wciąż pisał. Nie mogła winić Williama za ich położenie. Nie potrafiła nikogo winić. Po prostu wszyscy znaleźli się w opłakanej w skutkach sytuacji bez wyjścia. Wiedziała, że jej mąż też to czuł. W zeszłe Boże Narodzenie zrobił wszystko, co w jego mocy, by coś zmienić.

Dał z siebie wszystko, by Rutherford stało się czarującym miejscem. Zaprosił wielu gości. Ku jej zdumieniu sprowadził też aktorów i muzyków, by zabawiali ich w Nowy Rok. Oznajmił jej – oraz gościom – że domowe ognisko musi płonąć cały czas i że należy celebrować święta ze względu na okropieństwa, jakie mają miejsce po drugiej stronie Kanału. Octavia domyślała się, że był to z jego strony akt buntu. W środku ich prywatnej, długiej zimy, impasu, w jakim znalazło się ich małżeństwo, podziwiała go za to.

Aby podkreślić swój pełen determinacji optymizm, podarował jej nadzwyczaj ekstrawaganckie prezenty, na widok których wręcz zachłysnęła się ze zdumienia. Znalazło się wśród nich długie do ziemi futro z soboli kupione w Debenham & Freebody na Wigmore Street, eleganco opakowane i umoszczone na miękkich warstwach bibuły i jedwabiu. Gdy obudziła się w swojej sypialni w pierwszy dzień świąt, odkryła, że William wykonał własnoręcznie małą, świąteczną pończochę i położył ją w nogach łóżka. Znalazło się w niej kunsztowne, oprawione w skórę wydanie *Kopuły z różnokolorowych szkieł* Amy Lowell. Octavia poczuła się jednocześnie zakłopotana i zaintrygowana, bo William nie lubił poezji, a autorka była Amerykanką. Po historii z Gouldem miał wszelkie prawo nie znosić tego kraju. Na stronie przedtytułowej napisał „Dla Octavii, Boże Narodzenie 1914 rok". Nic więcej. Nie „mojej najdroższej żonie", ani nawet „mojej żonie".

Przyszedł do pokoju Octavii po śniadaniu, kiedy Amelie układała jej włosy. Patrzył na jej odbicie w lustrze toaletki jak czerwieniący się uczniak. Wskazała książkę.

– To bardzo miłe – powiedziała.

Czuła się zakłopotana. Nie był mężczyzną, który ceni drobiazgi albo czułe gesty. Dosłownie przestępował z nogi na nogę, podczas gdy Amelie podkręcała i upinała włosy swojej pani z powściągliwym uśmiechem.

– Słyszałem, że dobrze pisze – stwierdził. – Pomyślałem, że może ci się spodobać.

Tak naprawdę nie przepadała zanadto za poezją Lowell. Ale jeden z wierszy ją prześladował. Poetka pisała o płatkach kwiatów rzuconych na wodę i niesionych przez nią daleko, poza zasięg wzroku, oraz o konieczności pozostania w miejscu, gdy płatki płyną w nieznane. Brzmiały w wierszu echa jej własnego życia. Ona została, choć Gould odszedł. William był tutaj, a jego dawna kochanka, porzucona przez wszystkich Helen de Montfort, mieszkała w Paryżu w Bóg wie jak strasznych warunkach. Ona i William patrzyli, jak oddala się ktoś ważny w ich życiu, albo sami stawali się płatkami unoszącymi się bezradnie w silnym nurcie wody. Żadne z nich nie miało tego, czego naprawdę pragnęło. To, co tliło się między nimi wcześniej, zgasło. Zostali z czymś nierzeczywistym. Dni jednak jakoś się toczyły. To najlepsze, co można było o nich powiedzieć. Udawało im się przeżywać kolejne dni.

W świąteczny poranek Octavia zeszła na śniadanie i czuła się wystarczająco wzruszona, by pocałować Williama w policzek i wziąć go pod ramię, kiedy czekali na Louisę, Charlotte oraz gości.

– Jesteś bardzo troskliwy – szepnęła.

– Mam nadzieję, że nie przestaniesz tak uważać – odparł, przybierając oficjalną pozę, do której się przyzwyczaiła.

Żyli więc dalej w tym dziwnym stanie rozdzielenia. Powtarzała sobie w myślach, że musi się do tego przyzwyczaić. Wmawiała, że ma nadzwyczajne szczęście, bo może mieszkać w Rutherford, podczas gdy tylu ludzi boryka się z ogromnymi problemami. Miała szczęście, ponieważ mąż, który jeszcze kilka lat wcześniej uznałby jej romans za podstawę do ukarania jej lub zażądania rozwodu (niezależnie od własnej niewierności), najwyraźniej jej wybaczył. I w pewnym zakresie pozwalał jej zarządzać Blessington. Od czasu do czasu jednak – a sprawa nowego zakwaterowania dla pracowników należała do kwestii spornych – temperament brał nad nią górę. Opór Williama przed rozbudową rozwścieczał ją.

– Zarabiamy na tej wojnie fortunę – wybuchła pewnego wieczoru po kolacji przed dwoma miesiącami. – Czy z moralnego punktu widzenia nie jesteśmy winni zapewnienia mieszkańcom Blessington chociażby porządnych domów?

William spochmurniał.

– Nie mam ochoty wysłuchiwać wykładów o moralności – odparł.

Postanowiła konsekwentnie ignorować zawoalowane ostrzeżenia, że stąpa po kruchym lodzie. Starała się nie podnosić głosu.

– To niesprawiedliwe – ciągnęła. – Wielu mężczyzn, którzy opuścili te nędzne chałupki, nigdy nie powróci. Ich żony pracują, dzieci także. Przynajmniej tyle możemy dla nich zrobić: zapewnić przyzwoite miejsce, gdzie mogą odpocząć po pracy.

William rzucił okiem na stojącego przy drzwiach do jadalni Bradfielda, na jego nieprzeniknioną minę. W żaden sposób nie pokazywał po sobie, że słyszy ton głosu Octavii.

– Kochanie, twierdzenie, że wielu mężczyzn nie wróci, trąci histerią – powiedział William.

Poczuła, jak krew uderza jej do głowy. Wstyd zmieszał się ze złością.

– Ale... – ciągnął William jakże znajomym polubownym tonem; zawsze uważała go za protekcjonalny, choć usiłowała nie interpretować w ten sposób – ...to bardzo wzruszające, że myślisz o ich rodzinach. Zobaczymy, co się da zrobić.

Wzięła głęboki wdech.

– Tak – odparła. – W rzeczy samej, zobaczymy.

Octavia siedziała teraz wpatrzona w podłogę. Oderwała spojrzenie od skomplikowanego wzoru na hinduskim dywanie i przeniosła wzrok na łóżko, turkuśniki i wiszące na ścianach stare rodzinne portrety. Zdawało jej się, że te osiemnasto- i dziewiętnastowieczne twarze patrzą na nią z wyrazem wyższości i krytyki.

– Niech was wszystkich diabli wezmą – mruknęła cicho w ich stronę. – Nie możecie mi nic zrobić. Jestem w innym świecie.

Mary Richards wyszła na słońce, niosąc w rękach zasłony.

Na niewielkim podwórku między ogrodem kuchennym a domem zostały umieszczone poprzeczki, na których wieszano wyprasowane pranie oraz zasłony zabrane z apartamentów gościnnych. Pani Jocelyn skontrolowała rozłożony materiał i popatrzyła, jak praczki z miasteczka spryskują pościel wodą lawendową. Kilka prześcieradeł wzięła pomiędzy kciuk a palec wskazujący. Pracownice stały za nią.

– Niech się wietrzą przez godzinę, a potem zabierzcie je na górę – poleciła. Przyjrzała się uważnie dziewczynom, próbując znaleźć w ich wyglądzie coś, co mogłaby skrytykować.

Potem, najwyraźniej usatysfakcjonowana, odwróciła się na pięcie.

– Wypiję teraz herbatę. Będę na schodach o czwartej – poinformowała je. – Nie każcie mi czekać. W międzyczasie weźcie całą pościel z bieliźniarek, które zaniosłam do pralni. Wytrzepcie ją, wietrzcie pół godziny i poskładajcie ponownie.

Mary wodziła wzrokiem za odchodzącą ochmistrzynią. Kiedy kobieta znalazła się w progu, dotknęła framugi. Przesunęła po niej kciukiem, po czym zrobiła to samo z górną krawędzią drzwi. Nie znalazła nic, za co mogłaby udzielić dziewczętom nagany, więc zniknęła w środku.

Mary spojrzała na Jenny.

– Ma coraz większego hyzia – skomentowała sucho.

Jenny się uśmiechnęła.

– Lepiej o tym nie mówić.

– Ale tak jest. Widziałam, jak szła do kuchni. Wyglądało to jak mały taniec. Krok do przodu i dwa wstecz przy każdej lampie. Nie widziałaś jej? Całkiem zdziwaczała.

– Czy tak nie było od zawsze?

– Nie wydaje mi się. Od kilku tygodni.

Jenny wzruszyła ramionami. Pani Jocelyn zamieszkiwała inny świat, daleki jak Mars i równie niepojęty. Półmrok niewielkiej przybudówki za kuchniami wypełniała para wodna i zapach krochmalu. Wczoraj był dzień prania i dziś sprowadzone z miasteczka dziewczyny prasowały każde ubranie i pościel. Gdy Mary znalazła się w środku, stojąca najbliżej praczka podniosła głowę.

– Zwykłej roboty jest tyle, że głowa boli, a jeszcze mamy zrobić cholerne zasłony – poskarżyła się. – Prasowałyśmy je po Bożym Narodzeniu. Ona oszalała.

Mary musiała zagryźć wargi, żeby się nie uśmiechnąć, bo dziewczyna miała rację. Mimo wszystko stała znacznie wyżej w hierarchii niż praczka z miasteczka, nie wypadało więc przytaknąć ani śmiać się z używanego przez nią języka.

– Po prostu bierz się do roboty – powiedziała Mary i schyliła się nad stertą pościeli.

Kiedy bielizna wisiała na słońcu, Mary i Jenny stanęły z rękami na biodrach.

– Ciekawe, gdzie jest teraz David – mruknęła Mary. – I kiedy do nas przyjedzie.

– Potem ma jechać do Southampton?

– Nie. Shropshire. Na dalsze szkolenie.

– Mówią, że kiedy wszyscy ochotnicy Kitchenera wyjadą do Francji, zakończą wojnę.

Mary przez chwilę zastanawiała się nad odpowiedzią.

– Nie wiem – mruknęła. – Pewnie w Niemczech też mają ochotników.

– Nie wierzysz, że ich pokonamy? – spytała wstrząśnięta Jenny.

– To niezbyt patriotycznie, nie sądzisz?

Z zamkniętymi oczami opierały się plecami o ścianę domu, na moment lub dwa wystawiały twarze do słońca. Mary westchnęła.

– Takimi właśnie powinniśmy być, prawda? Dobrymi, starymi, porządnymi Brytyjczykami? Mówimy o nich „morderczy Hunowie", ale jak sądzisz, co my tam właściwie robimy?

Otworzyła oczy. Jenny przyglądała się jej z powątpiewaniem.

– Racja jest po naszej stronie. To nie my zaczęliśmy.

Mary parsknęła.

– Oni bez wątpienia sądzą tak samo. Powiedziano im, że muszą to zrobić. Najechać na Belgię i Francję. Zapewne, żeby pomścić jakieś krzywdy.

– Mary – szepnęła Jenny – jeśli będziesz tak mówić, wpakujesz się w kłopoty. Co by powiedział lord?

– No tak – przytaknęła Mary. – Dlatego trzymam gębę na kłódkę. Ale nie spodziewaj się, że będę tam stała, machała, uśmiechała się i udawała, że to wszystko jest świetną zabawą, bo tak się nie stanie. Harrisonowi może się to podobać...

– Nie może się doczekać, żeby na nich zapolować – westchnęła Jenny. – Jak myśliwi na lisa, tak napisał. Czy to nie okropne?

– Mówiłam ci o tym, kiedy przyszłaś tu do pracy w zeszłym roku – odpowiedziała Mary. – On jest dziwny. Nigdy nie wiadomo, co mu tak naprawdę chodzi po głowie.

Jenny podniosła wzrok.

– Myślisz, że tak się stanie? To znaczy, że kogoś zabije?

– Jest wojna, prawda? – zauważyła Mary. – Myślisz, że co oni robią z Niemcami? Tańczą z nimi?

Jenny gwałtownie usiadła na niskim murku w warzywniku.

– Naprawdę kogoś zabić... – jęknęła. – Nie udawać, że się to zrobi. Zabić kogoś takiego samego jak ty. To nie w porządku.

– Ale na tym to polega. Właśnie próbuję ci wytłumaczyć.

– Mój brat wyjechał. Młodszy, Georgie. Ma szesnaście lat.

– Szesnaście? To zabronione.

Jenny bawiła się tasiemką fartuszka, marszcząc brwi.

– Skłamał oficerowi werbunkowemu, a mamie powiedział, że na pewno go nie wezmą, że wybiera się do ratusza dla żartu. Ale podpisał papiery. Mama złożyła skargę, więc pokazali jej formularz. Nie ma aktu urodzenia Georgiego. Nie pamięta nawet dobrze, w którym roku się urodził. On twierdzi, że ma osiemnaście, a jest duży, wiesz? Ponad sześć stóp wzrostu. Więc go wzięli. Mama mówi, że chyba są zdesperowani.

– Musi być zadowolony.

– Tak, choć nie wiem, jak sobie poradzi. Georgie nie umiał sam zawiązać sobie sznurowadeł, dopóki nie skończył ośmiu lat. Jest taki niezdarny... – Jenny westchnęła ciężko i chrapliwie. – To wielki młody byczek, tyle że dwa razy głupszy. Mówi, że trzeba więcej niż kuli, żeby go powstrzymać, ale pocisk jest w stanie powstrzymać każdego, prawda? On w to nie wierzy. Myśli, że po prostu wstanie i pójdzie dalej.

Zamilkła. Za nią promienie słoneczne padały na równe rządki fasolowych tyczek, ciągnących się metrami, ustawionych jakby w wojskowym szyku. Mary myślała o mężczyznach w podobnych rzędach, tylko bez oświetlającego ich słońca, które sprawiało, że w ogrodzie panowała dotkliwa cisza. W to długie i senne popołudnie fasolki zdawały się drzemać.

– Zupełnie jakby on nic nie rozumiał – skarżyła się Jenny. – A tam są nie tylko pociski, prawda? Brat mojej przyjaciółki wyszedł na nocny atak i nigdy nie wrócił. Nie wiedzą, gdzie jest. Po prostu nie wrócił. Mówią, że jest zaginiony. Nie żywy albo martwy, tylko „zaginiony".

Podniosła się teraz i stanęła obok Mary; spojrzała na ogród.

– Jego ojciec, który od roku niedomaga, wstał z łóżka, ubrał się i poszedł do Stepney zapytać, co to znaczy – powiedziała cicho. – Każdego dnia tam chodził, aż wreszcie zasłabł na ulicy i zabrali do go szpitala, gdzie leży do dzisiaj. Wciąż powtarza: „Mój chłopak zaginął". Raz za razem. Jak to możliwe, że kogoś zgubili? Dlaczego nie wiedzą? – Głos jej drżał.

Mary wzięła koleżankę za rękę.

– Twojemu bratu nic się nie stanie.

– Och, Mary – szepnęła. – Czy to wszystko nie jest po prostu okropne?

– Postarajmy się w ogóle nad tym nie myśleć – poradziła stanowczo. – Nie będziemy o tym rozmawiać. Ani o Nashu, ani o Harrisonie, ani o Georgiem. O żadnym z nich.

– O żadnym z nich – powtórzyła bez przekonania Jenny.

– I po prostu będziemy żyć dalej.

– Tak, będziemy żyć dalej.

Dziewczyny spojrzały na siebie, każda z jasnym, rozpaczliwym uśmiechem.

Nagle usłyszały dobiegający z domu piskliwy śpiew. Drzwi od strony kuchni i pralni huknęły o framugę i na słońce wybiegł Alfred, chłopiec do wszystkiego, pokryty od stóp do głów pyłem węglowym. Uśmiechał się szeroko, trzymając w brudnej dłoni kromkę chleba z masłem.

Mary spojrzała na niego surowo.

– Skąd to wziąłeś?

– Dź-bry – powitał ją od niechcenia. – Kucharz mi dał.

– I popatrz, jak ty wyglądasz!

Wzruszył ramionami.

– A co mnie to.

– Wiem, że ciebie to nie obchodzi, ty patałachu – odcięła się Mary. – Ale jeśli choć jedna kropka sadzy znajdzie się na tych prześcieradłach, to cię uduszę.

Alfred wepchnął do ust ostatni kawałek chleba. Szybkim krokiem przeszedł przez podwórze, wymachując rękami. Nieporadnie próbował maszerować w tę i z powrotem między koszami na odpadki. Złapał jakiś kij i położył go sobie na ramieniu.

– Będę żołnierzem – oznajmił.

– Boże, miej litość – westchnęła Mary. Spojrzała z politowaniem na tyczkowatą, umorusaną figurkę chłopca. Spodnie nie spadały mu z tyłka dzięki zawiązanemu w pasie sznurkowi, a na grzbiecie miał grubą, bezkształtną, dzianinową marynarkę. Czapka ledwo się trzymała na zbyt dużej głowie. Odwrócił się, wyszczerzył do niej zęby i zaczął śpiewać: „Nie ma tego złego, co by na dobre nie wyszło...".

– Oni nie chcą głuptasów. Zmykaj stąd! – krzyknęła Mary.

Nie zwrócił na nią uwagi. Tupał nogami, niosąc swoją wyimaginowaną strzelbę. W końcu przeszedł przez wejście do ogrodów kuchennych, gdzie przykląkł, udając, że strzela do wroga ukrytego pomiędzy tyczkami fasoli i kopczykami ziemniaków.

– Iha! – krzyknął. – Dorwałem cię, ty podły, wstrętny Szwabie! Całkiem cię utłukłem, na amen!

Przez cały ten czas przyglądająca mu się Mary myślała: „Nie Alfie, proszę. Tylko nie Alfie".

3

Donald Harrison nie mógł znajdować się dalej od Rutherford i bardzo się z tego cieszył.

Nie w milach. Nie, nie chodziło o odległość. Niektórzy w mundurach aliantów znaleźli się dalej od domu. Kiedy siedział w otwartym wózku na węgiel, służącym armii jako improwizowany środek transportu (tych powolnych, rozklekotanych pojazdów używano niegdyś w kopalniach węgla niedaleko granicy po francuskiej stronie), słyszał głosy Kanadyjczyków i widział rekrutowane w koloniach oddziały. Nie pochodził aż z tak daleka. Nie przebył rozległego oceanu. Ale w wyobraźni przemierzył całe systemy słoneczne i wciąż leciał, pędził jak najdalej od przeszłości.

Kanadyjczycy opowiadali, gdzie się urodzili – w miejscach o dziwnych nazwach, takich jak Saskatchewan – i pytali o jego pochodzenie.

– Yorkshire? – zapytał jeden z nich. – Co w takim razie robisz w pułku londyńczyków?

– Uciekłem – odpowiedział. Wszyscy się roześmiali. Taka była jednak prawda.

Uciekł z jednego świata i znalazł się tutaj, niemniej cieszył się z tego. Mężczyźni wokół mówili o pracy w dokach, na drogach, na farmach. Ich dni spływały potem, często chodzili głodni. Czasami któryś mówił, że pracował w magazynie, był ekspedientem albo pracownikiem banku. Ale większość po prostu klepała biedę. Straszliwą biedę. On nigdy nie wspominał, czym się zajmował w innym, jakże odległym świecie. „Lokaj" – to jakby przyznanie się do bycia nadętym pachołkiem, sługusem, pederastą. Nie, lepiej trzymać gębę na kłódkę. Nikt na niego nie naciskał. Nikogo to nie obchodziło.

Harrison stał przy relingu na statku płynącym przez Kanał, kiedy przypadkiem usłyszał jednego z oficerów. Mówił, że ochotnicy z Londynu to „szczury, które wybiegły ze slumsów, żeby znaleźć coś do jedzenia". Ale Harrison się nie obraził. Mężczyzna z laską oficerską pod pachą miał rację odnośnie ich wszystkich. Prosto ze statku powlekli się do Hawru. Okazali się przebiegłymi, hardymi facetami, rozkoszującymi się wojenną przygodą, i – szczury czy nie – Harrison czuł się dumny: był jednym z nich.

Obok niego w szeregu maszerował chłopak z wschodniego Londynu, który twierdził, że ma osiemnaście lat, chociaż wyglądał na znacznie mniej. Przeklinał, wzruszał ramionami, kaszlał i chichotał. Nie potrafił dokończyć zdania bez jakiegoś świństewka. Harrison patrzył na niego z podziwem. Szczury pływały w ściekach i wychodziły stamtąd silniejsze niż kiedykolwiek. Gryzły, walczyły i uciekały. Idący obok niego chłopaczek przeżyje, ile tylko się da, i napluje cesarzowi w twarz. Jawił się jako ktoś, kogo należy się trzymać, naśladować, za kim trzeba podążać, choć był taki młody i wychowywał się sam w jakiejś dziurze w pobliżu doków Kompanii Wschodnioindyjskiej. Harrison zapytał go, co by zrobił, gdyby stanął z Niemcem twarzą w twarz.

– Naszczałbym mu w kiszoną kapustę – odpowiedział radośnie. – A jego jajca przyczepiłbym do niedzielnego kapelusza. – Wyciągnął rękę. – Jestem Ned Billings.

Mieli zostać we francuskim porcie dwanaście godzin, położyli więc swoje tobołki na brukowanych uliczkach, a po chwili już spali, ułożeni bezładnie jeden obok drugiego. Harrison wyciągnął się między nimi, spokojny i zadowolony. Chciał być wolny od tego wszystkiego, od swojego dawnego ja. Wyjechał z Rutherford, gdy tylko Anglia przystąpiła do wojny. Nie wybierał się do Catterick, Carlisle ani do Yorku, jak dawał do zrozumienia Bradfieldowi, wsiadł w pociąg prosto do Londynu. Znał to miasto jak własną kieszeń z czasów, kiedy jeździł tam z lordem Williamem. Udał się na Finsbury Square – stała tam budka werbunkowa. Ochotnicy zjawiali się tłumnie, zajmowali miejsca na chodnikach, blokowali ulice. Zrobili Harrisonowi pobieżne badania. Sprawdzili, czy ma ponad pięć stóp wzrostu, bo tylko to się liczyło. Spytali o wiek i zawód. „Dwadzieścia siedem". To była prawda. Praca? „Robotnik fizyczny". Drobne kłamstwo. Gładkie dłonie zdradziłyby go, gdyby tylko ktoś raczył na nie spojrzeć. Ale jakie to miało znaczenie? Armia go potrzebowała.

W pierwszym tygodniu września pojechał na szkolenie. Został zakwaterowany u burkliwej gospodyni. Jako że zostawił ją mąż, wynajmowała trzy wolne pokoje w małej, edwardiańskiej willi, która stała w cichej uliczce zabitego deskami miasteczka, czterdzieści mil od Londynu. Nie miała wyboru. Wsie Hertfordshire opanowali mężczyźni, ochotnicy z armii szczurów. Szeregowy Szczur. Wesoła szczurza kompania. Coś wspaniałego, był tym wprost zachwycony. Skakanie przez ścierniska, biegi, marsze. Oranie wciąż tych samych pól ćwiczebnymi okopami. Dzień po dniu, wrzeszcząc ile sił w płucach, pędzili przed siebie z bagnetami i wbijali je w worki.

Potem wysłano ich na manewry do Salisbury i wreszcie do regularnego obozu wojskowego. Do tego czasu armia zdołała się już lepiej zorganizować. Po pierwsze, wszyscy dostali pełne umundurowanie, do tego trzy solidne posiłki dziennie, a nawet urządzono dla nich obiad z okazji Bożego Narodzenia. Siedzieli pod brezentowymi namiotami przy długich stołach nakrytych papierowymi obrusami, nad parującymi talerzami pełnymi tłustej pieczeni. Usługiwały im służby aprowizacyjne. Uważał, że to cholernie wspaniałe. Obsługiwany przy stole! On, który całe swoje życie obsługiwał innych, a oni nawet go nie zauważali.

Od czasu do czasu pisywał listy do Jenny z Rutherford. Inni pisali do ukochanych, więc udawał, że Jenny to jego sympatia. Chuda Jenny, na której nie było ani odrobiny ciała. Zarumieniona

Jenny. Naprawdę nie miał pojęcia, co o nim myślała, ale stanowiła dla niego miłe wspomnienie. Przyjemnie wracało mu się myślami do tej bladej, nieśmiałej dziewczyny. Dzień po tym, jak wylądowali w Hawrze, pułk ruszył w dwunastomilowy marsz. Wreszcie doszli do stodoły, w której zanocowali. Następnego dnia zrobili kolejnych dwanaście mil i kolejnego też. W końcu dotarli do położonego na środku falujących wzgórz obozu, gdzie czekały na nich ciężarówki do przewożenia węgla. Wszyscy nieustannie żartowali i śpiewali. Byli w dobrych humorach, a głosy mieli mocne. Śpiewające szczury, uśmiechnięte od ucha do ucha i wymachujące swoimi blaszanymi kapeluszami za każdym razem, kiedy robiono im zdjęcie.

– To będzie w „Illustrated News" – poinformował ich fotograf.

– Doskonałe zdjęcie dla pań i panów w kraju.

Harrison bujał się teraz wraz z całym samochodem, wciśnięty między obce ciała, rozdeptywany przez nieswoje stopy, potrącany, ciągnięty, popychany i padający ofiarą złośliwych uśmieszków. Panie i panowie w domu. Tak, wiedział wszystko o paniach i panach. W tamtym świecie przestał setki godzin w wykrochmalonym, sztywnym ubraniu, przyglądając się kolacjom i przyjęciom. Wiele razy wysłuchiwał, jak lord Cavendish wykłada swoje teorie dotyczące człowieka pracującego. Mówił o „niższej klasie", jakby w najlepszym razie była rodzajem wiernego psa dla właścicieli ziemskich – wciśniętych w garnitury mężczyzn, wiecznie spoglądających w dół z wzniosłych wyżyn społeczeństwa. Damy i dżentelmeni z Anglii. Donald Harrison roześmiał się do siebie. Cavendish nie był złośliwy ani nieżyczliwy, po prostu niczego nie rozumiał. Wyobrażał sobie, że siedzi na szczycie drzewa, które nigdy nie runie. Jednak zdaniem Harrisona ono już się chwiało. O, tak. Z pewnością upadnie. Nie miał co do tego najmniejszych wątpliwości.

Kilku żołnierzy zeskoczyło z samochodów i pobiegło w stronę nieogrodzonego sadu. Wrócili, niosąc w rękach pełno jabłek, które zaczęli rzucać w stronę powoli przesuwających się pojazdów.

Ręce wyciągnęły się, żeby je złapać, powietrze przeszyły wiwaty i tryumfalne wrzaski. Harrison dołączył do nich, złapał rzucony w swoją stronę owoc. Przyglądał mu się leniwie. Jabłko było małe i wyglądało na kwaśne, przyczepione do cienkiej gałązki, na której wciąż znajdowały się resztki zbrązowiałych liści. Oderwał je i przycisnął owoc do twarzy, rozkoszując się jego pięknym zapachem.

W trakcie swoich licznych podróży John Gould opanował do perfekcji jedną sztukę. Nauczył się stać nieruchomo.

Sztuka ta okazała się bardzo przydatna, zwłaszcza w takich miejscach jak Przystań 54 w Nowym Jorku. Panował tu ogłuszający hałas, ale on potrafił się wyłączyć. Udało mu się wmówić sobie, że znajduje się nie w urzędzie celnym, ale, jak cztery dni wcześniej, na plaży tuż przed świtem.

Przypomniał sobie, że był wtedy boso, a od zatoki Cape Cod wiał ciepły, orzeźwiający wiatr. Stał w niewielkiej odległości od nowego domu i gdyby odwrócił głowę, zobaczyłby może białe okiennice, długą werandę, obłożone cedrowym drewnem ściany i krótką linię okien.

Lubił stać na plaży i przyglądać się budynkowi teraz, kiedy był już niemal skończony. Podobał mu się kryty gontem dach. Z dumą stwierdzał, że dom prezentuje się skromnie. Mógł sobie pozwolić na wielki, szeroki i wysoki na cztery piętra gmach, przypominający bardziej hotel niż dom, ale nie tego pragnął dla Octavii. Chciał zwyczajnego miejsca, w którym na plażę prowadzą ścieżki z białego piasku.

Piasek i woda miały duże znaczenie, ponieważ gdyby przyjechała, w pierwszej kolejności zdjęliby buty i pobiegli na brzeg przez porośnięte trawami wydmy. Zawsze powtarzała, że jej mąż nie lubi chodzić po Rutherford boso, że to nie wypada. Tutaj mogłaby to robić. Gdyby chciała, mogłaby chodzić boso przez cały dzień. Wciąż pamiętał zdumienie, jakie ogarnęło go na widok jej bosych stóp tego pierwszego dnia w imponującej bibliotece Rutherford. Palce u nóg wysunęły się spod koronkowego rąbka porannej sukienki. Włosy wymykały się z luźno upiętego koka. Pamiętał wszystko. Tak już miało zostać na zawsze.

Często podróżował z Nowego Jorku na półwysep, żeby zobaczyć, jak idzie budowa, i mieszkał tam w prowizorycznych warunkach, kiedy budowniczowie odjeżdżali. Przywiózł ze sobą małe łóżko polowe. Postawił je w jednym z pokojów, który ciągnął się niemal przez całą długość domu, miał olbrzymie okna oraz rozmieszczone w regularnych odstępach przeszklone drzwi. Nocami obserwował zmieniające się barwy nadmorskiego nieba, gwiazdy i pędzące chmury. Widział tu już zimę i wiosnę, a teraz nadchodziło lato, które sprowadzało na Cape Cod gości. Kupił wprawdzie wielką połać wybrzeża, ale i tak lada moment niezliczone żaglówki zepsują widok na jego kawałek oceanu.

Tak bardzo pragnął, żeby przyjechała. To było tylko próżne marzenie, niemal niemożliwe do spełnienia. Mimo to pozwalał sobie wyobrażać ten moment. Pewnego dnia dostanie list. Może telegram. „Wsiadam na pokład w Liverpoolu" – napisałaby. Albo zaskoczyłaby go jeszcze bardziej. Przyjechałaby, trzymając w dłoni jeden z jego listów. On podniósłby wzrok i zobaczył, jak wysiada z samochodu przed domem, z delikatnym uśmiechem na ustach. „Jestem, John" – powiedziałaby. – „Jak mogłeś kiedykolwiek w to wątpić?".

Leżąc samotnie w pustej, nieumeblowanej skorupie domu, słuchając wiatru grającego na deskach, myślał o niej i był tak bliski płaczu, jak to tylko możliwe. Starał się jednak nie pozwalać sobie na łzy. Nie chodziło o to, że wstydził się płakać. Nie należał do tych mężczyzn, wręcz przeciwnie – często szlochał. Tak samo jak jego ojciec. „Dynastia płaczków", mówiła o nich z czułością matka. Wszyscy tak do siebie podobni. O miękkim sercu, porywczy, niespokojni, ciekawi świata i interesujący. Zafascynowani gatunkiem ludzkim. Krzykliwi, gadatliwi i zabawni. Boże, minęły miesiące od czasu, gdy miał naprawdę dobry humor. Stracił go gdzieś pośrodku Atlantyku, kiedy wracał statkiem do Ameryki. Gdy Octavia zdecydowała się zostać z Williamem po skandalu z ich córką. Zostawił ją na stacji kolejowej w Yorku. Kupił bilet na pociąg do Liverpoolu, jadący przez Góry Pennińskie. Gdy dotarł na miejsce, niemal w biegu wsiadł na statek. Prawie bez zatrzymywania się, bez namysłu. Gdyby zaczął myśleć, mógłby rzucić się w nurt Merseyu albo za burtę zmierzającego na zachód liniowca. Starał się wymazać ją z pamięci i niemal mu się to udało, dopóki nie wrócił do domu i nie porozmawiał z ojcem.

Zapamiętał każde słowo.

Było późne lato. W Nowym Jorku panował upał. Tamtego popołudnia dotarł na miejsce znużony i wymięty po podróży, z krzywym, żałosnym uśmiechem na twarzy. Kiedy tylko ojciec zobaczył jego minę, złapał go za ramię, wepchnął do gabinetu i zamknął za nimi drzwi.

– Równie dobrze możesz opowiedzieć mi całą historię – powiedział.

Oscar Gould należał do ludzi praktycznych, lecz również zabawnych. John całe życie wysłuchiwał opowiadanych przez ojca historii. Dzięki nim zrozumiał, że świat jest miejscem dziwnym, wzruszającym i niedorzecznym oraz że miał szczęście, mieszkając w najlepszym mieście na świecie w towarzystwie najlepszych ludzi, jakich nosiła ziemia. Oscar Gould był bogaty, ale także jak na bogacza nadzwyczaj szczęśliwy. Nauczył swoich synów i córki wyrozumiałości dla innych i uświadomił im, że każdy ma jakieś zalety.

Kiedy jednak John wyznał, że zakochał się w zamężnej kobiecie, jego twarz pociemniała.

– Czy to ta, o której wciąż wspominałeś? – spytał.

– Tak.

– Żona lorda?

– Tak.

– Dobry Boże w niebiosach. – Ojciec odwrócił się plecami i przez dłuższą chwilę wyglądał przez okno. Miasto w dole pędziło i huczało, ale w pokoju panowała cisza. W końcu ponownie stanął twarzą do Johna.

– To niedobrze, synu – powiedział. – Tak nie może być.

– Wiem, że to niedobrze. Muszę to jakoś naprawić. Chcę zbudować dla niej dom na Cape Cod. Nie może mieszkać tak daleko ode mnie.

Ojciec machnął rękami w geście bezradności i frustracji.

– Nie to miałem na myśli! – wykrzyknął. – Na litość boską, synu, co w ciebie wstąpiło? Chodzi mi o to, że nie możesz angażować się w ten związek. W żaden sposób!

– Nic nie potrafię na to poradzić.

– Potrafisz. I poradzisz. – Usiadł obok Johna. – To dobrze, że wróciłeś.

John wpatrywał się w ojca.

– Chcesz znać prawdę? – spytał powoli. – Nigdzie nie czuję się żywy. Myślałem, że będzie inaczej. Miałem nadzieję, że kiedy dotrę do domu, mój stan się poprawi. Ale nic się nie zmieniło. Wystarczająco źle czułem się na statku, jednak gdy tylko przekroczyłem próg, wiedziałem już na pewno. Liczyłem, że gdy ujrzę ulicę, nasz dom, włożę klucz do zamka, zobaczę Tilly czekającą w holu, żeby zabrać mój płaszcz... Sądziłem, że wrócę na ziemię. Tak myślałem. Ale się łudziłem.

Ukrył twarz w dłoniach. Rozpacz, którą starał się stłumić, zalała go ogromną falą. W ciągu tych kilku chwil czuł się gorzej niż kiedykolwiek. Czuł się spowity dławiącym dymem, żywcem pogrzebany. Zacisnął dłonie w pięści i przycisnął je do oczu, starając się nie szlochać.

Po chwili poczuł na ramieniu rękę ojca. Opuścił dłonie, otworzył oczy i spojrzał ponuro. Ojciec marszczył brwi.

– Posłuchaj, John... – zaczął cicho. – Przytrafiło ci się coś naprawdę okropnego i widzę, że się z tym męczysz. Nie mówię, że to zaplanowałeś. W takich sprawach niewiele można poradzić na bieg wydarzeń. Wiem, jak to wygląda. To jak katastrofa kolejowa. Cholerny pociąg wypadł z ciemności i zrobił z ciebie miazgę. Ale musisz wstać i odejść. Ta kobieta nie należy do ciebie, jest matką swoich dzieci. Nie wychowałem cię, żebyś rozbijał rodziny.

Zapadła długa cisza. John nigdy wcześniej nie zastanawiał się nad przeszłością ojca. Jego słowa brzmiały tak, jakby doskonale wiedział, jakie piekło przeżywa syn. „Katastrofa kolejowa". Tak, dokładnie tak się czuł, jakby uciekło z niego życie, jakby stał się cienki, niemal przezroczysty.

– Nie mogę o niej zapomnieć.

– Nie zapomnisz – odparł ojciec. – Nie musisz. Ale nie wolno ci tam wrócić. – Westchnął, wyraźnie zmartwiony samopoczuciem Johna. Ton jego głosu był jednak stanowczy. – Mówię ci, jak powinien zachować się przyzwoity mężczyzna, John. Cokolwiek się wydarzyło, zostaw to za sobą. Jesteś teraz w domu. Uczucie do niej minie. Patrz w przyszłość. To wszystko, co się liczy.

John nie poruszył tego tematu z matką, co samo w sobie było niezwykłe. Może rozmawiała z ojcem i wzięła sobie do serca jego radę, by ułatwić synowi pójście do przodu. Jesienią i zimą zorganizowała kilka przyjęć, na które zaprosiła odpowiednie dla niego kobiety. Piękne dziewczęta na wydaniu, dobre partie, w jego wieku i młodsze. Starał się zachowywać wobec nich tak uprzejmie, jak tylko potrafił. Posłusznie z nimi tańczył i przyjął jedno lub dwa zaproszenia zwrotne. Ale w pobliżu każdej dziewczyny w jego klatce piersiowej narastał męczący ból, ostry i przeszywający. Wówczas zrozumiał, czemu ludzie mówią o złamanym sercu. Czasami ból stawał się na tyle dotkliwy, że czuł się naprawdę chory. Próbował wtedy odpędzić tęsknotę działaniem. Żeglował, pływał w środku zimy w oceanie. Z zimna tracił oddech, robiło mu się niedobrze, ale przynajmniej ciało ogarniało odrętwienie.

Nic jednak nie było w stanie wytłumić cichych nut Octavii, które nieprzerwanie krążyły w żyłach Johna jak subtelna substancja chemiczna. Przez całą zimę zwierzył się tylko jednej osobie – mężczyźnie, z którym grywał w Nowym Jorku w racquetball. Człowiek ów wszedł w biznes bankowy swojego ojca i musiał nabrać formy, aby zyskać poważanie. Na Johna patrzył z sympatią.

– Poznałem dziewczynę w Kalifornii – westchnął i wzruszył ramionami. – Takich nie można mieć. Na żonę trzeba wybrać sobie dobrą dziewczynę. Pomyśl o tym i na tym się skup. Pozwól tamtej zniknąć. I tak się stanie.

Octavia jednak nie opuszczała myśli Johna. W styczniu za radą ojca spróbował pracy w olbrzymim domu towarowym, dzięki któremu jego rodzina weszła w posiadanie fortuny. Naprawdę się starał, wstawał o szóstej rano i był na miejscu nawet przed ojcem. Chodził po pustych piętrach, próbując wzbudzić w sobie zainteresowanie. Sądził, że jeśli wystarczająco się zmęczy, znajdzie lekarstwo na Octavię.

Odkrył, że posiada talent, ale nie do sprzedawania firan na jardy, koronek, eleganckich wyprawek ślubnych czy ogromnych zestawów mahoniowych mebli sypialnianych. Ponownie zaczął używać umiejętności, którą posiadał od zawsze. Opowiadał urocze historyjki i rozśmieszał ludzi, aż w końcu zdołali się na coś zdecydować. Krążąc po piętrach, potrafił uspokoić zdenerwowanych klientów i w mgnieniu oka przywołać na twarz słoneczny uśmiech. Powtarzał sobie: „Widzisz? Potrafisz to zrobić. Możesz być szczęśliwy. Dajesz sobie radę". Czasami całe dnie umilał sobie odgrywaniem tej fikcji. Ale w końcu wracał do domu, zamykał się w swoim pokoju, siadał przy biurku i zaczynał przelewać na kartki słowa adresowane do Octavii. Zaklejał kopertę i wysyłał do niej.

Nie odważył się błagać. To byłoby równie okrutne w stosunku do niej, jak cała ta farsa była dla niego. Starał się jednak subtelnie ją zachęcać. Pisał o intrygujących rzeczach. Miał nadzieję, że czuła go między słowami, że w ten sposób pragnął zamknąć ją w swoich ramionach. Bądź co bądź tylko tego pragnął – by znalazła się przy nim, w jego łóżku, dzieląc z nim dni. Boże! Tego nie dało się znieść. Czyściec, który wydawał się nie mieć końca.

Pewnego wieczoru jego rodzice urządzili proszoną kolację. Był koniec marca, w powietrzu pachniało wiosną. W ogrodzie właśnie kwitła czereśnia. Jeden z gości, redaktor gazety, zrobił na ten temat jakąś uwagę, a ponieważ John stał tuż obok niego, mężczyzna odwrócił się i wyciągnął rękę.

– Joshua Bellstock – przedstawił się. – Słyszałem, że napisał pan książkę.

– Tak – odpowiedział John. – Na temat angielskich posiadłości.

– Długo pan tam podróżował?

– Przez cały zeszły rok. Tam i po Europie.

– Zna pan Anglików? – spytał. – Rozumie pan, jak oni myślą?

John musiał powstrzymać głośny śmiech. Bał się, że mógłby on zabrzmieć raczej gorzko.

– Trochę – stwierdził.

– Kogoś w rządzie? Kogoś, kto mógłby przemycić pana do Francji?

Gould zmarszczył brwi.

– Cóż, wydaje mi się, że wszyscy możemy tam jechać, jeśli chcemy. Jesteśmy bądź co bądź neutralni.

Bellstock przyglądał mu się, jakby go oceniał.

– Szukam człowieka, który tam pojedzie i da obraz sytuacji.

– Dlaczego?

Dziennikarz uśmiechnął się.

– Niektórzy z nas sądzą, że opiniom należy nadać kierunek.

– Ma pan na myśli przystąpienie do wojny?

– Być może.

John skinął głową. Wiedział, dlaczego mężczyzna zwraca się do niego w tym akurat momencie. Przed kilkoma dniami, 28 marca, niemiecka łódź podwodna zatopiła „Falabę", brytyjski statek kupiecki. Nowy Jork huczał od komentarzy. Zginęło ponad sto osób, w tym jeden Amerykanin, inżynier górnictwa z Massachusetts. To wydarzenie nie zaskoczyło Johna – statki kupieckie traktowano jak pomocnicze jednostki marynarki, a niemiecka admiralicja miesiąc wcześniej zapowiadała, że zaatakują każdą łódź handlową na wodach otaczających Anglię i Irlandię. I dowiedli, że się nie mylili, kiedy trzynaście ton materiałów wybuchowych przewożonych przez „Falabę" przypieczętowało los statku.

Pięć dni później w „New York Timesie" ukazał się artykuł. „Czy powinniśmy zrobić krok dalej i w walce z barbarzyństwem okazać sympatie, które z takim mozołem ukrywaliśmy?" – pytano. John widział, że jego współobywatele coraz bardziej zapalają się do wojny i pomagania aliantom. Jednocześnie minister rolnictwa uspokajał, że wojna w Europie skończy się do października, a w nowym piśmie wychodzącym na Cape Cod rozpisywano się lirycznie o zewie ducha przylądka, delikatnie omywających go falach i łagodnych bryzach.

Jak większość mężczyzn z jego pokolenia, John czuł się rozdarty. Nie lubił Niemców, a przynajmniej dwóch ostatnio poznanych pracowników niemieckiej ambasady – nieprzyjemnego, przylizanego attaché wojskowego von Papena i jego pomagiera, Karla Boy-Eda. Udawało im się wpraszać na ważne przyjęcia, a na ich widok skóra mu cierpła. Nie pomogło, że pewien dyplomata, przyjaciel ojca, podsłuchał Boy-Eda, jak nazywał ich wszystkich „głupimi jankesami". Krążyła też plotka, że nastawiali irlandzkich dokerów przeciwko amerykańskiej flocie, podżegając do strajków, kłótni i pretensji.

Nie wiedział, czy to prawda, ale jednej rzeczy był pewien. Nie chciał iść na wojnę. Czuł, że to splamiłoby jego kraj. Potem jednak myślał o Octavii i jej synu we Francji. Harry musiał znajdować się teraz w wirze walk – nie sądził, by chłopak mógł siedzieć z założonymi rękami i patrzeć, jak kwiat Anglii, jej złota młodzież, tłumnie zmierza do punktów rekrutacyjnych. Harry... Nawet nie próbował sobie wyobrazić lęku Octavii i Williama. Naczytał się rozdzierających serce opowieści o jedynakach, spadkobiercach fortun czy posiadłości, którzy zginęli we Francji. Spojrzał więc na Bellstocka z mieszanymi uczuciami.

– Kogo by pan chciał? Agitatora?

– Nie, nie – zapewnił go Bellstock. – Kogoś o własnych poglądach. Co faktycznie myślą Anglicy ? Jak się sprawy naprawdę mają?

– I we Francji?

Bellstock przestąpił z nogi na nogę.

– Prawda jest taka, że są tam Kanadyjczycy. I Hindusi. I Australijczycy. Ludzie z całego świata, podczas gdy my trzymamy się z boku.

– Wysyłamy im broń – zauważył John.

Redaktor roześmiał się nieco zbyt serdecznie.

– Cóż, żeby pana zacytować: jesteśmy neutralni.

Uśmiech zniknął z jego twarzy.

– Nie chcę wysyłać broni i na tym poprzestać – powiedział. – A pan? To jak podanie broni gościowi walczącemu na pięści. Nie można tego robić i twierdzić, że jesteśmy neutralni. Już w tym siedzimy. Uważam, że powinniśmy znaleźć się na froncie, nie chować z tyłu.

– Cóż – zamyślił się John. – Nie jestem pewien, czy naprawdę chciałbym się tam znaleźć.

Bellstock uniósł brew.

– Naprawdę? – spytał. – Ja zrobiłbym to w każdej chwili. Tak trzeba, czy się to komuś podoba, czy nie.

John rozmyślał nad tym kilka dni. W końcu, w pierwszym tygodniu kwietnia, poruszył temat przy śniadaniu.

Jego matka zbladła. Odłożyła nóż i widelec.

– Nie pojedziesz do Francji – powiedziała.

– Jako obserwator dla gazety Bellstocka.

– Nie – stwierdziła stanowczo.

John spojrzał na ojca. Oscar Gould odsunął się od stołu.

– Wygląda na to, że ten cholerny bakcyl podróżny znów pcha cię do działania – westchnął. – Mówiłem ci, że kiedy skończysz trzydzieści lat, będziesz potrzebny tutaj.

– Byłem tutaj – odparł spokojnie John. – A trzydzieści lat skończę dopiero w sierpniu.

Stopniowo na twarzach mężczyzn pojawiły się uśmiechy.

– Trzymaj się z dala od linii frontu – ostrzegł ojciec.

– Nie palę się, żeby oberwać kulkę – odpowiedział John. – Z pewnością zrujnowałaby dobrze skrojony garnitur.

Na drugim końcu stołu matka Johna krzyknęła ze złości i rzuciła w nich serwetką, chybiając o milę.

Otworzył oczy i się rozejrzał.

Na nabrzeżu widział podnośniki, które nieustannie dudniły, przenosząc na statek pięć tysięcy ton węgla. Wokół kręcili się pasażerowie. Niektórzy trzymali dzisiejsze gazety. Zauważył, że kilka osób rozmawia w kolejce po bilety. Stojąca przed nim piękna kobieta nagle się odwróciła. Towarzyszący jej mężczyzna konwersował z tragarzem.

– Mój Boże. – W jej głosie brzmiała obawa. – Sądzi pan, że coś w tym jest?

Dotknął ronda kapelusza.

– W czym dokładnie?

– W tym gadaniu, że Niemcy spróbują nas zatopić.

Uśmiechnął się. Wyglądała niezwykle uroczo w tym gołębioszarym kostiumie. Odpowiedziała spłoszonym uśmiechem spod szerokiego ronda kapelusza. Jej mąż stanął do nich przodem.

– To jest Robert – przedstawiła go.

John uścisnął dłoń mężczyzny.

– Annie się zamartwia – powiedział Robert z szerokim uśmiechem. – Nie da się zatopić statku, który potrafi prześcignąć każdą łódź podwodną na ziemi, prawda?

– Tak, to prawda – odparł John. Słyszał plotki i czytał gazety.

– Ale to ostrzeżenie, które dziś ukazało się w prasie... – mruknęła Annie.

John zauważył, że Robert Matthews trzyma egzemplarz tej właśnie gazety. W dolnej części strony, pomiędzy reklamami floty Cunard, zamieszczono ramkę z ogłoszeniem. „Uwaga!" – nagłówek wydrukowano pogrubioną czcionką. – „Podróżnym wybierającym się w podróż morską przez Atlantyk przypomina się, że pomiędzy Niemcami i aliantami trwa stan wojny...". Na dole podpisano: Ambasada Cesarstwa Niemieckiego.

– Przeczytaj do końca – łagodnie zachęcił Robert. – „Jednostki pod banderą Wielkiej Brytanii lub któregokolwiek z jej sprzymierzeńców są narażone na atak...".

– Widzisz! – wykrzyknęła Annie.

– Ale my nie zaliczamy się do tej kategorii. Nie jesteśmy aliantami – zapewnił ją John. – I nie płyniemy pod banderą brytyjską, prawda? W każdym razie ja żadnej nie widzę.

– Otóż to – potwierdził Robert. Uśmiechnął się do Johna. – To tylko próba wytrącenia nas z równowagi. Ich łodzie podwodne nie są w stanie nas prześcignąć. A biorąc pod uwagę wszystkich tych agentów służb specjalnych, którzy się tu kręcą, nie mogłabyś przemycić niczego na statek.

Wskazał ruchem głowy dwóch mężczyzn rozmawiających z urzędnikami Cunardu.

– To są agenci? – szepnęła Annie.

– Szukają podejrzanych osób.

Nareszcie twarz Annie się rozjaśniła.

– W takim razie nie powinieneś czuć się bezpieczny, kochanie.

Parsknęli śmiechem.

John także się uśmiechnął. Miał nadzieję, że kobieta poczuła się lepiej, bo szczerze wierzył w to, co mówił. Zastanawiał się, czy podczas tej podróży będzie mógł jej powiedzieć: „Posłuchaj, ten statek nie zatonie. A wiesz dlaczego? Ponieważ jest zaczarowany. Niesie mnie z powrotem do Anglii. I znajdę się na tej samej ziemi, co ktoś ważny... Zawiezie mnie z powrotem do niej". Zerknął na Annie, taką słodką, taką uroczą, wyraźnie zakochaną. Wiedział, że by zrozumiała.

Gould przyglądał się, jak jego bagaż zostaje oznaczony kredą i załadowany na taśmę. Kufer powlókł się powoli razem z walizami Matthewsów, a tuż za nimi pojechało sporo podobnych do siebie waliz. Annie trąciła Johna w ramię.

– Rita Jolivet – powiedziała. – Ta aktorka, wie pan.

– Naprawdę? – John nie orientował się w teatrze, chociaż kusiło go, żeby zobaczyć przed wyjazdem cyrk Barnuma i Baileya. Ale koniec końców nie udało mu się wykrzesać dość entuzjazmu dla jeżdżących na łyżwach niedźwiedzi, słoni wojowników ani cudownych motocyklistów zawieszonych w złotej kuli. Nie gustował też w przepychaniu się przez objadający się lodami tłum na Madison Square. Mógłby to jednak zrobić i pewnie by mu się spodobało. W tej chwili nie był w stanie stwierdzić, czy powstrzymał go letarg spowodowany tęsknotą za Octavią, czy to, że – nareszcie, jakby powiedziała jego matka – wyrósł z podobnych rozrywek.

– Powinienem jeszcze kogoś wyglądać? – spytał.

– Alfreda Gwynne'a Vanderbilta – odparła Annie.

– Proszę, niech pan jej nie słucha – poprosił Robert. – Rubryka towarzyska po prostu ją pochłania.

– Nic podobnego – zaprotestowała Annie. – Ale gdyby pan Vanderbilt rzucił okiem w moim kierunku...

– Co z całą pewnością uczyni – odrzekł Robert. – W końcu jesteś kobietą, nieprawdaż?

John stłumił uśmieszek. Znał Vanderbilta. Był to przystojny mężczyzna, wielbiciel sportu. Kilka lat wcześniej jego rozwód wywołał spory skandal. Gould nie dostrzegł go jednak w tłumie. Może zrezygnował z podróży w ostatniej chwili? John miał nadzieję, że tak się nie stało. Trzy lata wcześniej Vanderbilt zrezygnował z podróży na „Titanicu" tak późno, że zakładano, iż przebywał na pokładzie, i znalazł się na liście ofiar. John skrzyżował przesądnie palce za plecami. Chwilę później rozplótł je gwałtownie, kiedy zobaczył znajomy profil Vanderbilta w drzwiach urzędu celnego. Uśmiechnął się nieco zawstydzony. „Ten statek nie zatonie" – napomniał się po raz kolejny. – „Nie ma szybszych od niego". Za tydzień znajdą się w Anglii.

Rozejrzał się wokół z zadowoleniem. Dzień okazał się niewątpliwie wspaniały. Promienie słońca wlewały się do hali odjazdów, na zewnątrz nabrzeże tonęło w oślepiającym świetle południa. Uwielbiał wyjazdy, początek przygody. Ten ekscytował go bardziej niż jakikolwiek inny.

– Wygląda pan na nadzwyczaj szczęśliwego – rzuciła przez ramię odchodząca Annie.

– Jestem szczęśliwy – odpowiedział.

Była niemal dwunasta trzydzieści, gdy potężny liniowiec wysunął się z basenu portowego i popłynął rzeką Hudson.

Na pokładzie orkiestra grała tę samą piosenkę, którą David Nash zaśpiewa później tego roku, wlokąc się w ulewnym deszczu w stronę Albert i linii frontu. Ale dzisiaj nie padało, świeciło jasne słońce, a dźwięki *Tipperary* mieszały się z głosami chóru męskiego Royal Gwent, który wracał do domu w Walii i śpiewał na całe gardło *Gwiaździsty sztandar*.

John stał przy relingu i patrzył, jak Nowy Jork znika w oddali. Ponad jego głową łopotały na masztach flagi od dziobu aż po rufę. Z czterech kominów buchał czarny dym, a pod stopami czuł wibrowanie silników parowych ukrytych głęboko pod pokładem. Odchylił głowę, ciesząc się słonecznymi promieniami na twarzy i zimnym słonym wiatrem znad Atlantyku. Postanowił w trakcie tej podróży za wszelką cenę nie tracić dobrego humoru. Postanowił, że kiedy podróż dobiegnie końca, zrobi wszystko, by zobaczyć się z Octavią.

Nie minęło dużo czasu, a statek minął Sandy Hook. Łódź pilota portowego zawróciła. Siedzący w niej mężczyzna raz czy dwa odwrócił się w stronę potężnego statku i patrzył, jak odpływa.

Zdaniem pilota dziwnie wyglądał statek bez bandery, w dodatku bez nazwy na burcie, ale odkąd wybuchła wojna wszystkie zamalowano. Mimo to znał go doskonale. Widział, kiedy przybił do nowojorskiego portu po dziewiczym rejsie – pilotował go wtedy. To był dobry statek, który w solidnym tempie prując fale, nie dalej niż za siedem dni znajdzie się w Irlandii.

Kilwater tego kolosa sprawił, że łódka pilota chwiała się na falach. Mężczyzna obejrzał się po raz ostatni. Na górnym pokładzie zauważył grupkę kobiet, które widział tego ranka – pielęgniarki w drodze na zachodni front, noszące ładne, eleganckie stroje i obszerne, białe czepce przyczepione do kapeluszy. Nadal z entuzjazmem machały małymi papierowymi flagami.

Chociaż niemożliwe, żeby go zobaczyły, pomachał im w odpowiedzi.

– Niech Bóg błogosławi „Lusitanię" – mruknął.

Ostatniego dnia urlopu Harry'ego Octavia urządziła dla niego małe przyjęcie.

Nic takiego, zaproszono tylko najbliższych i jedną lub dwie rodziny z Richmond i Yorku, które znały Harry'ego od zawsze. Kentowie, zgodnie z tym, czego się spodziewano, przeprosili i nie przyjęli zaproszenia. „Przekaż, proszę, synowi, że życzymy mu jak najlepiej" – powiedziała Octavii Elizabeth przez telefon. Octavia powoli odłożyła słuchawkę. Umówiła się z przyjaciółką, że odwiedzi ją za dwa dni. Udręka w głosie Elizabeth brzmiała wyraźnie i Octavia nie miała wątpliwości, że czeka ją trudne spotkanie.

Po południu William poprosił Harry'ego, żeby towarzyszył mu w trakcie przejażdżki doliną.

– Chciałbym poznać twoją opinię odnośnie dwóch dzierżawionych farm – wyjaśnił.

Harry zgodził się i wyruszyli w wietrzne, szare popołudnie. Płatki kwiatów w sadach leciały z drzew jak konfetti i ścieliły ścieżkę.

Ponad godzinę później zatrzymali się na wzgórzu: roztaczał się stamtąd widok na szachownicę pól uprawnych, które ciągnęły się ku kamiennym grzbietom Gór Pennińskich. Przywiązali konie i usiedli obok siebie. Harry z ukosa spojrzał na ojca. Nie wątpił, że ta przejażdżka ma ukryty cel. Wkrótce stało się jasne jaki.

– Harry... – zaczął William. – Po tym, jak w zeszłym roku udaliśmy się razem do Paryża...

Zamilkł. Harry poczuł przypływ zażenowania. Staruszek nigdy nie był dobry w wyrażaniu myśli. Przypomniał sobie, że William rządził kiedyś żelazną ręką – jego filozofia brzmiała: „Dziateczki rózeczką Duch Święty bić kazał" – lecz od wyjazdu na front w ojcu zaszła jakaś zmiana. Wyglądał na mniej pewnego siebie. Zniknęła dawna surowość.

– Czy wszystko w porządku z Louisą? – spytał Harry, nagle zmartwiony, że przedmiotem tej rozmowy może być dobro jego siostry. – Nie wplątała się znów w jakiś romansowy galimatias, z którym musimy się uporać?

Chciał zażartować, ale wypadło blado. William zmarszczył brwi.

– Nie, wprost przeciwnie – powiedział. – Louisa bardzo się zmieniła.

Zapadła pełna napięcia cisza. Ponad nimi na prądach powietrznych kołowały myszołowy.

– To o ciebie się martwimy – zaczął ponownie William. – Twoja matka i ja. Tak jakbyś nie jadł. Harry, synu, wyglądasz na wychudzonego.

Harry wciąż patrzył w niebo.

– Sytuacja tam raczej nie jest zabawna – szepnął.

– Nie, oczywiście że nie...

– Byłbym bardzo wdzięczny, gdyby udało wam się o mnie nie martwić.

– To bardzo trudne.

– Z pewnością. Mimo to. – Harry zaczął ponownie wkładać rękawiczki do konnej jazdy, jakby już skończyli temat, William jednak położył mu dłoń na ramieniu.

– Harry... – poprosił. – Powiedz, co cię martwi.

– Absolutnie nic. Ruszamy?

Ale William nie wstawał. Patrzył z zakłopotaniem na syna.

– Czy koledzy traktują cię przyzwoicie? – spytał.

Harry roześmiał się, zaskoczony.

– Czy traktują mnie przyzwoicie? – powtórzył. – To nie szkoła, ojcze. Nikt nie dostaje rózgą. Nikt nikogo nie prześladuje. My tam pracujemy.

– Oczywiście, oczywiście.

– A co do kolegów...

Harry odwrócił wzrok. Na jego twarzy pojawił się nieobecny i zamyślony wyraz, który William widywał przez cały tydzień. Jednocześnie ojciec dostrzegł nerwowy tik, na to zwróciła mu uwagę Octavia. Syn nieustannie zgniatał i rozprostowywał mankiet płaszcza.

– Kolegów? – podpowiedział William.

Harry westchnął i znów usiadł.

– Nie da się zaprzyjaźnić – powiedział z roztargnieniem, obojętnym głosem. – Oczywiście, chciałoby się... sprawiedliwe czy niesprawiedliwe traktowanie nie ma znaczenia... aż tu nagle człowiek dobrze się z kimś dogaduje, wspólna praca i tak dalej... a potem oni odchodzą.

– Odchodzą?

– Umierają – wyjaśnił obcesowo. – Albo zostają ranni. Albo wykańczają ich lekarze. Mieliśmy jednego lub dwóch takich.

– Jak to lekarze?

– Szaleństwo nikogo nie powinno zaskakiwać – powiedział Harry, jakby do siebie. – Tam wszystko jest obłędem.

William odpuścił. Nie wiedział, jak mógłby drążyć głębiej, skoro na twarzy Harry'ego znów pojawił się ten beznamiętny wyraz.

– Opowiedz mi o swoich operacjach... o misjach – zaryzykował.

Na twarzy syna pojawił się niewielki błysk dawnego entuzjazmu. William z bólem przypomniał sobie, jaki był Harry przed rokiem – energiczny, szczęśliwy na samą myśl o lataniu. Teraz jego energia głęboko się schowała, jak zasłonięte chmurami słońce.

– Myśl, która najczęściej mnie nawiedza to... cóż, świadomość dezorganizacji – zaczął powoli Harry. – Zapewne widziałeś w gazetach relacje z Neuve Chapelle?

– Tak.

– Niezłe przedstawienie, prawda? A przynajmniej tak mówią. Czytałem sprawozdanie, kiedy wróciłem do Londynu.

– Lataliście wtedy?

– O, tak – powiedział Harry. – Lataliśmy.

Nagłym gestem rzucił rękawiczki na ziemię.

– Siedziałem w BE2c – mówił powoli. – Sam, bez obserwatora. W samolocie zostawiono tylko najważniejsze części.

– Dlaczego?

– Celem był obóz w belgijskim Kortrijku. Haig posłał po Trencharda, wiesz, naszego najlepszego człowieka. Mówił, że RAF musi wesprzeć pierwszą armię. Aż do tej chwili spuszczaliśmy bomby raczej na chybił trafił. – Na jego usta powrócił ledwo dostrzegalny, krzywy uśmieszek. – Woziliśmy prowizoryczne pociski i celowaliśmy nimi w naszych niemieckich dręczycieli, ale sądzę, że nie miało to wpływu na toczące się na ziemi działania. W każdym razie niewielki.

– I Haig chciał, żebyście przestali?

– Nie. Chciał, żebyśmy bombardowali konkretne miejsca. Na linię frontu zmierzało niemieckie wsparcie. Mieliśmy wziąć na cel pociągi z wojskiem.

– Rozumiem...

– Do podwozia miałem przyczepione trzy francuskie bomby – ciągnął cicho Harry. – Wystartowały trzy samoloty. Był środek popołudnia. Wtedy piechota po obu stronach milknie. Są raczej zmęczeni po ośmiu godzinach prób pozabijania się nawzajem. Taka jatka potrafi wykończyć.

William poczuł się wstrząśnięty sarkazmem Harry'ego, nic jednak nie powiedział.

– Poranek był ładny, ale po południu zaczęły zbierać się chmury – mówił dalej. – Wystartowałem na północ od Kortrijku i w końcu zobaczyłem miasteczko. Leciałem nad torami kolejowymi na wysokości jakichś dwustu stóp. Potem zszedłem naprawdę nisko, nie więcej niż sto stóp. Kiedy się zbliżyłem, zaczęli do mnie strzelać. Pociągnąłem za wajchę zwalniającą bombę. Znalazłem się tuż nad pociągiem. Właśnie wyładowywali ludzi i konie.

– I trafili cię?

– Mnie? Nawet nie drasnęli. Poderwałem samolot i odleciałem. Problem w tym, że się odwróciłem. Spojrzałem za siebie.

– Nie rozumiem – powiedział William. – Dlaczego to był problem, skoro cię nie trafili?

Harry spojrzał ojcu prosto w twarz.

– Czy potrafisz sobie wyobrazić skutki zrzucenia dużej bomby na zatłoczoną stację kolejową?

– Och... Rozumiem.

– Wątpię – uciął Harry. – Przepraszam, ojcze, ale mam nadzieję, że nic nie rozumiesz. – Założył ręce na piersiach i znów spojrzał w niebo. – Kiedy wylądowałem, okazało się, że fragment szyny wbił się w kadłub. Naprawdę wielki kawał. Nie wiem, jak wróciłem.

– A inni, którzy wylecieli z tobą?

– Ach, tamci.

– Czy oni zostali zestrzeleni?

– Widziałem, jak wracają. Jeden nietknięty. Drugi samolot dymił. Wylądował, ale pilota trafił pocisk. Właściwie więcej niż jeden.

– Przykro mi.

– Tak, nam też było przykro. Pojechałem z nim do bazy. Trzy mile po polnej drodze. Wieźliśmy go w samochodzie sztabowym. Cholernie koszmarna podróż.

– To ktoś, kogo dobrze znałeś?

– Dość dobrze.

– Dojrzały pilot, wykwalifikowany człowiek?

– Dojrzały jak na nas. Miał dwadzieścia dwa lata.

– Trudno uporać się z czymś takim.

Harry zerwał się na równe nogi i aż zachłysnął z pełnego zdumienia śmiechu.

– Uporać? – zapytał ostro. – Tak jak należy uporać się z faktem, że jeden z lokajów trochę za wolno pracuje albo że śniadanie jest ledwo ciepłe?

– Harry...

– Pojechałem z nim do szpitala polowego! – powtórzył Harry powoli, ze złością cedząc słowa. – Nie mógł oddychać. Miał przestrzelone płuca. – Drżącą wcześniej prawą ręką zaczął raz za razem przeczesywać włosy. – Wołał swoją matkę, rozumiesz? Powiedziałem mu, żeby się do cholery zamknął. Oni wszyscy zachowują się tak samo. Mówią. Oczywiście starają się nie robić zamieszania, nie jęczeć za bardzo ani nie sprawiać zbyt wielkiego kłopotu. Ale człowiek się denerwuje, wiesz? „Mamo, mamo!".

– Usiądź na chwilę.

– Nie mogę – powiedział Harry.

Zorientował się, że wykonuje ręką nerwowe gesty i włożył ją do kieszeni płaszcza. Zesztywniał.

– Przepraszam, ojcze – zdołał w końcu wydusić. – Nie zwracaj na mnie uwagi.

William wstał. Podszedł do syna, za bardzo się jednak bał, żeby go dotknąć. Czuł, że byłoby to teraz jak kopnięcie prądem.

– Musisz próbować nie rozpamiętywać podobnych rzeczy – poradził. – Dla własnego zdrowia.

– Tak, tak – mruknął Harry. – Oczywiście.

– To nie przyniesie ci nic dobrego.

– Nie.

– Gdybyś spróbował odsunąć to od siebie...

– Tak – warknął Harry. – Dobrze.

Skulił ramiona, westchnął i uśmiechnął się. Był to upiornie pusty i blady uśmiech.

– Wracamy? – spytał William. – Matka zaplanowała to małe przyjęcie. Nie powinniśmy jej zawieść.

– Oczywiście. – Harry podniósł z ziemi rękawiczki. – Przyjęcie, tak. To miłe z jej strony. Przyjęcie...

W rzeczy samej, przyjemne spotkanie.

Harry doceniał, że matka szczególnie się starała, by ten ostatni spędzony w domu wieczór miał wyjątkowy charakter. Rozmawiał z rodzicami dawnych szkolnych przyjaciół z Richmond i z jednym lub dwoma znajomymi Louisy. W prowadzenie błahej konwersacji wkładał jednak olbrzymi wysiłek.

Sam obiad okazał się wspaniały, a oświetlona świecami jadalnia wyglądała doskonale. Grube zasłony odsunięto, dzięki czemu każdy miał widok na wieczorne światło padające na teren posiadłości oraz na patio. W szybie odbijały się ich własne niewyraźne postaci i twarze – stonowane kolory sukienek pań, ich odkryte ramiona przypominające różowe linie pomiędzy kwiatami, błysk szkła i srebra. Od czasu do czasu Harry miał wrażenie, że śni. To był zaczarowany, fantastyczny świat. Rzeczywistość istniała poza granicami tego pokoju, setki mil dalej, po drugiej stronie Kanału. Próbował działać zgodnie z radą ojca i przestać o tym myśleć. Z całej siły starał się skupić na kwiatach, kieliszkach, srebrze i pięknych kolorach.

Pewien czas spędził w salonie pięknie ozdobionym ukwieconymi gałązkami ustawionymi w wielkich, niebiesko-białych wazonach z angielskiej porcelany. Rozsiadł się wygodnie na głębokiej kanapie i grzał w ogniu płonącym w szerokim, wapiennym kominku. Po każdej jego stronie usadowiła się jedna z przyjaciółek Louisy, z pewnością specjalnie, żeby go zabawiać.

Z przyjemnością wsłuchiwał się w otaczający go gwar, w szepty dziewcząt, które pochylały się ku niemu, tak kruche, tak wesołe.

Opuszki ich palców gładziły jego rękawy. Głosy członków rodziny, znane i kochane, narastające i milknące w trakcie toczonych przez nich rozmów. Tworzyły swoistą melodię. Później Charlotte zagrała na fortepianie utwór, który najwyraźniej ćwiczyła dla niego, etiudę Chopina, przeszywająco piękną, tak piękną, że rozbolało go serce. Kiedy wieczór dobiegł końca, pocałował matkę na dobranoc i podziękował jej. Ucałował również Louisę i Charlotte i uścisnął dłoń ojca.

– Bardzo wam dziękuję – powiedział. – To było wspaniałe. Doskonale się bawiłem. Będę o tym pamiętał.

I udał się do łóżka. Jego pociąg odchodził o szóstej następnego ranka.

Dopiero gdy Harry zamknął za sobą drzwi pokoju, mógł przestać udawać. Octavia byłaby wstrząśnięta, gdyby zobaczyła, jak jej uśmiechnięty syn podchodzi do okna, ciężko się o nie opiera, kładzie głowę na zaciśniętych dłoniach i mamrocze: „O Boże, o Boże...".

Stojąc tak, próbując złapać oddech, ogromnie żałował, że poruszył z ojcem temat Neuve Chapelle.

Zabrali biednego Mastertona, pilota drugiego samolotu, do punktu opatrunkowego, który znajdował się w zniszczonym kościele. Dwie mile dalej słychać było huk bitwy.

Kiedy dotarli do drzwi, w migoczącym świetle latarni zobaczył białe postacie lekarzy. Przez krótką chwilę Harry wyobraził sobie, że to duchy – ogarnęła go groza, zbyt łatwo dało się zobaczyć zjawę, a w tej chwili czuł, że zewsząd otaczają go widma: ludzi, koni, mułów, wozów, przerażającego świstu pocisków, stłumionego huku eksplozji. Pomyślał, że znaleźli się w siódmym kręgu piekła. Ten ciemny otwór z pewnością był Styksem, szły po nich diabły, by wciągnąć wszystkich głębiej w zaświaty. A jednak... jednak... była tam też ona, biały duch pielęgniarki; sunęła między ułożonymi na łóżkach polowych rannymi.

Podniosła na moment wzrok i spojrzała mu w oczy.

Za nim lekarze zajmowali się rannymi, między innymi Mastertonem. Usłyszał, jak jeden z nich mówi:

– Siedem tysięcy w dwadzieścia cztery godziny.

„Siedem tysięcy rannych" – pomyślał. – „Czy to w ogóle możliwe?". A może siedem tysięcy zabitych? W ciągu jednego dnia?!

Pielęgniarka, którą wziął za ducha, zdejmowała jeden fartuch i zakładała drugi. Widział na brzegu jej spódnicy jasne błoto i zaschniętą krew.

Popatrzył wzdłuż ścian kościoła. Dla Mastertona mogło zabraknąć miejsca, łóżka stały w migoczącym mroku zaledwie kilka cali od siebie. W rogu za nimi wisiały malowidła przedstawiające drogę krzyżową. Kościół ledwo stał – w dachu i ścianach świeciły dziury – ale wnęki w nawie, gdzie stały małe gipsowe figurki, pozostały nienaruszone. „Chrystus, który umarł na drzewie".

Przy drodze nie było drzew. Połamane pnie, roztrzaskane konary leżały tam, gdzie niegdyś rósł las. Zaledwie pół mili dalej – na skrzyżowaniu, na końcu rozjeżdżonego bagna – zobaczyli tułów mężczyzny nadziany na taki właśnie pień, szczątki wyrzucone przez morderczą falę.

– Może by tak ktoś zdjął tego człowieka? – krzyknął do skupionej wokół samochodu grupki żołnierzy.

– Dojdziemy na niego, sir – odpowiedzieli. – Jemu już wszystko jedno.

Droga krzyżowa. Umarł na drzewie.

Tu, w swoim pokoju, tak daleko od Francji, usłyszał teraz głos pielęgniarki. Wręczała leżącemu u jej stóp człowiekowi nasączony wodą kolońską kawałek materiału. Mężczyzna, krzywiąc się z bólu, podziękował jej.

– Pachnie lepiej niż wszystko, co wąchałem w ciągu ostatniego miesiąca – szepnął.

Kobieta skinęła głową. Miała łagodny głos, który przywodził na myśl południowe wybrzeże Sussex. Mówiła miękko, chrapliwie, jej głos w tym okropnym miejscu brzmiał melodyjnie i opływał dobrocią.

Na polu bitwy to niezwykle cenna nuta. Początkowo można było pozwolić sobie na łagodność, a nawet mimo okoliczności zachować odrobinę dobrego serca, jednak u większości znanych mu mężczyzn dobroć ukrywała się teraz za martwym spojrzeniem. Patrzyli przed siebie obojętnie tępym wzrokiem, który czasem zauważał również u siebie: osłupiałe spojrzenie człowieka zdeterminowanego, by nie pokazać, jak naprawdę się boi.

W tym wciąż nazbyt żywym wspomnieniu pielęgniarka oddalała się od niego. Powrócił, jak mu się często zdarzało w nocy, do tego kościoła, w którym jęczał Masterton. Drżenie towarzyszące ostrzałowi artyleryjskiemu w jakiś sposób dostało się tamtej nocy pod jego skórę i już go nie opuściło. Nawet jeśli na chwilę zamilkł hałas, wciąż czuł wibracje. Od czasu do czasu trzęsła się również ziemia.

Kierowca podszedł do niego i zaoferował papierosa.

– Może masz tam jakąś brandy? – spytał Harry.

– Nie sądzę, sir.

– Nie – odparł Harry, wciągając dym w płuca. – Oczywiście, że nie.

– Może lepiej jedźmy?

– Tak.

Odwrócili się. Nosze z Mastertonem leżały na podłodze przy wyjściu. Blade światło świtu przeniknęło do pomieszczenia i oświetliło chłopaka. Wyglądał jak pomnik nagrobny w wiejskim kościele. Ręce trzymał skrzyżowane na piersi, a do ubrania przypięto mu karteczkę. Oczy miał zamknięte. Wyglądał spokojnie.

Harry kucnął obok i dotknął jego dłoni. Wtedy zobaczył, że palce mężczyzny są sine, a sama dłoń – szara.

Oddychał ciężko i starał się opanować rzadki atak paniki. Trafiały się znienacka, nawet tutaj, w Rutherford.

Wdech, wydech, powiedział sobie. Wstrzymaj powietrze, wypuść je.

I jeszcze raz... powoli... teraz powoli... i jeszcze raz.

Zaczął przemierzać pokój, próbując zostawić uczucie paniki za sobą. Szybciej, szybciej, szybciej...

Strach był czystą adrenaliną lotu. Przypominał rodzaj ekstazy. Pochodził z głębi trzewi i dało się z nim walczyć, nawet go pokonać. Ale panika nie pozwalała się tak łatwo odgonić. Była oślizgłą bestią, nikczemnie chrupała mu kości, docierała do serca i krążyła razem z krwią, wywracając flaki na drugą stronę. Próbował ją zdeptać, jednak wymykała się i nieustannie szła za nim krok w krok.

Wciąż widział z trudem dolatujący na miejsce samolot Mastertona. Nieustannie miał przed oczami moment, kiedy walnął w pas startowy niczym martwy ptak, to, jak wyciągają Mastertona z kokpitu. Słyszał samego siebie, jak wrzeszczy na kumpla, żeby się zamknął, kiedy ten wołał matkę. Słyszał w swoim głosie dziką wściekłość, okrutną szorstkość.

Wciąż też widział brzask na zewnątrz spustoszonego kościoła. Mógłby to być pierwszy świt na ziemi, ale narastająca jasność oświetlała świat, który w niczym nie przypominał Edenu.

Dwa tygodnie później Jack Armitage postanowił spełnić obietnicę, którą złożył Louisie i wyruszył po małego konika dla Sessy. Stajnia znajdowała się w wiosce odległej od Rutherford o osiem mil, przy drodze do Catterick.

Kiedy szedł dróżką w stronę przytulonej do zbocza farmy, było późne popołudnie, piękny dzień. Przez ostatnie dwa tygodnie, odkąd panicz Harry wrócił do Francji, panował upał. Na polach rosło zboże, jagnięta na farmach przybierały na wadze i wszędzie wokół rodziła ziemia, pieszczona promieniami słonecznymi. Jack gwizdał pod nosem w leniwym zadowoleniu, kiedy nagle zauważył, że pierwsza brama, jak również pozostałe, są otwarte. Wszedł na nienaturalnie ciche podwórko.

Nie odwiedzał tego miejsca od ponad roku. Wtedy też był maj, na poboczu drogi rosła trybula; lady Cavendish od kilku tygodni przebywała w domu, tylko co przyjechał Amerykanin, a Louisa wciąż mieszkała w Londynie. Spadł na niego wówczas obowiązek sprzedania ostatnich kucyków, na których niegdyś jeździły dzieci, a farma Grassingon znajdowała się najbliżej; przyjeżdżały tu rodziny w poszukiwaniu koników dla swoich dzieci. Poklepał kucyka szetlandzkiego o imieniu Oset. Minęło już cztery albo pięć lat, odkąd Charlotte ostatnio na nim jeździła i trzymano go w majątku wyłącznie ze względów sentymentalnych. Charlotte nie wykazywała już zainteresowania jazdą konną.

Teraz, jak na ironię, wrócił, żeby znaleźć konika dla Cecily. A dokładniej dla Louisy. Wyobrażał sobie, że panienka będzie bardzo zadowolona, jeśli uda mu się kupić kuca dla dziewczynki, do której najwyraźniej była bardzo przywiązana.

Stanął na podwórzu i się rozejrzał. Ze stodoły wyszła pani Hallett. Nosiła się jak zwykle po męsku: miała sztruksowe bryczesy i kamizelkę. Włosy ścięła krótko.

– Pani Hallett! – zawołał.

Odwróciła się i spojrzała na niego, mrużąc oczy w słońcu.

– Jack?

– Tak jest.

Podszedł do niej. Podali sobie dłonie. Niemal dorównywała mu wzrostem. Twarz miała rumianą.

– Nie ma koni? – spytał.

Oparła ręce na biodrach, ale nie odpowiedziała.

– Szukam kucyka dla takiej małej z rodziny – wyjaśnił. – To jeszcze szkrab. Oset pewnie już sprzedany?

– Czyli nie przyszli do Rutherford.

– Kto nie przyszedł?

– Armia nie zabrała waszych koni, nie kupiła ich?

– A co, wzięli tutejsze? – spytał, wstrząśnięty.

– Wszystkie oprócz czterech. Zabrali je dzisiaj.

Wytrzeszczył na nią oczy. Pani Hallett trzymała przeważnie chabety. W większości trafiały tu, kiedy już przestawały nadawać się do pracy. Pani Hallett kupowała stare konie ciągnące wózki z mlekiem, a także kucyki pracujące w kopalniach i małe wałachy do jazdy, takie jak Oset. Puszczała je na swoje łąki i pozwalała na stare lata wieść lżejszy żywot. Jack widział, jak wiele z nich odzyskuje siły. Potem truchtem mijały bramy Rutherford, ciągnąc małe powoziki, albo przychodziły z grupką dzieciaków. Przed dwoma laty konie pani Hallett brały udział w festynie w Catterick. Udekorowane wstążkami, ciągnęły ozdobiony kwiatami wózek Majowej Królowej. W większości były to jednak łagodne, schorowane stworzenia. Nie nadawały się na wojnę.

– Wzięli wszystkie poza najmniejszymi – ciągnęła pani Hallett. – Zostawili tylko te, które mierzyły w kłębie mniej niż metr pięćdziesiąt. – Zrobiła krok w jego stronę i położyła mu rękę na ramieniu. – Szukają cięższych koni. Tak właśnie mówili. Narzekali, że moje są za chude, ale zapłacili sześćdziesiąt funtów za każdego. Jęczeli, że nie są wystarczająco dobre. No i mieli potrzebne formularze. Zabrali je dla armii Remounta. Na pewno nie byli dziś w Rutherford?

Jack poczuł na plecach zimny pot. Zostawił ojca w stajni, a sam poszedł do Richmond załatwić kilka spraw. Nie spieszył się do domu.

– A co? Mówili, że jadą do nas?

– Nie, nie od razu – odparła. W kącikach jej ust pojawił się współczujący uśmiech, a właściwie pół uśmiech, pół grymas.

– Lord Cavendish oddał zeszłego roku tylko kilka sztuk, prawda? – spytała.

– Sześć, które mieliśmy na farmach. Kilka zostało.

Skinęła głową.

– To pewnie jaśnie pan nie pozwolił ich zabrać. Ma słabość do swoich zwierzaków.

– Nie mamy ich zbyt wielu.

– Jest u was kilka koni rasy shire.

– Nie – odparł. – Został nam tylko Wacław.

Przed oczami Jacka pojawił się obraz wielkiego, łagodnego wałacha. Pracowali razem od kilku lat, zimą i latem. Shire był olbrzymi, ale potulny jak dziecko. Nawet jako źrebak wyróżniał się wzrostem. Nazwali go na cześć świętego Wacława, bohatera popularnej angielskiej kolędy, kiedy po raz pierwszy brnęli za nim przez śnieg. „Jak dobry król Wacław" – stwierdził wtedy z uśmiechem ojciec Jacka. – „O stopach wielkości czterech hrabstw".

– Potrzebują mocnych koni do broni artyleryjskiej. Głównie rasy Clydesdale – mówiła teraz pani Hallett.

Jack poczuł ogarniającą go wściekłość.

– Nie oddam go.

– Nie będzie wyjścia. Mają papiery i wszystko. Wypiszą na niego czek.

– Nie na Wacława.

Przyglądała mu się długo i przenikliwie. W końcu pogładziła chłopaka po ramieniu, jakby chciała go pocieszyć.

– Już dobrze – mruknęła. – Chłopcy idą i konie też muszą. Tak już jest.

Nie wiedział, co odpowiedzieć. Kochała swoje konie, właściwie szalała za nimi, miał tego świadomość. Gdyby kiedykolwiek zaszła taka potrzeba, karmiłaby je, sama głodując. Nie doczekała się dzieci. Jack zawsze podejrzewał, że konie zastępowały jej rodzinę. Że były jej rodziną.

Przyjrzał się uważnie jej twarzy. Wyglądała na nieszczęśliwą. Nie miał pomysłu, jak ją pocieszyć. Ciężko było mu wyobrazić sobie panią Hallett wracającą tego wieczoru do swojej zimnej, kamiennej kuchni. Nie istniał żaden pan Hallett, w każdym razie od wielu lat. We wsi mówiono, że zostawił ją wkrótce po ślubie, na długo przed początkiem nowego wieku. Zestarzała się na tym wzgórzu, żyjąc bardziej w towarzystwie koni niż ludzi. Zastanawiał się, co będzie robiła tego wieczoru. Może wcale nie wróci do domu, pomyślał. Może zostanie tutaj, na podwórzu i zapłacze, z dala od ludzkich oczu.

– Nie pozwolę im go zabrać – powiedział. – Nie jego. Nie do artylerii.

– Och, Jack – mruknęła pani Hallett. W tych dwóch słowach krył się bezbrzeżny smutek.

Kiedy później o tym myślał, wiedział, że zachował się niegrzecznie. Po prostu odwrócił się i opuścił podwórze. Słyszał, jak za nim woła, nalega, żeby został na herbatę, ale nie posłuchał.

Ruszył w drogę powrotną do Rutherford. Tych sześć mil w równym stopniu przeszedł, co przebiegł. Nagle dróżki przestały wydawać mu się piękne. W każdym razie nie tak piękne, jak wcześniej, kiedy wyruszał z majątku, namówiwszy właściciela wózka z warzywami, żeby go podwiózł. Nie tak piękne, jak kiedy pogwizdując pod nosem, przechadzał się po Richmond, ani jak wtedy, gdy dziarskim krokiem szedł do pani Hallett, rozmyślając o tym, jak bardzo uszczęśliwi Louisę, gdy znajdzie kucyka dla Cecilii.

Teraz wszystko zniknęło. Zapomniał, po co poszedł do pani Hallett. Mógł myśleć tylko o cierpieniu malującym się na twarzy kobiety, kiedy odwracał się na pięcie i odchodził.

O szóstej znalazł się w stajniach Rutherford. Poszedł prosto do boksu Wacława. Spojrzał nad pomalowanymi na zielono drzwiami przegrody. Wielki szary koń, wysoki w kłębie na sześć stóp, odwrócił głowę i popatrzył na niego cierpliwym, smutnym spojrzeniem, które Jack tak dobrze znał.

– Jesteś tutaj – powiedział z ulgą.

Mój Boże, pomyślał. Co zrobiłoby to zwierzę, gdyby znalazło się pod ostrzałem? Jak traktowano ranne zwierzęta? Czy zostawiano je na poboczach dróg, zwyczajnie porzucano? Co tam się działo? Nie mogli tak po prostu ich zostawiać. Serce zaczęło mu gwałtownie bić. Nigdy nie musiał własnoręcznie dobić konia.

Zeszłej wiosny na torze wyścigowym w Yorku pewien mężczyzna opowiadał o swoim koniu wyścigowym. Zdaniem mężczyzny zwierzę wiedziało, że nadszedł jego czas.

– Spojrzał na mnie oczami mojej matki – powiedział.

W ręku trzymał kufel portera i był oczywiście po pijacku rozrzewniony. Pewnie przesadzał, ale Jack i tak mu uwierzył. Konie faktycznie tak na człowieka patrzyły – przejrzystym, wyrozumiałym spojrzeniem.

Te zwierzaki miały osobowość, o czym ludzie często nie wiedzieli. Czasami, kiedy były ciężko ranne, płakały; potrafiły też krzyczeć. Kiedyś w Blessington padł zaprzęg koni. Źle wzięły zakręt na wzgórzu i przewróciły wóz. Krzyczały jak dzieci, uwięzione pod ładunkiem.

Jack nie potrafił sobie wyobrazić konia na wojnie. Co oni tam z nimi robili, do czego je zmuszali? Do ciągnięcia dział, na litość boską? Po czym, po drogach takich jak te? Szczerze w to wątpił. Trybula nie rosła na poboczach flandryjskich dróg. Drzewa nie tworzyły nad nimi sklepień. I jeszcze statki. Ładowali je na statki. Widział w gazecie zdjęcie konia, którego przenoszono ponad barierką statku za pomocą specjalnej uprzęży. Jack wiedział, że przewożono je przez kanał setkami, może nawet tysiącami. Część z nich zdychała w ładowniach. Zapewne w strachu.

Nie, Wacław nie mógł podzielić tego losu. Nie pozwoli na to. Wacław, ten olbrzymi, łagodny, potulny chłopak? Nie, to niemożliwe. Po pierwsze, przekonywał siebie samego Jack, shire był zdecydowanie za duży. Nie dałoby się go zaprząc normalnego wozu, więc nie mógłby ciągnąć broni. Nie wspominając już o zatłoczonych grodziach na statku. I był powolny, zbyt powolny. Jack nigdy nie widział, żeby Wacław zdobył się na coś więcej niż ociężały trucht, a i to bardzo niechętnie. Nie nadawał się na wojnę.

Jack otworzył gwałtownie drzwi i po świeżej słomie podszedł do konia. Stanął obok niego. Drżał na całym ciele częściowo z wściekłości, częściowo z wysiłku. Wreszcie wyciągnął rękę i pogłaskał ciepły bok.

– Po moim trupie – przyrzekł. – Już ja się o to postaram.

Ruszył do domu, w którym mieszkał z ojcem i matką. Josiah Armitage w przybudówce mył się przed kolacją. Jack wszedł do środka i stanął przy kamiennym zlewie.

– Byłem u pani Hallett. Zabrali jej konie – powiedział. – Chciałem kupić kucyka dla dzieciaka. Dla Cecily.

– Wiem. – Josiah namydlił ręce do łokci i starannie szorował paznokcie. Matka Jacka nie cierpiała, gdy którykolwiek z nich siadał do stołu brudny. Ojciec wyglądał na znużonego, starszego i bardziej przygnębionego niż kiedykolwiek wcześniej.

– Przyjdą tutaj?

– March i Bradfield przyszli ponad godzinę temu – powiedział ojciec. – Dzwonili z kawalerii. Powiedzieli Bradfieldowi, że lord Cavendish umawiał się z nimi na rok. Że zatrzymamy to, co mamy, tylko przez rok. Nie dłużej.

Jack patrzył tępo na ojca. Starszy mężczyzna wycierał się dokładnie cienkim ręcznikiem, który wisiał zwykle na gwoździu nad zlewem. Kiedy skończył, z wyjątkowym skupieniem odwiesił ręcznik na miejsce. Potem odwrócił się i spojrzał na syna.

– Nie zabiorą Wacława – oznajmił Jack. Słyszał w swoim głosie dziecinną butę, żałosny dźwięk z dzieciństwa, kiedy tracił coś, na czym mu zależało. Błaganie. – Opiekowałem się nim przez pięć lat, ojcze.

– Przyjdą rano, ósma punkt – powiedział Josiah. – Zabiorą konie do pociągu. Ostatecznie mają zawieźć je do Romsey. – Zamilkł na moment. – Wacława też.

– Gdzie jest Romsey?

– Na południu. W Hampshire. Potem na wybrzeże.

– A potem co?

Josiah Armitage potrząsnął głową.

– Umyj się i przyszykuj do kolacji – polecił cicho. – Matka czeka.

Następnego dnia nie było słońca.

Z zachodu, znad wrzosowisk, wiał chłodny wiatr. Bradfield nie mógł spać. Obudził się na długo przed budzikiem stojącym obok łóżka. Wydawało mu się, że oprócz słabego wycia wiatru, słyszy również dźwięki w głównej części domu. Zawsze wiedział, kiedy wiatr zmieniał kierunek. Gdzieś daleko nad nim w wysokich kominach powietrze grało niskie, jękliwe dźwięki. Wstał, umył się i ubrał, co rusz wzdychając. Nie lubił, kiedy coś zakłócało ustalony porządek. W głębi duszy źle to znosił.

Gdy około piątej rano zszedł do kuchni, zaskoczył go widok pani Jocelyn siedzącej przy stole dla służby. Zatrzymał się w progu. Przed ochmistrzynią leżała otwarta Biblia.

– Dzień dobry – powiedział.

– Zajrzałam do tych dziewcząt – odparła, nie odpowiadając na powitanie. – Jeszcze nie wstały. Rozmawiałam z panną Dodd. Najwyższy czas, żeby przełożona pokojówek wzięła się za swoje pracownice.

A zatem to właśnie go obudziło – kroki pokojówek na kuchennych schodach.

– Pani Jocelyn – zdziwił się cicho. – Jest dziesięć po piątej.

Zmarszczyła brwi, jakby go nie zrozumiała.

– Już widno – stwierdziła.

– To prawda – zgodził się. – Ale mimo to jest dopiero dziesięć po piątej. – Pani Jocelyn spojrzała na zegar. – Dziewczęta nie muszą jeszcze wstawać, mają pięćdziesiąt minut.

Skóra nad kołnierzykiem jej sukienki poczerwieniała. Kobieta zamknęła z hukiem Biblię i wstała.

– To chyba ode mnie zależy, o której zaczną pracę – oznajmiła. – Jeśli zapragnę, żeby wstały o trzeciej rano, będą musiały mnie posłuchać.

Wszedł i zamknął za sobą drzwi. W dalekim końcu kuchni słabo żarzyło się palenisko. Chłopak do wszystkiego wkrótce się zjawi, żeby do niego dorzucić, a kucharka miała pojawić się niedługo potem. Nie istniał jednak absolutnie żaden powód, dla którego należałoby tak wcześnie budzić pokojówki.

Bradfield wyciągnął krzesło stojące kilka stóp od pani Jocelyn.

– Napijmy się razem herbaty – powiedział.

Gospodyni się zawahała. Była całkowicie ubrana, tak samo jak on. Gdyby usiedli razem, nie byłoby w tym nic nieprzyzwoitego, nawet jeśli kuchenne jeszcze się nie pojawiły. Bradfield zauważył, że odrobinę drżą jej dłonie. W końcu się ugięła. Ponownie usiadła i nalała mu napoju do filiżanki.

– Wszyscy jesteśmy ostatnio wytrąceni z równowagi – zauważył.

– Nie ma nic zaskakującego w tym, że komuś pomyliły się godziny.

– Nadchodzą dni gniewu – obwieściła ponuro pani Jocelyn.

– Tak, istotnie. – Powoli pił swoją herbatę. – Pani Jocelyn... czy pani dobrze się czuje? Wydaje się pani... – szukał słów, które by jej nie rozzłościły – ...nieobecna.

Spojrzała na niego, jakby oceniała, na ile może mu zaufać. Następnie pochyliła się w jego stronę.

– Tutaj dzieje się coś złego – szepnęła.

– Złego? – spytał. – W jakim sensie?

Machnęła ręką w stronę sufitu, wskazując pokoje na górze.

– Nadchodzi dopust. – Ponownie oparła się o krzesło i pokiwała głową. – Nie słyszał pan? W pokojach?

– Czego nie słyszałem?

– Tego... – Przebiegła palcami po stole. – Szelestu. Ruchu.

Bradfield zmarszczył brwi.

– Ma pani na myśli, że mamy jakąś plagę w głównych pomieszczeniach? – spytał z zakłopotaniem. – Nie zauważyłem żadnych oznak.

– Plaga – powtórzyła i niepokojąco szeroko się uśmiechnęła. – Dokładnie to słowo miałam na myśli.

– W takim razie natychmiast musimy się tym zająć.

Na wsiach zdarzało się, że w głównych budynkach posiadłości zalęgały się szczury. Domy w Londynie – z powodu samej tylko liczby zamieszkujących miasto ludzi – również często padały ofiarą gnieżdżących się w wiktoriańskich ściekach gryzoni. Bradfield słyszał plotki, że nawet w pałacu Buckingham roiło się od szkodników.

– Osobiście zadzwonię – oznajmił.

Ale pani Jocelyn nie patrzyła już na niego. Skupiła wzrok w punkcie gdzieś za nim. Sposób, w jaki patrzyła – jakby coś obserwowała – sprawił, że włos zjeżył mu się na karku. Oparł się pragnieniu, by się odwrócić i sprawdzić, co ona tam widzi.

– Och, już na to za późno – mruknęła do siebie. – Nadszedł czas żniw.

– Żniw? Jeszcze nie czas na żniwa, przynajmniej przez następne dwa lub trzy miesiące.

Znów skupiła na nim uwagę. Uśmiechnęła się i poklepała leżącą przed nią zamkniętą Biblię.

– Syn Człowieczy pośle aniołów swoich: ci zbiorą z Jego królestwa wszystkie zgorszenia oraz tych, którzy dopuszczają się nieprawości.

Nie wiedział, co odpowiedzieć na te słowa. Ochmistrzyni wreszcie wydawała się zadowolona, swobodnie opierała się o siedzenie i wygładzała sukienkę. Zabrzęczały klucze na łańcuszku przy pasie.

– Żniwa – powtórzyła cicho. – Oczyszczenie omłotu, zbieranie pszenicy do spichlerzy. Spalenie plew w ogniu nieugaszonym.[*]

Wytrzymywała jego spojrzenie z tym samym niepokojącym uśmiechem na ustach.

– Nowy Testament, panie Bradfield – wyjaśniła w końcu. – Tam wszystko jest napisane, jeśli tylko ktoś ma ochotę przeczytać. To właśnie nadchodzi. Już tu dotarło. – Pokiwała głową z zadowoleniem. – Jest w szkielecie domu, w ścianach, podłogach. Zawitało do nas. Zobaczy pan, że mam rację, panie Bradfield. Nadszedł w tym domu czas żniw.

Bradfield później rozmyślał o ich rozmowie i wspomnienie słów pani Jocelyn sprawiło, że po krzyżu przebiegły mu ciarki.

Przechadzał się po terenie posiadłości w miejscach, w których pozostawał niewidoczny dla państwa przebywających w głównej części domu, ale skąd wciąż miał doskonały widok na długi podjazd. Zza domu zarządcy wyjechało auto i ruszyło w dół wzgórza, w stronę Rutherford. Pędziło z taką prędkością, że zostawiało za sobą chmurę kurzu. Bradfield natychmiast zawrócił. Do półkola przed drzwiami w stylu Tudorów i długiej linii schodów dotarł akurat w tej chwili, kiedy samochód stanął i wysiadł z niego mężczyzna.

[*] Cytaty z Ewangelii św. Mateusza za *Biblią Jerozolimską*, Poznań 2006.

Bradfield chciał udzielić reprymendy osobie, która z taką szybkością minęła główną bramę, rozpoznał jednak kierowcę. Mężczyzna z wahaniem patrzył na dom.

– Panie Rissington – powitał go.

Ten odwrócił się. W ręku trzymał kopertę. Naczelnik urzędu pocztowego, jak zauważył Bradfield, włożył swój najlepszy strój, a nie zwykły garnitur, w którym przeważnie widywano go w wiosce. Przybysz wyciągnął rękę z telegramem.

– Obawiam się, że to właśnie to – powiedział.

Kamerdyner wziął od niego depeszę.

– Zajmę się tym – oznajmił. – Bardzo proszę, żeby zaparkował pan samochód na tyłach domu. Pani Carlisle z pewnością poczęstuje pana filiżanką herbaty.

Zdenerwowany naczelnik poczty wykonał polecenie. Bradfield odprowadził wzrokiem jego furgonetkę, a gdy zniknęła za domem, wspiął się po schodach i otworzył drzwi.

Traf chciał, że w holu natknął się nie na lorda Cavendisha, ale na Charlotte. „Jest znacznie bystrzejsza niż inne dziewczęta" – pomyślał. Gdy tylko zobaczyła kopertę, natychmiast z przerażeniem zakryła dłonią usta.

– Czy lord Cavendish jest w swoim gabinecie? – spytał Bradfield.

Dziewczyna zrobiła krok w jego stronę.

– Proszę mi to dać.

– Myślę, że sam powinienem zanieść to jaśnie panu – cicho zaoponował kamerdyner. – Jeśli panienka pozwoli.

Charlotte przez sekundę się wahała, po czym przytaknęła.

– Ma pan rację. Pójdę po matkę.

Szybko przemierzyła szerokie schody. Słyszał, jak biegnie korytarzem. Wkrótce gdzieś w oddali rozległo się pukanie do drzwi pokoju lady Cavendish. Kamerdyner ruszył długim korytarzem i skręcił w stronę gabinetu Williama Cavendisha.

Louisa i Charlotte pierwsze znalazły się na dole. Pobiegły do salonu, gdzie ich ojciec siedział z otwartym telegramem na kolanach.

– Matka właśnie zażywała kąpieli – powiedziała Charlotte. – Już idzie.

– Co jej powiedziałaś? – spytał William.

– Tylko tyle, że chcesz z nią o czymś porozmawiać – odparła Louisa.

Zawahały się, niepewne, czy powinny z nim usiąść. W takich sytuacjach William stronił od towarzystwa, szukał samotności. Równie dobrze mógł odepchnąć wszelkie żałobne myśli, jak się w nich zatopić. Obserwowały niepewnie jego twarz. Wielu innych mężczyzn natychmiast pobiegłoby do pokojów swoich żon. Mógł chcieć porozmawiać z matką sam na sam. Chociaż dziewczęta rozpoznały jego zwykły, sztywny spokój, czuły się zakłopotane tym opanowaniem.

Po chwili usłyszeli na korytarzu kroki Octavii. Weszła do pokoju i objęła wzrokiem całą trójkę. Jej powitalny uśmiech natychmiast zgasł.

– Co się stało? – spytała. – O co chodzi?

– Och, matko! – krzyknęła Louisa i natychmiast wybuchła płaczem.

Charlotte złapała siostrę za rękę.

– To nic nie pomoże – syknęła.

William wstał.

– Nadszedł telegram – oznajmił.

– Czy chodzi o Harry'ego?

– Tak.

Rodzice stali bez ruchu, jakby wykuci z kamienia. Wreszcie Charlotte podeszła do Williama i delikatnie wyjęła z rąk ojca kawałek papieru. Podała go matce. Octavia przeczytała jego treść i krew odpłynęła jej z twarzy. Córki wzięły ją pod ręce i poprowadziły w stronę fotela. Po chwili Octavia spojrzała na dziewczęta i poklepała je po dłoniach.

– Nie panikujcie, kochane – mruknęła. – Nie panikujcie.

– Czy mogę zobaczyć? – poprosiła Charlotte.

Octavia podała jej telegram.

– Ranny. – Wstrzymała oddech. – „Z przykrością informujemy, że oficer lotnictwa Harold William Cavendish został ranny...".

– Przynajmniej żyje – powiedział William. Usiadł na kanapie stojącej najbliżej fotela Octavii. – Zadzwońcie po tego głupiego lokaja, Hardy'ego – szorstko polecił córkom. – Chcę, żeby rozpalił tu ogień. W pokoju jest stanowczo zbyt zimno. I powiedzcie mu, żeby przyniósł herbaty.

W krótkim czasie zjawiły się dwie pokojówki. Jedna z nich, prowadzona przez panią Jocelyn, niosła tacę. Ich twarze były blade. Wyglądały na wstrząśnięte. Pani Jocelyn nie spuszczała wzroku z Williama.

– Jest nam wszystkim okropnie przykro, proszę jaśnie pana – powiedziała, ignorując Octavię, Louisę i Charlotte.

William machnął ręką.

– Dziękuję – mruknął.

Taca z herbatą wylądowała z brzękiem na stoliku.

– Wszystko w porządku – nagle odezwała się Charlotte. – Ja mogę rozpalić ogień, pani Jocelyn.

Gospodyni zawahała się, po czym wyprowadziła pokojówki z pomieszczenia tak samo szybko, jak je wprowadziła.

Charlotte odwróciła się do matki.

– Widziałaś to? – krzyknęła. – Kopnęła biedną Jenny, żeby szybciej wstała z klęczek! Co to za okropna stara smoczyca.

– Bez wątpienia jest równie zdenerwowana jak my – powiedziała Octavia.

– I to jej daje prawo, żeby kogoś kopać?

– Zostaw to, na litość boską – poprosił William. – Są ważniejsze rzeczy, nad którymi musimy się zastanowić.

Louisa ponownie zaczęła płakać. Usiadła na oparciu fotela matki i głaskała ją po ręce.

– Płaczem nie pomożesz Harry'emu. Ani mamie – odezwała się Charlotte.

Louisa spiorunowała ją wzrokiem.

– Czasami zastanawiam się, czy ty w ogóle masz serce!

– Oczywiście, że mam.

– Dziewczęta, proszę... – odezwała się Octavia.

– Nalej herbaty – polecił William.

Charlotte wykonała polecenie i rozdała filiżanki. W końcu usiadła obok Williama ze zmarszczonym czołem. Patrzyła na ojca, kiedy nie widział, i zastanawiała się, dlaczego w tej najgorszej z możliwych chwil nie podszedł do matki i jej nie przytulił, ani nawet nie wziął jej za rękę. Wtedy nagle pojęła, że szok sprawia, że nie może się ruszyć. Ostrożnie podała mu herbatę i szybko pocałowała go w policzek.

– Dziękuję ci, kochanie – szepnął.

– Czy możemy do niego jechać? – spytała Octavia. – Czy możemy jechać do Francji, żeby zobaczyć Harry'ego?

– Wątpię, żeby na to pozwalali – stwierdził William. – Wkrótce zapewne dowiemy się więcej. Dokąd go przenieśli i tym podobne.

– Tu jest napisane... – zawahała się Octavia – ...że jest w szpitalu polowym w Festubert. Gdzie to jest?

– W pobliżu miasteczka Béthune, na wschód od Lille.

Rodzice spojrzeli na Charlotte zaskoczeni.

– Skąd o tym wiesz? – spytał William.

– Czytam gazety i mam mapę Francji – wyniośle odpowiedziała Charlotte. – Myślałam, że wszyscy robią to samo, kiedy czytają sprawozdania.

Octavia uśmiechnęła się blado. Jakież to typowe dla Charlotte, przywiązywać wagę do takich spraw.

– Lille – mruknęła. – Chyba zwiedziliśmy je kiedyś. Urocze miejsce.

– Nie sądzę, żeby wciąż było urocze – powiedziała Charlotte.

Octavia postanowiła zignorować tę uwagę.

– Nie zdradzają zbyt wielu szczegółów – zauważyła i chociaż próbowała brać przykład z Williama i nie okazywać wzburzenia, teraz oczy wypełniły jej się łzami. – To mogą być poważne rany, prawda?

Nikt nie odpowiedział. Louisa mocniej ścisnęła dłoń matki, patrząc na ojca z rozpaczą, tak jakby on znał odpowiedź. W tej chwili nie było jednak żadnych odpowiedzi. Nikt o niczym nie wiedział. W telegramie nie wspomniano na ten temat ani słowem.

Nagle Octavia wytarła oczy i wyprostowała ramiona. Zerwała się gwałtownie, odsuwając niski stolik, na którym stała taca z herbatą.

– Musimy natychmiast jechać do Londynu – oznajmiła stanowczo. – Musimy znaleźć się bliżej Harry'ego. Umieścimy go w domu na Grosvenor Square, kiedy wróci do Anglii, albo przynajmniej znajdziemy się bliżej Francji, gdyby pozwolili ci tam pojechać, Williamie.

– Czy możemy jechać wszyscy? – spytała Charlotte.

– Nie – powiedziała Octavia. – Nie będą chcieli tam całych rodzin. Tylko byśmy zawadzali. – Zamilkła. – Poza tym być może on jest już w porcie. Zanim dotarł do nas telegram, z pewnością minęło trochę czasu... może przeniesiono go już do Boulogne?

Patrzyła na męża, czekając na odpowiedź.

– Po prostu nie wiem – odezwał się William. – Ale tak... Z pewnością pociągi z rannymi na froncie jeżdżą do Boulogne.

– W takim razie powinniśmy się spieszyć. Musimy natychmiast wyjechać.

– Pojedziemy z wami – zaoferowała Charlotte.

– Wolałbym, żebyście zostały tutaj – zaoponował William.

– Ja zostanę z Sessy – oznajmiła Louisa. – Nie sądzę, żebym potrafiła wytrzymać w Londynie.

Octavia szła już w stronę drzwi. William podążył jej śladem.

Charlotte ponownie spojrzała na telegram. Taki niewinny kawałek papieru, a zawierał straszliwą wiadomość. Zauważyła, że siostra jej się przygląda.

– Masz rację – powiedziała Charlotte. – Zostań tutaj. Może poproś panią Jocelyn, żeby urządziła dla Harry'ego pokój na dole. To byłby dobry pomysł, nie sądzisz?

– Tak – cicho zgodziła się Louisa.

Charlotte przyglądała jej się przez chwilę.

– Moja droga – mruknęła. – Doprawdy mogłabyś zdobyć nagrodę za te szlochy.

– Chyba powinnaś iść i zacząć się pakować, prawda? – Louisa wyjęła chusteczkę. – Ty mała dzikusko.

Kiedy pociąg z Yorkshire nareszcie dotarł do Londynu, wybijała północ.

Chociaż dworzec wyglądał wyjątkowo bez kłębiących się tam tłumów, nie był bynajmniej pusty: wypełniały go wozy i wózki dostawcze. W spowitych w półmroku pomieszczeniach oddechy koni pociągowych powoli rozchodziły się w powietrzu, osadzając się mgłą na wysokich szklanych sufitach, widocznych na tle panującej na zewnątrz nocy. Kiedy wychodzili na ulicę, Octavia wzięła Williama pod ramię. Różnica pomiędzy cichym Rutherford i komfortowym przedziałem pierwszej klasy a miastem była uderzająca.

Dwóch bagażowych niosło przed nimi walizki. Za Cavendishami szła Amelie, pokojówka Octavii, i służący Williama, Cooper. Charlotte dotrzymywała kroku rodzicom, wymachując niewielką walizką i udając, że nie widzi zmarszczonego czoła ojca.

– Nie musisz tego nieść – zauważył, gdy wsiadali do pociągu w Yorku.

– Ja albo matka możemy potrzebować czegoś ze środka – beztrosko powiadomiła go Charlotte. Okazało się, że w walizce znajdują się czekolada i dwie tanie powieści.

William godzina po godzinie obserwował przesuwający się za oknem krajobraz. Zastanawiał się nad tym, gdzie jest Harry i w jakim stanie umysłu się teraz znajduje. Kiedy ciągnące się milami przedmieścia stolicy stopniowo zastępowały zielone krajobrazy Anglii, William myślał o Emily Maitland i o grzechach swojego syna. Rozważał, czy to zdarzenie znacznie bardziej, niż sądzili z Octavią, nie wytrąciło Harry'ego z równowagi.

Co jakiś czas spoglądał ukradkiem na żonę. Oczywiście Octavia była subtelniejsza, bardziej wyrozumiała niż on. Nigdy nie zastanawiał się nad uczuciami innych mężczyzn. Nikt go tego nie nauczył. To nie leżało w jego obowiązkach.

Wkrótce cała trójka dotarła do domu na Grosvenor Square. Charlotte wysiadła z taksówki, wbiegła po schodach i zadzwoniła do drzwi.

– Na litość boską, co wstąpiło w tę dziewczynę? – spytał William.

– Ma siedemnaście lat – powiedziała cicho Octavia. – Nie pamiętasz, jak sam miałeś siedemnaście lat?

– Nawet wtedy za dzwonienie do własnych drzwi dostałbym okropną burę – odparł William. Ale jego słowa utonęły w potoku nagłych okrzyków.

Za londyńską pokojówką pojawiła się w korytarzu Florence de Ray i natychmiast wciągnęła Charlotte do środka. Rodziny de Rayów i Cavendishów trzymały się blisko od wielu lat, a Hetty de Ray, matka Florence, zaprzyjaźniła się z Octavią już w pierwszych dniach jej małżeństwa. Dziewczyny ruszyły po schodach na górę, a William pomyślał niezłośliwie, acz stronniczo, że Florence jest tak zwyczajna, jak Louisa ładna – obie były w tym samym wieku – tym niemniej i Florence miała swoje zalety. Okazała się zrównoważona i skromna i William liczył, że wywrze na Charlotte lepszy wpływ niż zeszłego roku na Louisę. Ale kto to mógł przewidzieć? Kobiety stanowiły niezgłębiony gatunek.

Hetty również pojawiła się w korytarzu. Szeroka i uśmiechnięta, ubrana w fioletowy wiązany szlafrok. Wyciągnęła ręce do Octavii.

– Moja najdroższa! – wykrzyknęła. – Jak minęła podróż? Nie, nic nie mów. Spodziewam się, że fatalnie – trajkotała, zaganiając ich do salonu jak parę upartych owiec.

Pokojówka odskoczyła w tył, żeby uniknąć zderzenia, i zniknęła w głębi korytarza. Przez cały ten czas Hetty de Ray zalewała ich nieprzerwanym potokiem uwag.

– Musicie być doprawdy wyczerpani – mówiła. – Ja z pewnością jestem! Spędziliśmy w mieście cały sezon i zostaliśmy dłużej. Florence nalegała. Strasznie jest ciekawa tego, co dzieje się w St. Dunstan's. Przywożą tam ociemniałych. Wiedzieliście o tym? Cóż, spodziewam się, że nie. Usiądźcie, kochani. Siadajcie.

Octavia z wdzięcznością osunęła się na najbliższą kanapę.

– Po prostu nie rozpoznacie Regent's Park! – beztrosko kontynuowała Hetty. – Widzieliście? Nie, oczywiście, że nie. Cóż, nie róbcie tego. – Westchnęła teatralnie. – Do czego to wszystko doprowadzi, naprawdę nie mogę zgadnąć. Służba opuszcza nas nawet tutaj. Moja druga pokojówka robi teraz bomby. Czy możecie to sobie wyobrazić? Bomby! Serce człowiekowi staje. Kiedy pracowała dla nas, nie potrafiła nawet nawlec igły.

Wszystko to Hetty mówiła serdecznym, donośnym tonem, który oboje tak dobrze znali. Ich przyjaciółka to był prawdziwy żywioł. Wywodziła się ze starej szkoły, była córą Wielkiej Brytanii, jeździła z mężem po całym świecie. Usiadła z powrotem na kanapę, na której najwyraźniej siedziała, zanim przyjechali, rozsiewając wokół obezwładniającą woń jaśminu.

– Zadzwoniłam po herbatę – oznajmiła. – Chociaż Bóg raczy wiedzieć, ile czasu minie, zanim służba ją przyniesie. Mam tu tylko jedną kucharkę, Octavio! Kucharkę, pokojówkę i lokaja. Chociaż gdzie podział się dzisiaj lokaj, nie mam pojęcia. Ta wojna to straszny nonsens, prawda?

Octavia spojrzała na Williama.

– Drogi przyjacielu, proszę, usiądź – upomniała go Hetty. – W końcu to twój własny dom.

Wykonał jej polecenie sztywno i bez pośpiechu.

– Bardzo miło z twojej strony, że przyjechałaś i wszystko dla nas przygotowałaś. – Octavia zdjęła rękawiczki.

– Jak mówiłam, znalezienie kogoś do pomocy jest dziś po prostu niemożliwe – odpowiedziała Hetty. – I nie miałam nic przeciwko temu, żeby przyjść tu i trochę rozruszać te nędzne podróbki służby, które wam zostały. Doprawdy! Czy mogę przysłać tu jedną lub dwie osoby z Dalletts? Wciąż pracuje u nas kilka osób. Oczywiście głównie kulawi i chorzy. Jednoocy i głupcy. Ale na bezrybiu i rak ryba. Przynajmniej można im zaufać.

Dalletts to była posiadłość w Surrey należąca do de Rayów.

– Nie moglibyśmy... – zaczął William.

Hetty odrzuciła jego sprzeciw jednym machnięciem dłoni.

– Musimy sobie pomagać. A skoro już o tym mowa, nie uwierzycie! Z całą pewnością! – Spojrzała na nich z prawdziwą sympatią i zaklaskała. – Herbert dowiedział się czegoś o Harrym.

William dostrzegł, że jego żona nagle zadrżała, jakby rażona prądem. Mąż Hetty był dyplomatą i pracował dla rządu. Octavia się nachyliła.

– Naprawdę? Jak?

– Zna kogoś, kto zna kogoś, kto zna kogoś i tak dalej. Mężczyzna, o którym mówimy, to kapelan. Spokrewniony jest z Bickerstethami, chociaż wy nie znacie Bickerstethów. Ich syn Morris był z Herbertem, kiedy Balfour przemawiał. Odwrócił się do Herberta i powiedział: „Dzięki tej przemowie człowiek zdaje sobie sprawę, jak wspaniałą rzeczą jest umrzeć za kraj". To doskonała rodzina. Ale przecież wy ich nie znacie.

– Wydaje mi się, że już to ustaliliśmy – zauważył William z lekką irytacją. Nawet jego cierpliwość w zderzeniu z piekielnym charakterem Hetty była na wyczerpaniu.

– Bickerstethowie – powtórzyła Hetty powoli, patrząc prosto na Williama, jakby próbowała wyjaśnić coś małemu dziecku – znają kapelana sił powietrznych. Widział Harry'ego, kiedy przywieziono go do szpitala polowego. A w zasadzie pielęgniarkę, która zajmowała się waszym synem. Napisał wtedy do swojego ojca, bo ten ojciec pracuje z przełożonym Herberta. To właśnie mam na myśli, mówiąc, że znamy kogoś, kto zna kogoś. Albo w tym wypadku kogoś, kto zna kapelana.

Hetty opadła na oparcie z tryumfalnym uśmiechem, klepiąc się w kolano, jakby to był niepodważalny dowód geniuszu jej męża.

Drzwi się otwarły i weszła ta sama pokojówka, która wpuściła ich do domu. Wniosła herbatę i postawiła przed nimi tacę.

– Świetnie. – Hetty machnęła na dziewczynę ręką. – Możesz już iść, dziecko. Czy kucharka wyrwała się ze stuporu i przygotuje nam chociaż kanapek?

Dziewczynę oblał rumieniec.

– Tak, proszę pani.

Pokojówka wyszła. Octavia przez cały ten czas nie spuszczała wzroku z Hetty. Patrzyła teraz, jak przyjaciółka pochyla się nad tacą.

– Hetty? – podpowiedziała. – Co dalej?

– Przyślę wam Sarę, moją najlepszą pokojówkę – mruknęła, przyglądając się herbacie. – Przez trzy lub cztery dni będzie się wami przyzwoicie zajmować.

– Hetty!

Pani de Ray podniosła wzrok i spojrzała na nich.

– Nogi, kochanie – wyjaśniła z uśmiechem. – Obie są złamane. Ma też jedną czy dwie rany spowodowane przez samolot. Metal. Ale dojdzie do siebie. Mówili, że był dość nieprzytomny, nie bardzo rozumiał, gdzie się znajduje. Wyzdrowieje. Doniesiono nam, że wyciągnęli go stamtąd northumberlandzcy strzelcy wyborowi. Harry niebawem znajdzie się w Boulogne.

Przez chwilę panowała zupełna cisza, po czym ku zakłopotaniu Williama, Octavia wybuchła płaczem. Hetty z irytacją machnęła ręką, dając Williamowi do zrozumienia, by zostawił żonę w spokoju. Wstała i położyła na kolanach przyjaciółki wielką lnianą chusteczkę.

– To jak, kochanie, nie sądzisz, że jestem nieprawdopodobnie pożyteczna? – spytała z uśmiechem.

Octavia wzięła zaoferowaną chusteczkę.

– Tak, tak. W rzeczy samej. Dziękuję ci, Hetty.

– Z pewnością chciałbyś wybrać się z wizytą do Herberta, prawda, Williamie? – spytała Hetty. – Spodziewa się ciebie z samego rana. Zna wszystkie szczegóły.

Octavia złapała Hetty za rękę.

– Ale czy jesteś pewna? Ten kapelan...

– To niesamowite, jak błyskawicznie działa dziś poczta – powiedziała Hetty. – To dzięki dywizjom zmechanizowanym. Mówiono mi, że mają kurierów na motocyklach. Cameron tam jest, wiecie?

Cameron był najstarszym synem de Rayów. Mieli trzech chłopaków. Z tego, co ostatnio słyszał William, wszyscy znaleźli się w korpusie dyplomatycznym, tak jak ich ojciec. Cameron zapadł mu w pamięć jako przyzwoity, nudny młodzieniec, bardzo wysoki i raczej chudy, nieszczególnie inteligentny i nieposiadający za grosz poczucia humoru.

– A czy on nie pojechał do Afryki Południowej? – zdziwił się William.

– Tak – powiedziała Hetty. Rozsiadła się z powrotem na sofie. Mówiła z absolutnym spokojem. – Zaciągnął się i wrócił do domu. Wcielono go, wyobraźcie sobie, do korpusu weterynaryjnego. – Uśmiechnęła się lekko. – Ciężko znaleźć kogoś, kto w mniejszym stopniu współczuje koniom. Nienawidzi większości zwierząt. Jeśli pamiętacie, kiedy bawiliśmy w Katmandu, zrzucił go wielbłąd. – Rzuciła tę perełkę, jakby to była najzwyczajniejsza rzecz na świecie. – Nigdy więcej już na żadnego nie wsiadł. Niedorzeczne. Obawiam się, że w efekcie nie ma pojęcia, jak prawidłowo siedzieć w siodle. Ale cóż. Nic nie można na to poradzić. Nie zajmuje się tylko końmi, mówił. Odpowiadają za aprowizację, dozorują wyładunki w portach i tym podobne.

– Nie jest na froncie?

– Bywa tam rzadko.

– A młodsi? Gordon i James? Czy wciąż są w Londynie?

– Tak, w Ministerstwie Spraw Zagranicznych. Gordona nie wzięli do wojska. Ma zbyt słaby wzrok. James ze wszystkich sił stara się awansować do Ministerstwa Wojny. Tak więc...

– Słyszałaś o Rupercie Kencie? – spytała Octavia.

Teraz czuła się już znacznie bardziej opanowana.

– Czytałam o tym w „Timesie" – cicho odparła Hetty. – Okropna sprawa, kochanie. Naprawdę okropna.

Cała trójka zamilkła. William wyglądał przez okno na ulicę. Cieszył się na spotkanie z Herbertem de Rayem. Dzięki temu będzie miał poczucie, że coś robi. Spróbuje też zorganizować wyjazd do Boulogne, jeśli okaże się to możliwe.

W przeciwnym wypadku pojedzie do Folkestone i zaczeka na szpitalny statek.

We Flandrii panowała głęboka noc.

Harry myślał o Wastleet, rzeczce płynącej szerokim łukiem wokół Rutherford, latem gładkiej, płytkiej i cudownie przezroczystej.

Przypomniał sobie miejsce, w którym kąpał się jako dziecko; leżał na plecach i dryfował po wodzie, mimo ostrzeżeń Jacka Armitage'a dotyczących wodnych prądów. Patrzył na drzewa rosnące nad rzeką. Widział prześwitującą przez gałęzie mozaikę błękitu, gdy woda obracała go w kółko.

Błogosławione czasy... Lato wydawało się ciągnąć bez końca. Teraz wszystko już minęło, nie pozostało niczym więcej niż odległym wspomnieniem. Omywająca go woda... Omywanie, które musiał obecnie znosić, w niczym nie przypominało łagodnych fal rzeki w Rutherford, zagubionych w letniej mgiełce.

Ten nowy rodzaj omywania polegał na tym, że opiekująca się nim siostra wlewała w jedną z jego ran płyn fizjologiczny i jodynę.

Kiedy rankiem wniesiono go do pociągu z transportem rannych, pielęgniarki straszliwie się oburzyły na widok brudu, w jakim leżał. Nie można było oderwać go od noszy przez zakrzepłą krew.

– Która godzina? – spytał. Polewanie i ból wciąż trwały. Nikt mu nie odpowiedział.

Za siostrą stała pielęgniarka i uważnie obserwowała cały proces. Spojrzał na nią.

– Proszę... Jaki mamy dzisiaj dzień?

Cisza. Zamknął oczy. Stracił poczucie czasu. Nie potrafił poskładać w całość kolejnych dni.

„Mój Boże, jak to boli. Dlaczego nie przestają? Czy już nie wystarczy?" – pomyślał. Spróbował skoncentrować się na czymś innym. Czy był wtorek? Środa? Nakazał sobie sięgnąć myślami wstecz. W niedzielę wyleciał na rekonesans. W niedzielę czy w poniedziałek? I jaki to był miesiąc? Wciąż jeszcze maj czy już czerwiec?

– Proszę, przestańcie – usłyszał własne skomlenie.

– Nie możemy przestać – powiedziała siostra. – Dopóki porządnie nie oczyścimy tej rany.

Pociąg poruszał się ze zgrzytem. Mężczyzna leżący na łóżku nad nim zaczął przeraźliwie jęczeć.

Czy to możliwe, że wciąż żył? Czuł ból w nogach, widział i słyszał innych ludzi. Ale wszystko znajdowało się jakby poza nim. Unosił się nad światem. Leciał swoim ulubionym samolotem, Sopwith Tabloidem, jednomiejscowym dwupłatowcem. Może wciąż w nim siedział, a to wszystko tylko mu się śniło? Ktoś w pobliżu jęczał w agonii. Czy to on sam? Nie potrafił stwierdzić.

Kilka dni temu – tygodni, a może lat, któż to może wiedzieć? – słyszał wokół siebie wycie i trzaski. Przypomniał sobie przeszywający jazgot i wstrząs, który poczuł, gdy samolot obrócił się w powietrzu. Sopwith zaczął spadać, a trzask oznaczał, że wiatr zerwał górny płat skrzydła. Pewnie go trafili. Próbował to sobie przypomnieć.

Trzymał stery mocno jak szaleniec. Silnik groźnie kaszlał. – A niech cię jasna cholera! – wrzeszczał. Samolot kołysał się i podskakiwał. Z dołu strzelał do niego jakiś podły drań.

I nagle silnik zaskoczył. Czy tak było? Zastanawiał się teraz. Czy udało mu się go ponownie odpalić? Ocalić się? Zmarszczył brwi, rozpaczliwie próbował się skupić. Nie... to za mało... Podniósł nos samolotu, sopwith drżał i podskakiwał w powietrzu. I wtedy, gdy wciąż jeszcze siłował się ze sterami, maszyna nagle runęła ukośnie w dół, ślizgając się po ziemi. Uderzyła w coś, w wał, a może w wodę? Przekoziołkowała przez nitkę drogi. Lewe skrzydło rozerwało się na strzępy i odpadło z głośnym, przeszywającym powietrze wizgiem. Kątem oka Harry zauważył z lewej strony wielkie poszarpane koło, odbijające się wśród szczątków od ziemi.

I wtedy zapadła cisza.

Przez chwilę po prostu siedział. W jego stronę pędzili jacyś ludzie. Zachwiał się niepewnie w kokpicie. Miał wrażenie, że w jego udach i kolanach płonie ogień. Krzyknął:

– Zastrzelcie mnie, dranie, jeśli tylko tyle umiecie!

Oni wciąż biegli.

Kiedy zdał sobie sprawę, że to Brytyjczycy, chyba zaczął się śmiać.

Później – minęło kilka godzin albo kilka minut – kobiety znów przyszły oczyścić jego rany. Musiał być wczesny poranek, być może zbliżał się świt. Pociąg powoli turkotał, pokonując kolejne mile.

Tym razem spróbował serdeczności. W głowie odrobinę mu się przejaśniło.

– Przepraszam, że jestem takim cholernym utrapieniem – powiedział.

Tym razem pielęgniarka przyszła sama.

– Jak się nazywasz? – spytał.

– Leż spokojnie – rozkazała. – Nie odzywaj się, kiedy będę pracować, a opowiem ci coś dziwnego.

– Naprawdę? – zapytał i spróbował się uśmiechnąć. – Wątpię, czy będzie to dziwniejsze niż wszystko, co mi się ostatnio przydarzyło.

– Zakwaterowali nas w pobliżu Béthune w bardzo ładnym miejscu. – Zignorowała jego uwagę. Jej ręce sprawnie wykonywały pracę w bladym świetle lampy. – Dostałam prawdziwy pokój, taki na poddaszu. Słyszałam słowiki.

Chyba musiał się przesłyszeć.

– Słowiki?

– Dziwne, prawda? – Uśmiechnęła się do niego promiennie.

– Od linii frontu dzieliło nas nie więcej niż pół mili. To był nasz ostatni dzień, ogród został ostrzelany. Ale słowiki wciąż śpiewały.

– Niektórzy wspominali, że słyszeli skowronki – zgodził się, rozmarzony. Skoncentrował się na ptakach, nie na tym, co robiła z jego nogami. – Mówili, że kiedy przerywano ostrzał, skowronki zaczynały śpiewać.

– Tak jakby nie miały innego wyjścia – mruknęła dziewczyna.

– Muszą śpiewać albo umrą. – Spojrzała na karteczkę przypiętą do jego kurtki. – Jesteś pilotem, prawda?

– Tak.

Pochyliła się nad nim. Poczuł jej oddech, który pieścił jego twarz.

– Czy one śpiewają tam w górze? – spytała niewinnie. – Czy słychać w powietrzu skowronki?

„Mój Boże" – pomyślał. – „Co za dziwaczna rozmowa. Ale powinieneś odpowiedzieć na jej pytanie".

– Nie wtedy kiedy strzelają z minenwerferów czy czego tam jeszcze.

– To te wielkie miotacze min? – spytała, po czym dodała z groźnym błyskiem w oku: – Widziałam, co potrafią zrobić.

– Tak – odparł. Z oczu płynęła mu woda. Jezu Chryste, to było okropne. – Wydają takie szczekające dźwięki – wydusił z trudem. – Przypominają wielkiego przyjaznego psa. Hau, hau, hau. A potem zapada cisza i spadają pociski. Ziemia leci na wszystkie strony. Okazuje się, że ten pies nie jest wcale taki przyjazny. Czujemy w górze uderzenia. Dociera do nas fala.

– Wyobrażam sobie, że to przypomina kolejkę w lunaparku. Taką, która podskakuje w górę i w dół.

– Coś w tym rodzaju. Dziwne uczucie. Można się przyzwyczaić.

Pielęgniarka zamilkła i zmarszczyła brwi.

Wiedział, że niektórzy nie lubili pilotów. Uważano ich za uroczych chłopców z rozbuchanym ego. O ile wiedział, to była prawda, ale gazety wypisywały również niewiarygodne bzdury o tym, jak wspaniale jest znaleźć się w powietrzu. Denerwowało go, że myślano o nim w ten sposób. W tych artykułach kryła się bowiem sugestia, że bycie pilotem jest lepsze niż biednym, przeklętym żołnierzem piechoty. „Gladiatorzy niebios" – przeczytał w jednym ze szmatławców. Żałował, że nie może napisać do któregoś z dziennikarzy i zmusić go, żeby opisał jego towarzyszy z okopów jako „gladiatorów ziemi".

– Bierz się do roboty, pospiesz się – mruknął.

– Robię, co mogę – zaoponowała.

– Przepraszam – powiedział. – Opowiedz mi coś jeszcze. Cokolwiek.

– Mieliśmy tu trzy dni temu adiutanta – zaczęła. – Zakopało go pod ziemią. I kiedy go wykopywali, kolejny minenwerfer – jeśli to było właśnie to, w każdym razie jakaś potężna bestia – eksplodowała i przywaliła ziemią tych, którzy przyszli go wyciągnąć.

– Wydobyli ich w końcu?

– Jego tak.

– Tylko jego?

– Leżał godzinami z ręką trupa przyciśniętą do twarzy – powiedziała cicho. – Zmiażdżyło mu klatkę piersiową i połamało żebra. Z trudem oddychał. – Skończyła opatrywać ranę i poklepała go po ramieniu. – Obawiam się, że trochę bredził.

– Dobrze wiedzieć, że adiutanci też obrywają.

– Niemcy uderzyli we własny skład broni. Mówił, że różne rzeczy spadały z nieba. Wciąż to powtarzał. Różne rzeczy... – zamilkła. – Cóż, tyle wystarczy. – Spojrzała z zadowoleniem na efekt swojej pracy. – Powinno być dobrze.

Mówiła miękkim głosem. Harry dopiero teraz zauważył, że miała przepiękne oczy, o niesamowitym, przeszywającym odcieniu zieleni. Pasmo włosów, które wysunęło się spod jej czepka, było rude.

– Jesteś Irlandką? – spytał.

– Tak – przyznała. – Kiedyś, dawno temu. W innym świecie, w innym życiu.

Wzruszyła lekceważąco ramionami.

– Jak masz na imię?

Uśmiechnęła się.

– I tak nie zapamiętasz.

– Ja jestem Harry Cavendish.

– Tak jest napisane na identyfikatorze.

– A ty jesteś...

– Jeśli dasz radę, prześpij się odrobinę.

– Czym się zajmowałaś? – spytał. – Przed tym wszystkim?

– Mieszkałam w Londynie.

– I co robiłaś?

Uśmiechnęła się.

– Wystarczy tych pytań. – Spojrzała w głąb pociągu na plecy siostry. Potem szepnęła: – Caitlin.

– Caitlin – powtórzył cicho. – Ładnie.

Wskazała na jego nogę.

– Jak się teraz czujesz?

– Och, doskonale – oznajmił.

Dziwna sprawa z tym bólem – w pociągu był on niemal widoczny, jak wijący się duch, który przyciskał się do ciał.

– Już prawie jesteśmy – powiedziała Caitlin. – Wkrótce dotrzemy do Boulogne. Tam przeniosą was do porządnego szpitala. Prawdopodobnie do Casino, na nabrzeżu.

– Naprawdę? – spytał. – Jesteśmy już blisko? W pobliżu Boulogne? Wkrótce będziemy na miejscu?

Nagrodziła go olśniewającym uśmiechem, psotnym i zupełnie rozbrajającym.

– Przykro mi – przyznała. – Ale nie mam zielonego pojęcia, gdzie jesteśmy.

Pociąg bujał się i kołysał. Caitlin wstała, wciąż spoglądając fachowym okiem na jego umieszczone w szynach nogi. Od czasu do czasu, olbrzymim kosztem, potrafił poruszyć palcami u nóg. Niektórymi.

Przez cały czas, gdy rozmawiali, mężczyzna na pryczy nad nimi śpiewał swoją bolesną melodię. Harry nie umiał jej rozpoznać. Nie przypominała zresztą żadnej ziemskiej piosenki. To była pieśń umierającego. Nie musiał patrzeć na tego biednego drania, żeby to wiedzieć. Umierający wytwarzali własną, specyficzną aurę. Dało się ją wyczuć. Czasami w miejscu, w którym się znajdowali, zapadała dziwna cisza. Nagły brak westchnień, płaczu i krzyków powodował pustkę niepodobną do innej.

Odwrócił głowę w stronę łóżka powyżej. Caitlin właśnie poprawiała mężczyźnie poduszkę i składała koc. Zmarszczyła czoło w zamyśleniu. Usłyszał, jak lekko przy tym westchnęła. Pod nimi tory stukały i gwizdały, a drżący rytm pieśni mężczyzny wydał się z nimi harmonizować.

Pielęgniarka odsunęła się.

– Jakie ma obrażenia? – szepnął Harry.

– Kulę w głowie – powiedziała tak cicho, jak przed wojną inna dziewczyna mogłaby powiedzieć: „Pada deszcz" albo „Wybieram się na spacer", lub „Te róże są takie ładne".

Przygryzła wargę, zanim zaczęła mówić dalej.

– Słyszałam o repetycjach – dodała. – Tak jakby w pewnych częściach mózgu ukryte były wspomnienia. Gdy ta część jest uszkodzona...

– Śpiewają piosenki?

– Albo powtarzają jakieś słowo. – Wzruszyła ramionami. – Chciałbyś się napić kakao, gdyby udało mi się jakieś znaleźć?

Przyjrzał się jej uważnie.

– Ile masz lat? – spytał.

– Dlaczego pytasz? Czy to ważne?

– Nieszczególnie.

Uśmiechnął się. Stawiał na dwadzieścia lub dwadzieścia jeden. To znaczyło, że była w jego wieku. Ciekawe, czy jego dwudzieste pierwsze urodziny już minęły, a on nie miał o tym pojęcia.

– Tak, poproszę – powiedział. – W kwestii kakao. Gdybyś znalazła czas. Ale tylko wtedy.

Chciał złapać ją za rękę.

– Jak się nazywasz? – spytał. – Caitlin? Jak masz na nazwisko?

Dziewczyna stała już jednak do niego plecami i ruszyła przed siebie.

Kiedy pociąg nabrał prędkości, na zewnątrz zapadał zmrok. Obok Harry'ego znajdowało się małe okienko. Chociaż niewielka szybka umieszczona była gdzieś na wysokości jego pasa, potrafił dostrzec cienie francuskich krajobrazów. W końcu nie dostał kakao – wybaczył jej oczywiście, miała przecież zajęć od groma – i gdy spoglądał przez okno w ciemność, powoli zasnął.

Jakiś czas później pociąg się zatrzymał. Obudził go brak ruchu. Śpiew nad jego głową umilkł.

Harry odwrócił głowę do okna. Dobry Boże, ta noc ciągnęła się w nieskończoność. Zastanawiał się, czy teraz ma większe szanse przetrwać. Ledwie kojarzył imiona i twarze ludzi, którzy razem z nim służyli w lotnictwie. Znacznie lepiej pamiętał stery samolotu. Czuł je wciąż w dłoniach, tak samo jak owiewające go powietrze. Miał wrażenie, że znów spada w szalonym korkociągu, który jakimś cudem przeżył.

I wtedy zauważył coś wspaniałego.

Nie odrywał wzroku od małego, kwadratowego okienka i nagle zdał sobie sprawę, że tam, w półmroku, widać drzewa czereśniowe.

Z uśmiechem spróbował podnieść się na łokciu. Gałęzie w połowie pokrywały kwiaty, a w połowie liście – poruszał nimi lekki wietrzyk. W chłodnych ciemnościach musiało rosnąć ich tam z tysiąc. „Czy to piękny sen?" – zastanawiał się. Czy takie miejsca naprawdę wciąż istniały? Gałęzie unosiły się i kołysały. Sad przypominał delikatnie falujące morze.

Na zewnątrz świat naprawdę istniał i panowała w nim cisza. Harry dziękował za to niebiosom.

Cicha wiosenna noc na polach Francji.

Następnego ranka w Rutherford na Josiaha Armitage'a czekał March.

Dzień wcześniej kawaleria się nie zjawiła. Jack uznał to za znak, że mogą w ogóle nie przyjść. Wieczorem jednak Bradfield przekazał telefoniczną wiadomość: armia odwiedzi ich następnego ranka. Kazali przygotować konie.

Zegar na podwórkowej wieży wskazywał niemal ósmą, kiedy usłyszeli zbliżającą się ciężarówkę. Podjeżdżała drogą prowadzącą do domów służby na terenie posiadłości. Słyszeli zgrzyt skrzyni biegów, kiedy auto wspinało się na niewielkie wzgórze. Wzdłuż drogi rosły lipy, dzięki czemu z okien dworu nie widać było kupców ani pracowników wjeżdżających do majątku.

Josiah spojrzał na Marcha. Obaj mieli po siedemdziesiątce, ale March był znacznie bardziej zrzędliwy i wyglądał starzej. Patrzyli na siebie z niepokojem.

Ciężarówka pokonała ostatni zakręt i minęła bramę. Wysiadło z niej sześciu mężczyzn, trzech z kabiny i trzech z tyłu. Opuścili rampę i wysypali ją słomą, po czym oparli się na karabinach i patrzyli na podwórze.

– Cholerny arsenał jest niepotrzebny – wymamrotał March.

Oficer sił terytorialnych, drobny, zgarbiony mężczyzna koło pięćdziesiątki, ruszył w ich stronę. Nie był jednym z tych, którzy zjawili się dwa dni wcześniej. Ani March, ani Armitage go nie rozpoznali. Kiedy się odezwał, usłyszeli akcent z południowo-zachodniej części kraju.

– Dzień dobry, panowie.

Armitage dotknął czapki.

– Cóż, przyjechaliśmy wykonać naszą pracę – oznajmił z werwą. – Gdzie są zwierzęta?

Josiah pochylił głowę.

– Mamy cztery konie na wybiegu. Dwa musimy zatrzymać. Bez nich nie zdołamy skosić zboża ani go zwieźć.

– Wasz najbliższy dzierżawca ma dwa konie.

– To prawda.

– Nie możecie użyć jego zwierząt?

– Do farmy Batesa jest siedem mil, a do następnej dziewięć.

Mężczyzna spojrzał na swoją listę.

– Lord Cavendish zgłosił dwadzieścia dwa konie. Jedenaście pojechało w zeszłym roku. Możemy jednego zostawić. Ale musimy zabrać shire'a.

Żaden z mężczyzn się nie odezwał. Josiah rozejrzał się po podwórzu. Wiedział, że Wacława tu nie było. Jack zabrał go rano na niżej położone łąki koło rzeki.

– Shire pracuje – oznajmił.

Mężczyzna uniósł brew.

– Mam szczerą nadzieję, że nie będzie kłopotów.

– Żadnych kłopotów, sir.

– W takim razie przyprowadźcie, proszę, shire'a.

– To nie jest szybki koń – próbował lawirować Josiah.

Mężczyzna uśmiechnął się ironicznie.

– Nie widziałem jeszcze szybkiego shire'a – odparł. – Potrzebujemy ich ze względu na siłę, nie prędkość.

Josiah spojrzał na swoje stopy. Był patriotą i chciał dać krajowi tyle, ile mógł. A mimo to czuł, że konie należą do niego w znacznie większym stopniu niż do lorda Cavendisha. Połowę z nich widział, jak się rodziły, inne pielęgnował w chorobie. Przez ostatnie czterdzieści lat za każdym razem, gdy konia musieli odesłać do rzeźnika, nie mógł spać. Siedział w stajni i czuwał przy zwierzęciu, które musiało odejść. Tak samo spędził poprzedni wieczór z Wacławem. Właśnie w stajni o świcie znalazł go Jack.

Żaden z nich się nie odezwał. Wstydziliby się, gdyby ktoś wiedział, co czują. To tylko koń, powiedzieliby. Tylko koń. Ale dla ojca i syna to nie były tylko zwierzęta.

Josiah w końcu wstał, położył dłoń na ramieniu syna i poszedł do domu, żeby przynieść im obydwu po kubku herbaty. Kiedy wrócił, ostrożnie niosąc tacę przez mokre od porannej rosy podwórze, zobaczył, że drzwi do stajni są otwarte. Jack i Wacław zniknęli. Odstawił tacę i powlókł się w stronę odległej bramy. Spojrzał na schodzące do rzeki długie zbocze. Jack prowadził Wacława przez wiosenną łąkę. Mężczyzna i koń pochylili głowy, jakby cicho rozmawiali.

Josiah zastanawiał się, czy za nimi nie pójść, w końcu się jednak rozmyślił. Jack nie uciekał – dokąd miałby uciec z takim łagodnym olbrzymem jak Wacław? – tylko potrzebował czasu. Josiah o tym wiedział. Wrócił do stajni i usiadł.

Teraz popatrzył na kapitana kawalerii.

– Pójdę po nich – powiedział.


Trzy piętra wyżej z małego okienka w pokoju dziecinnym ktoś jeszcze obserwował rozgrywającą się na podwórzu scenę.

Louisa wstała rano i udała się do pokoju swojej siostrzenicy, wciąż mając na sobie piżamę i szlafrok. Kiedy weszła do środka, niania właśnie kąpała Cecily.

– Och, proszę panienki! – zdenerwowała się kobieta. – Mała nie jest jeszcze gotowa.

Poprzedniego wieczoru ustaliły, że sprawią Cecily przyjemność – będzie mogła zejść na dół i zjeść śniadanie w pokoju panny Cavendish. Po posiłku Louisa miała otworzyć swój podróżny kufer, ten ładny, z Londynu, z wieloma przegródkami, i poszukać w nim starych zabawek z dzieciństwa.

– Nic nie szkodzi – uspokoiła ją Louisa. – Poczekam.

Uśmiechnęła się lekko, widząc, jaką przyjemność sprawiają Sessy tak drobne rzeczy jak smuga baniek mydlanych, gładka krawędź emaliowanej wanienki czy brzeg różowej ściereczki, którą szorowała ją niania. Wreszcie Louisa podeszła do okna i wyjrzała na zewnątrz.

– Na podwórzu chyba są jacyś ludzie – mruknęła. Widziała stąd bardzo wąski fragment kuchennych ogrodów i zaledwie kawałek dachu pojazdu.

Niania nie podniosła wzroku. Posadziła sobie Sessy na kolanach i owinęła ją ręcznikiem.

– Przyjechali po konie, proszę panienki. Tak mówili na dole wczoraj wieczorem.

Louisa się odwróciła.

– Które konie?

– Wszystkie, nie licząc dwóch.

Po chwili wahania Louisa szybko pocałowała Sessy w czubek główki. Wyszła z pokoju, zbiegła po schodach i udała się do swojej sypialni. Pokojówka, która zajmowała się nią podczas nieobecności Amelie, zostawiła dla niej ubranie. Tego dnia było ono naprawdę śliczne. Bawełniana sukienka, urocze, pasujące do niej buciki i lniana marynarka.

Louisa spojrzała na przygotowany ubiór, po czym podbiegła do francuskiej szafy i zaczęła grzebać w dolnej szufladzie. Wyciągnęła bardzo spłowiały strój do konnej jazdy. Nie nosiła go od lat, ale wciąż była szczupła, a z powodu wydarzeń zeszłego roku może nawet szczuplejsza, niż wtedy kiedy miała szesnaście lat. Chwilę później zbiegła po szerokich kręconych schodach. Przez bibliotekę ojca wyszła do ogrodu, skąd ruszyła w stronę kuchni i wzdłuż szklarni dotarła do wielkich drewnianych drzwi, które prowadziły na podwórze stajni.

Grupka mężczyzn odwróciła się w jej stronę. Kilku z nich miało na sobie mundury. Szybkim krokiem podeszła do Marcha.

– Co tu się dzieje? – spytała.

Dotknął ronda kapelusza.

– Rekwirują konie – wyjaśnił.

– Gdzie jest Jack? – zapytała. – Gdzie Josiah?

March wskazał kciukiem nad swoim ramieniem.

– Na dolnej łące.

Wiedziała doskonale, w jaki sposób Jack myślał o swoich pod-
opiecznych. Kiedy dorastali, opowiadał jej o każdym z nich. Głupiutkie historyjki o tym, że każdy koń pochodzi z innej bajki, że
Kasztanek to koń księcia z *Kopciuszka* i tak dalej. Jack był od niej
dziesięć lat starszy, a ona chłonęła każde jego słowo z naiwnym
zaufaniem. Siedziała obok, gdy podkuwano Szarego Ducha. Jack
zapewnił ją, że koń nie czuje bólu.

Potem, kiedy podrosła, matka łagodnie napomniała ją, że nie
wypada, by gawędziła ze służbą.

– Ale Harry ciągle spędza czas z Jackiem! – zaprotestowała.

– Harry jest chłopcem – odpowiedziała matka. Złość i poczucie niesprawiedliwości dręczyły Louisę tygodniami.

Przeniosła wzrok z jednej twarzy na drugą. Kapitan jej zasa-
lutował, ona jednak nie dostrzegła w tym geście żadnego wdzięku.
Mężczyzna wydał jej się raczej nadęty. Miał źle dopasowany mundur, cienkie wąsiki i służalcze gesty. Aż się napuszył od poczucia
własnej ważności. „Pewnie delektuje się swoimi pięcioma minuta-
mi władzy" – pomyślała gorzko. Popatrzyła na ciężarówkę.

– Będziecie je przewozić tym?

– Tak, proszę pani.

– Jak daleko?

– Jedziemy dziś do Crewe.

– Crewe! – wykrzyknęła Louisa. – Ależ to ponad sto mil stąd!

– Sto pięćdziesiąt – mruknął March.

– Dlaczego akurat Crewe?

– Do pociągu – wyjaśnił kapitan. – A potem na południowe
wybrzeże.

Nie odrywała wzroku od ciężarówki.

– Te konie nigdy tak daleko nie podróżowały – powiedziała. – Niektóre urodziły się tutaj, na farmach.

Nikt się nie odezwał. Louisa poczuła, że ogarnia ją strach. Na ramionach miała gęsią skórkę.

– A potem zapewne do Francji. – Zrobiła krok w stronę kapitana. – Co się dalej z nimi dzieje?

– Jest ich tam ponad milion – oświadczył. – Te tutaj mają szczęście, panienko. Ponad sto pięćdziesiąt tysięcy koni pojechało do Francji w ciągu pierwszych kilku tygodni wojny.

Wytrzymała jego spojrzenie.

– A ile z nich wróciło? – spytała.

Nie usłyszała odpowiedzi. Odwróciła się na pięcie i ruszyła ponownie przez podwórze. Cztery kucyki, które znała, wyprowadzano właśnie z pola. Zatrzymała się, żeby je przepuścić. Nie chciała patrzeć w ich potulne i posłuszne pyski. „To tylko leniwe wiejskie koniki" – pomyślała. Nie miały w sobie energii ani bojowego ducha, jakie widziała na wojennych obrazach. Takie koniki nie szarżowały, nie biły kopytami w ziemię ani w najmniejszym nawet stopniu nie mogły wyglądać olśniewająco. Nie były nigdy szkolone do czegokolwiek innego niż pług albo wózek. Połowę z nich płoszył dźwięk samochodu.

Kiedy minął ją ostatni kuc, zaczęła biec.

– Panienko! – krzyknął za nią March.

Zignorowała go. Pobiegła przez sięgającą jej do kolan trawę. Za kilka tygodni urośnie na tyle, że po raz pierwszy w tym roku można będzie ją ściąć. Na łące rosły też różne gatunki kwiatów. Bryczesy, które Louisa włożyła w takim pośpiechu, pokryły się żółtym pyłkiem jaskrów. Zauważyła, że w jej stronę nadchodzi Josiah – wyciągnął w górę rękę. Zatrzymała się obok mężczyzny, bez tchu, próbując nad jego ramieniem dostrzec miejsce, gdzie brzeg rzeki porastały drzewa.

– Jest tam Jack?

– Tak, panienko. – Josiah podniósł kołnierz kurtki z nietypowym dla niego skrępowaniem. – Nie chce oddać shire'a.

– Och – westchnęła. Nie zdziwiła się jednak. – Pójdą tam i wezmą go siłą, jeśli Jack go nie przyprowadzi.

– Wiem – zgodził się Armitage.

Spojrzeli na siebie.

– Porozmawiam z nim – powiedziała. – Niech pan idzie i poprosi, żeby jeszcze chwilę poczekali.

Josiah otworzył usta, jakby chciał zaprotestować, ale w końcu je zamknął i odszedł. Louisa popatrzyła za nim. Starszy mężczyzna powłóczył nogami, jakby dźwigał na barkach wszystkie zmartwienia świata.

Dziewczyna ruszyła w dół wzgórza, w stronę rzeki.

Wkrótce zobaczyła na płyciźnie Jacka. Trzymał Wacława na luźnych wodzach, a wielki shire pił chłodną wodę. Ten sielankowy widok sprawił, że na moment stanęła jak wryta. Wyglądali niemal jak z obrazów Constable'a, gdy tak stali w ciszy, oświetlani przez ukośnie padające promienie słońca.

Jack spojrzał na nią, kiedy podchodziła. Zatrzymała się na brzegu.

– Już czas, Jack – powiedziała cicho. – Wrócisz ze mną?

Przez chwilę nic nie mówił.

– On nie lubi hałasu.

– Tak, wiem. – Kiwnęła głową. – Nienawidzi sportowych samochodów Harry'ego, prawda? Ale we Francji nie będzie sportowych aut ani idiotów takich jak Harry, którzy pędzą nimi z szaleńczą prędkością.

Jack nie odpowiedział.

– Będą go dobrze traktować – pocieszała. – Mają tam specjalny oddział weterynaryjny. I potrzebują ich, Jack. Ciężarówki i auta nie radzą sobie na zrytych drogach. Konie i muły to jedyne stworzenia, które są w stanie dotrzeć na front. Czytałam o tym w gazetach.

Wacław poruszył nogami. Piasek zaczął wirować w wodzie. Jack i Louisa patrzyli, jak tworzy rozpadające się wzory i wreszcie odpływa.

– Nie chodzi o to, że nie chcę zrobić wszystkiego, co w mojej mocy – odezwał się w końcu Jack. – Poświęcić się i tak dalej. Wiem, że to nasz obowiązek. – Wyraźnie targały nim sprzeczne emocje. – Ale zwierzęta nigdy o to nie prosiły. Nie mają z wojną nic wspólnego. Mimo to wciągamy je w nią, wykorzystujemy i zmuszamy, żeby ciężko dla nas pracowały. One nas słuchają, choć nie rozumieją, po co to wszystko. Pracują, idą pod ostrzał, w błoto, między pociski, na śmierć. I nie wiedzą dlaczego. Dlatego to takie smutne.

Louisę ścisnęło w gardle. Patrząc na chłopaka, który bezradnie raz po raz zaciskał dłoń na lejcach, dręczony niemożnością podjęcia decyzji, zeszła z brzegu na żwirowatą plażę i wstąpiła do wody.

Koń odwrócił głowę, żeby na nią popatrzeć. Niemal z bólem dotknęła jego ciepłego boku. Mięśnie pod skórą zadrżały lekko.

– Kochany chłopiec – szepnęła. – Dobry chłopiec.

Podłożyła rękę pod miękkie wargi Wacława. Koń na próżno zaczął szukać kawałka cukru albo jabłka, które zazwyczaj dla niego chowała.

– Nic ci nie przyniosłam – powiedziała. – Tak mi przykro.

Jack wlepiał wzrok w wodę. Wolną ręką ocierał oczy. Odwrócił głowę i zapatrzył się w nurt rzeki oraz widoczny w oddali most. Louisa położyła łagodnie dłoń na jego ramieniu i podeszła. Tak łagodne serce miał ten mężczyzna. Tyle nosił w sobie dobroci. Na sekundę oparła czoło o ramię Jacka, po czym zwróciła twarz w jego stronę i pocałowała go.

Woda szemrała, słońce tańczyło, świat toczył się do przodu. Louisa poczuła, że Jack dygocze w jej objęciach.

– Och, ależ nie... – szepnął.

Kiedy się rozdzielili, patrzył na nią zdumiony. Położyła rękę na dzierżącej lejce dłoni.

– Chodź – poprosiła łagodnie. – Naprawdę nadszedł już czas, Jack. Zaprowadzimy go razem.

5

Harrison siedział w najdalszym kącie stodoły i wspominał żniwa. Na godzinę przed świtem na dworze panowały egipskie ciemności. Nie miał pojęcia, gdzie się znajdują, poza tym że blisko frontu. Są uzupełnieniem rezerwy, tak im powiedziano. Dotarli w to miejsce w okolicach północy. Zasnął niemal natychmiast, nie zjadł nawet do końca twardego suchara. Śnił o słońcu, nie silnym wietrze i deszczu, w których maszerowali cały dzień. Śniły mu się łąki Yorkshire w maju – słodko pachnące, usiane kwiatami.

Obudził się w najciemniejszej godzinie przed świtem. Upiorna, klaustrofobiczna cisza wydawała się wibrować. Wytężał słuch, starał się usłyszeć dźwięk ostrzału. Dzień wcześniej do nich docierał. Teraz panował spokój.

Obok niego Nat również nie spał.

– Idzie kolejny – szepnął.

Czekali na szczura, który węszył między pogrążonymi we śnie ciałami towarzyszy. Nie wiadomo, dlaczego nie spali. Mogli liczyć na zaledwie kilka godzin błogosławionej nieświadomości, a tu ta cholerna bezsenność. Dzień wcześniej przemaszerowali przez Givenchy i Harrison miał wrażenie, że coś z tego pożałowania godnego miejsca utkwiło mu w trzewiach.

Podobno przed wojną mieszkało tam sześć tysięcy ludzi. Teraz miasto zmieniło się w ruiny z rozwleczonymi wszędzie elementami wyposażenia domów. Mijali namoknięte, połamane łóżka i regały rozrzucone pomiędzy olbrzymimi dziurami w drodze. Harrison widział zdjęcie jakiejś rodziny – szkło było potłuczone, a twarze dzieci pochlapane błotem. Nieco dalej znalazł ich więcej, leżały w stertach, rozbite i postrzępione.

Im dłużej szli, tym robiło się gorzej. Doszli do kanału La Bassée. Woda miała jasnożółty kolor – szkopy zatruli ją, żeby nie można było napoić koni. Kanałem sunęły szczątki. Szli wzdłuż starego szlaku holowniczego i patrzyli na unoszące się na powierzchni drzwi, połamane gałęzie drzew i ciała. Harrison przyglądał się temu wszystkiemu, lecz czuł wyłącznie niewielkie zaciekawienie i smutek. Wojna była dziwna, pokrętna, bezkształtna.

Szturchnął Nata.

– Widziałeś kiedyś żniwa?

– W Mile End? Nie. A co? Ty widziałeś?

– Nigdy nie jeździłeś na wieś?

– W Londynie nie ma wsi.

– Są skwery i parki.

Nat zaśmiał się pod nosem.

– Może w zachodniej części – westchnął. – Tam pracowałeś? W zachodniej części, w mieście?

Harrison nie odpowiedział. Zadrżał, poruszony niemal namacalnym wspomnieniem Rutherford podczas letniego dnia. Zaskoczyło go, jak wiele uczuć w nim obudziło. „Gdybym tylko mógł zobaczyć ponownie Jenny, zanim będę musiał iść dziś na front" – pomyślał. – „Tylko na momencik". Oddałby miesięczny żołd za możliwość oparcia się o ścianę kuchni, zamknięcia oczu i wystawienia twarzy na promienie słońca, posłuchania rozmów pokojówek w pomieszczeniu za nim. Zamiast tego... cóż, nie dostał nic w zamian. Był tutaj i będzie musiał zmierzyć się z koszmarem, jeśli tego właśnie pragnie los.

Kiedy o tym myślał, nie czuł jednak paniki ani strachu. Zastanawiał się, czy to znaczyło, że różni się od innych. Nic go głęboko nie poruszało. Do nikogo nie potrafił się zbliżyć.

Chwilę później Nat przerwał jego przemyślenia, pogwizdując przez zęby kilka taktów *Daisy*. Potem londyńczyk zaczął śpiewać zaskakująco melodyjnym tenorem, miękkim i przepełnionym smutkiem. „Daisy, Daisy, powiedz «tak», dziewczyno, na twoim punkcie mnie zakręciło…"*.

– Dałbyś spokój – odezwał się ktoś w pobliżu i Nat natychmiast zamilkł, uśmiechając się szeroko.

Po kilku minutach odezwał się szeptem:

– Nie pytałbyś o cholerne żniwa, gdybyś wiedział, gdzie mieszkamy – powiedział. – Ja i moja żona. Mamy dwójkę dzieciaków. To jeszcze maluchy. Chyba można powiedzieć, że nad barierkami jest ładny widok na rzekę. Z dachu, o ile tam wleziesz. Nad dachami do rzeki. – Przez chwilę najwyraźniej się nad tym zastanawiał, bo wzrok mu się zamglił. – Ale te dranie… – Znów przez chwilę nasłuchiwał szurgotania szczurzych łapek. – Są wszędzie. Nawet w łóżkach.

Harrison wciąż tęsknie rozmyślał o Rutherford.

– W trakcie żniw pracują konie zaprzężone do wozów i ludzie – zaczął. – Grupy ludzi z kosami. Potem przyjeżdżają młockarnie. Kosiarze obchodzą pola i zostawiają pośrodku kępę zboża. Wtedy przybiegają psy, wpadają w nią i łowią króliki i szczury. Widziałeś kiedyś teriera ze szczurem?

– Nigdy, stary.

– Wyjątkowy widok. Jedna, dwie sekundy i szczur jest martwy. Potem następny i następny. Szybka i sprawna robota.

Nat parsknął.

– Są szybsze od nas?

– Nie – odparł Harrison, udając charakterystyczny akcent kolegi. Roześmiali się. I wtedy go poczuli – małe pazurki na rękawach, szybkie jak błyskawica. Zwierzak próbował dostać się do szyi, wiedziony zapachem ciepłego oddechu. Żołnierze obwiązywali nadgarstki i kołnierzyki drutem, owijali płaszczami kolana, żeby gryzonie nie mogły wbiec im po nogach, ale one wciąż próbowały dostać się do twarzy.

* W przekładzie Adama Pluszki.

Harrison błyskawicznie wyciągnął dłoń i złapał zwierzę za ogon. Szczur zwinął się i skręcił, próbując ugryźć. Harrison rzucił go w powietrze. Zwierzak wylądował gdzieś między rzędami leżących ciał.

– Jasna cholera! – wrzasnął ktoś.

Harrison i Nat siedzieli oparci plecami o ścianę stodoły, zadowoleni.

Przez dwie lub trzy minuty panowała cisza. O tej porze światło zaczęło się już delikatnie zmieniać. Była niemal czwarta rano.

– Świta – zauważył cicho Nat. Harrison poczuł, jak jego kolega się rusza. Nagle owionął go cuchnący papierosami oddech. – Widziałeś kościół? Widziałeś ten krzyż?

Owszem, widział, tuż za granicami Givenchy, na obróconym w perzynę cmentarzu, pośród wywróconych nagrobków i wywleczonych spod ziemi trumien. Ktoś próbował ponownie przysypać je ziemią, tworząc przypadkowe kopce. Mur cmentarny zmienił się w rumowisko. W samym środku tego pobojowiska stał wysoki na dziesięć stóp krzyż, rzeźbiony i malowany. Podczas gdy oni maszerowali w narastających ciemnościach, Chrystus patrzył na nich z głębi własnej agonii. Krzyż był w nienaruszonym stanie.

– Gadają, że to się często zdarza – mruknął Nat.

– Co takiego?

– Figury świętych, Maryi i tak dalej. Stoją, nie mają nawet draśnięcia.

– I co z tego?

Nat poruszył się, podciągnął nogi i objął rękami kolana.

– To dziwne. Jakby je ktoś chronił.

– Nikt ich nie chroni – odparł Harrison. – Nikt nikogo nie chroni. To przypadek.

– Mówisz, że Bóg nie opiekuje się niektórymi? Tymi, którym się udało?

– Nie – powiedział Harrison. – Bóg patrzy w inną stronę, jeśli w ogóle gdzieś jest. Osobiście w to nie wierzę.

– Co, nie wierzysz w Boga?

– Nie. Nie ma Boga.

Nat przez chwilę milczał.

– Takie gadanie przynosi pecha – stwierdził wreszcie.

Harrison westchnął.

– Żaden pech i żaden Bóg. Nie ma Boga ani tutaj, ani nigdzie indziej. Co się dzieje, to się dzieje. Po prostu. Trzeba na siebie uważać. To wszystko.

Widział teraz nieco lepiej twarz Nata. Był taki drobny, taki chudy. Odkąd ogolono mu włosy i zmierzwione, cienkie jak ołówek wąsiki, wyglądał na jeszcze szczuplejszego niż wcześniej. Ale dalej szczerzył w ciemnościach nierówne i przebarwione zęby.

– Ja wierzę – szepnął. – O tak. W Jezusa. W Boga.

– Gratulacje – mruknął Harrison.

Sierżant przyszedł, gdy tylko się rozjaśniło. Kiedy ustawiali się w szeregu, stał i wrzeszczał na nich. Najgłośniejsze ryki rezerwował dla wcielonych do regularnej armii ochotników Kitchenera.

– Cholernie żałosny widok – wołał. – Weźcie się w garść, bo już wkrótce staniecie twarzą w twarz z bandą wysokich na sześć stóp pruskich strażników. Tam, dokąd was zabieramy, będą patrzyli prosto na was. – Niektórzy syknęli i zadrżeli. – Właśnie tak, pieprzone Prusaki. Dwie dobre rady. Jeśli zatrzymacie pocisk, jeśli zarobicie kulkę, nie ruszajcie się. Rozumiecie? Leżcie tam, gdzieście upadli i nie próbujcie uciekać. Po drugie, róbcie, co wam, do cholery, każą. Ani mniej, ani więcej. Jasne? – Popatrzył na nich z obrzydzeniem. – Ustawcie się w oddziały po szesnastu. Zostawcie sporą odległość między oddziałami. Słuchajcie, co wam mówi porucznik. Idziecie na wzgórze Aubers.

Posłuchali. Przestało padać. Był jasny poranek.

– Ładny dzień – zauważył porucznik i uśmiechnął się do nich cierpko.

Każdego z żołnierzy uzbrojono po zęby. Przez ramiona przewieszone mieli po dwa pełne bandoliery, a w kieszeniach bluz zaszyto zestawy opatrunkowe. Nat dotknął identyfikatora na swojej szyi.

– Dobierzmy im się do skóry – mruknął. – Jednego sobie upoluję. Dziabnę go na wylot.

Harrison spojrzał na kumpla.

– Nie rozpędzaj się – powiedział. – Jeszcze nie dotarliśmy na miejsce.

Nat i tak się uśmiechał. Harrison zastanawiał się, czy ten uśmiech kiedykolwiek naprawdę znikał z jego wymizerowanej, drobnej twarzyczki.

Ruszyli. Przeszli dwie mile aż do mostu obrotowego w Gore. Minęły dwie godziny i odgłosy strzelaniny słyszeli teraz znacznie wyraźniej. Zamiast odległego, stłumionego dudnienia, które docierało do nich do tej pory, w przejrzystym, jasnym powietrzu niosły się wyraźne, pojedyncze wystrzały. Od czasu do czasu natykali się na sterty kamieni, które niegdyś były domami, albo pokonywali głębokie dziury w drodze – leje po pociskach wypełnione wodą. W końcu dotarli do miejsca, gdzie wzdłuż drogi ciągnął się drut kolczasty. Za zakrętem natknęli się na wóz z prowiantem. „Ciekawe, co tego dnia zjedli ci, którzy na niego czekali. Pewnie nic" – pomyślał Harrison. Sterty otwartych puszek leżały na poboczu. Niektóre wyglądały jak kwiaty z rozchylonymi płatkami, spluwające płynną mazią, zabarwioną lekko fosforem. Wóz leżał na boku. Przechodząc obok, zauważyli dwa martwe konie.

– Straciłem ochotę na obiad – zauważył sucho Nat. Harrison odwrócił się i spojrzał na niego. Jego uśmiech wydawał się naciągany i drżący.

Pokonali kolejną milę i wtedy coś przerażająco pisnęło z prawej strony: wysoki, rozdzierający dźwięk, po którym nastąpiło głuche uderzenie. Odczuli je w podeszwach stóp. Jakieś pięćset jardów od nich w powietrze wyleciała fontanna ziemi. Nikt nic nie powiedział. Odwrócili wzrok.

Pięć minut później porucznik dogonił ich oddział. Głęboko nad czymś rozmyślał, czoło miał zmarszczone. Podszedł do sierżanta. Po chwili wydano rozkaz, by wszyscy się zatrzymali i ukryli. Zeszli z drogi na pobocze, a raczej w miejsce, które niegdyś nim było.

– Zbyt dobrze nas widać – mruknął Harrison. – Szkopy wiedzą, gdzie jesteśmy.

– To tylko jeden pocisk – pocieszył się Nat.

Nie wybiła jeszcze siódma rano, ale już robiło się ciepło. Huknęło po raz kolejny. Zobaczyli, jak droga przed nimi eksplodowała deszczem ziemi. Harrison przyglądał się temu beznamiętnie. Mówiono im, że czasem Niemcy strzelali na chybił trafił wzdłuż umocnień, które już wcześniej zbombardowali. Martwe konie były dowodem, że to właśnie mogli robić tego ranka albo nocą. Nat poruszył się obok.

– Pomyślałbyś, że powinno im się znudzić – wymamrotał. – Niechby już wrócili do domu.

Drogą w ich stronę pędził motocykl, zostawiając za sobą kłęby czarnego dymu. Zatrzymał się koło oficera. Nat westchnął.

– Gdyby pozwolili, moglibyśmy zaparzyć herbatę.

W ciepłym, porannym powietrzu unosiła się mieszanina dziwnych zapachów – kordytu, kurzu i jakby nasturcji albo bzu.

– To gaz – szepnął Nat. – Pociski z gazem.

– Skąd możesz wiedzieć?

– Mówił mi jeden taki w Boulogne. Może też pachnieć pomarańczami.

– Nie wszystkie pachną, prawda?

Nat wzruszył ramionami.

– Ale to właśnie to. Rąbnął gdzieś w pobliżu.

Patrzyli, jak kurier odjeżdża. Słyszeli wycie maszyny na pokrytej wybojami drodze jeszcze długo po tym, jak stracili ją z oczu. Wciąż jednak nie było żadnego ruchu, żadnych rozkazów.

– Gdzieżeś w takim razie pracował, skoro widziałeś żniwa? – spytał Nat.

– W wiejskiej posiadłości.

– Co, dużej?

– Wystarczająco.

– I co tam robiłeś?

– Służyłem.

Nat znów się uśmiechał.

– Niezła posadka.

Harrison zastanowił się chwilę.

– Tak, pewnie tak.

Porucznik ruszył w ich stronę żwawym krokiem i musieli przerwać rozmowę. Wcześniej szli na samym końcu oddziału. Porucznik wskazał kciukiem tam, skąd przyszli.

– Harrison – rzucił. – Wracaj i upewnij się, że jedzie za nami wózek z wodą.

Harrison wykonał rozkaz. Pobiegł za zakręt. Tuż za linią drzew, ściętych na wysokości pasa i zwalonych na ziemię, zobaczył wózek z wodą ciągnięty przez parę mułów. Obok niego szło dwóch mężczyzn. Rozmawiali i śmiali się z czegoś. Pomachał im, jakby chciał powiedzieć „chodźcie". Nie odmachali mu. Wciąż szli przed siebie, wyraźnie klucząc.

– Idioci – mruknął.

Odwrócił się i ruszył z powrotem. W tej samej chwili usłyszał kolejny wizg. Był krótki i dobiegał z wysoka, brzmiał jak dokuczliwe brzęczenie komara. W następnej sekundzie dobiegło go kilka ogłuszających huków. Najpierw za nim, a potem z przodu. Stanął jak skamieniały na środku drogi.

Odwrócił się i spojrzał na wózek z wodą. Nie było wody, nie było muła – chyba że mułem było to, co zwisało z drutu kolczastego. Mężczyzn też nie było. Usłyszał własny oddech, przerywany i drżący. Wiedział, że musi wrócić do porucznika. Na tym polegało jego zadanie. To właśnie powinien zrobić. Wrócić i złożyć raport na temat wózka z wodą. Poczuł, że nie potrafi opanować drgawek i przeklął sam siebie. „Przestań się, kurwa, trząść" – rozkazał sobie w myślach. – „Przestań, do cholery. Przestań". Przez moment zastanawiał się, co się stało z drugim mułem i mężczyzną, po czym pobiegł w stronę zakrętu, gdzie czekał jego oddział.

Droga była gliniana. Tylko o tym potrafił myśleć, gdy czas wlókł się w nieskończoność. Minęło zaledwie kilka minut, może nawet sekund. Ale jemu wydawało się, że znacznie więcej. Nie uświadamiał sobie wcześniej, że zniszczona powierzchnia drogi nie była kamienna, lecz z wygładzonej gliny. Zmieniła się w masę grud i brył. Gdy stał odwrócony do niej plecami, wszechmocna dłoń wyrwała fragmenty drogi i porozrzucała je na wszystkie strony. W miejscu, gdzie czekał jego oddział, ziała ogromna dziura.

Ludzie biegali w kółko, ciągnęli leżących na ziemi. Sierżant wykrzykiwał rozkazy. Harrisona nogi same niosły do przodu, ale jakaś niepokorna część umysłu cofała się tam, skąd przybyli, mijała Gore i Givenchy, wracała do Boulogne.

Dotarł do leja po bombie. Porucznik nie żył, to nie ulegało wątpliwości. Harrison spojrzał na skręcone ciało, zwrócone twarzą do ziemi. Patrzył beznamiętnie. Jego serce zwolniło po pierwszym szoku i teraz dudniło leniwie. Dźwięki wokół po ogłuszającym huku pocisków brzmiały nienaturalnie wyraźnie, kryształowo czysto w porannym powietrzu. Mógłby przysiąc, że gdzieś w pobliżu słyszy śpiew kosów i zaczął się śmiać z powodu absurdalności tego wszystkiego.

Poczuł silne uderzenie w ramię. Odwrócił się i zobaczył zbryzganego krwią sierżanta, ale poza tym całego i zdrowego. Mężczyzna spiorunował go wzrokiem.

– Z czego rżysz? Ściągnij tych ludzi z drogi i ruszaj dalej. Dołączysz do następnego oddziału.

Harrison rozejrzał się na boki. Zarejestrował przynajmniej sześciu rannych. Na porośniętym trawą poboczu siedział podparty Nat, sapał i dyszał. Oczy miał szeroko otwarte, jedną rękę przyciskał do piersi.

– Nat. Wszystko w porządku?

Próbował odpowiedzieć, ale nie dał rady. Ledwo dostrzegalnie pokręcił głową, jakby nawet ten wysiłek kosztował go zbyt wiele.

– Lepiej chodźmy – powiedział Harrison.

Sierżant wciąż wrzeszczał. Harrison spojrzał na drogę, na kręcących się w panice ludzi. Jednego czy dwóch popychano do przodu. Na wpół się odwrócił i wyciągnął rękę.

– Złap się mnie – polecił Natowi. – I wstawaj.

Nie usłyszał odpowiedzi, więc spojrzał na kumpla. Nat leżał bez ruchu. Przestał rozpaczliwie łapać powietrze. Właściwie skończyła się wszelka jego działalność na tym padole. Harrison pochylił się, aż jego twarz znalazła się przy twarzy londyńczyka. Oczy miał otwarte, na ustach zastygł ślad jego nieustającego uśmiechu.

– Nat – mruknął Harrison. – Nat, przyjacielu...

– Ruchy! – wrzasnął mu nagle nad uchem sierżant.

– On był... – zaczął Harrison. Przestraszył się, że zaraz zacznie krzyczeć albo szlochać. Stanie się coś okropnego, potwornego. Zacznie przeklinać albo płakać jak dziecko.

Sierżant złapał go pod ramię i postawił na nogi.

– Ruszaj się, już!

Harrison oderwał wzrok od Nata i podbiegł do oddziału. Nie odwrócił się, gdy zaczęli maszerować.

Raz, dwa. Raz, dwa.

Ktoś krzyknął, że chce papierosa.

– Co to było? – spytał Harrison idącego obok mężczyznę.

– O czym mówisz?

– Bomba... wybuch.

– Zasrany pocisk małokalibrowy – odpowiedział. Wyglądał na wyjadacza, zawodowca. – Siedemdziesiąt siedem milimetrów. Ciężka artyleria strzela większymi. Pięć i dziewięć cali. Zabiłby cię, zanim byś się zorientował. Nikt z nas by nie przeżył.

– Siedemdziesiąt siedem milimetrów – powtórzył Harrison.
– Ale gówno.

– Święta racja.

Szli pewnie, szybkim krokiem, od czasu do czasu ktoś poślizgnął się na glinie.

Maszerując, myślał o piosenkach.

Tylko o piosenkach. Po prostu.

Powtarzał ich słowa, które wirowały w jego głowie, w kółko i w kółko. Słońce grzało coraz mocniej, a on czekał, aż z jasnego, niebieskiego nieba spadnie ze świstem kolejny pocisk.

„Daisy, Daisy" – nucił w myślach.

„Daisy, Daisy, powiedz «tak», dziewczyno".

To się stanie teraz albo jutro, albo już wkrótce. A może wcale. Może przeżyje to wszystko, śpiewając w myślach piosenki. Może będzie tu za tydzień, a może zginie za godzinę.

Jego twarz zastygła w twardym grymasie, a nogi powlokły się dalej.

„Powiedz «tak», dziewczyno".


W domu na Grosvenor Square Octavia nie spała.

W Londynie czuła się jak w domu, znacznie bardziej niż kiedykolwiek w Rutherford. Wkrótce po ślubie William użył wniesionej przez nią w posagu fortuny, by przebudować Rutherford Park. Plan rozbudowy miał już przygotowany i starał się nie konsultować z nią w kwestii przeróbek, które na jego polecenie wykonano w pochodzącym z piętnastego wieku budynku. Najwyraźniej uważał, że skoro ona pochodzi z rodziny handlarzy, nie będzie wiedziała, jak powinno wyglądać wielkie domostwo. Ale tutaj, w Londynie, łaskawie pozwolił jej na swobodniejsze rządy.

Usiadła w głębokim fotelu w swojej sypialni, patrząc przez odsłonięte okna na oświetlony bladym światłem świtu londyński skwer. Uśmiechnęła się drwiąco. Często zastanawiała się, co powiedziałby jej ojciec, gdyby wiedział, że schedę po nim wydano na rozbudowę Rutherford. Z całą pewnością nie zaliczał się do osób powściągliwych, mogła więc z łatwością sobie wyobrazić, jak pomiędzy nim a Williamem dochodzi do rękoczynów w wielkim salonie w stylu Tudorów. Oczywiście, byłoby to poniżej ich godności, ale mimo wszystko... Jej ojciec lubił nowinki. Myśl o tym, co nazywał „gnijącymi rezydencjami nielicznych utytułowanych", napawała go obrzydzeniem.

Czuła się przyjemnie usatysfakcjonowana tym, że fortunę jej despotycznego ojca wydano na taką gnijącą rezydencję, jaką w 1892 roku było Rutherford. Zawiłości instalacji w nowych łazienkach i ogrzewania na pewno by go zachwyciły, bo uwielbiał wszystko, co mechaniczne. Ale szklarnie i biblioteka... Potrząsnęła głową i jej uśmiech zniknął. Uznałby to za marnowanie pieniędzy. Miejsce, w którym można hodować ananasy i czytelnia? „Cholerna strata!" – huknąłby, a jego zwiotczała twarz z wściekłości pokryłaby się plamami. Boże, przeżyła tyle ataków jego furii po śmierci matki. To doprawdy ironia, że mężczyzna pokroju Williama – utytułowany, spokojny, sztywny, z wyższej klasy – położył rękę na milionach jej ojca. Bardzo jej się to podobało.

Rutherford pozostawało całkowicie we władzy Williama. Oczywiście miała swój wkład w urządzenie domu. Ponadto jej męża w ogóle nie obchodziło, jak wyglądają górne piętra. W tajemnicy wstawiła tam porządne łóżko dla niani i eleganckie łóżeczka dla dzieci, kiedy były jeszcze małe. W ich pokojach nie brakowało również dywanów i zabawek. Ale miejsca dostępne dla gości, korytarze, jadalnia, pokój poranny, pokój muzyczny – wszystkie zostały urządzone tak, żeby odzwierciedlały gust Williama.

Dlatego dom na Grosvenor Square lepiej pokazywał jej preferencje. Urządziła go w nowocześniejszym stylu, unikając ciężkich adamaszków i złoceń, tak lubianych przez pokolenie Williama. Zatrudniła artystów, żeby zaprojektowali dla niej secesyjną klatkę schodową i piękne meble, które ustawiono w wyłożonym czarno-białymi kafelkami holu. Zleciła urządzenie pokoju orientalnego: miejsce ozdobione cudownymi, kanarkowymi, jedwabnymi tapetami. Wszystkie krzesła obito tkaniną z wzorem pawich piór na oparciach.

Nad wszystkim unosił się jej artystyczny gust. William wyraził zgodę na powieszenie dwóch małych obrazów Moneta i jednego dużego Renoira, ale nie pochwalał kubistycznego malowidła jakiegoś niebezpiecznego hiszpańskiego parweniusza o nazwisku Picasso. Wyraźnie też zabronił jej planowanego zakupu obrazu Gustava Klimta.

– Ten mężczyzna to pornograf – zawyrokował, kiedy Octavia wspomniała, jak bardzo podobają jej się jego obrazy.

– Ja uważam, że jest doskonały – sprzeciwiła się. – Co z *Pocałunkiem*? Nie podoba ci się? Wszyscy się nim zachwycają.

William potrząsnął głowa.

– Stanowczo zbyt błyszczący i przeładowany zdobieniami.

Octavia widziała również *Judytę z głową Holofernesa* i nie mogła przestać myśleć o tym obrazie. Być może za sprawą wyrazu tryumfu na twarzy Judyty, tego szerokiego uśmiechu władzy, który tak ją poruszył.

Jakże często sama marzyła o tym, żeby mieć choć odrobinę władzy! Tyle razy w trakcie trwania ich – jak jej się wydawało – bardzo długiego małżeństwa. Ale przynajmniej tutaj, w Londynie, w wyglądzie domu zostało odzwierciedlone coś z niej samej. Już ona dopilnuje, żeby pracownicy przędzalni w Blessington doczekali się nowych domów. Tak się stanie. Cokolwiek mówił William – a kiedy ostatnio poruszyli ten temat, wspomniał o „socjalizmie" dość ponurym tonem, dając jej do zrozumienia, że ten kierunek prowadzi do zagłady cywilizacji – ona do tego doprowadzi. Właściwie to jeszcze dziś napisze do zarządcy z pytaniem, jakie postępy poczynił od jej ostatniej wizyty.

Westchnęła i spojrzała na zegar stojący koło łóżka. Piąta trzydzieści.

Zastanawiała się, gdzie był teraz Harry. Pewnie w Boulogne, w szpitalu. Może już dzisiaj przewiozą go na statek i wyruszy do domu. Nieświadomie zacisnęła ręce na kolanach. To okropne, że tak niewiele wiedziała. Mdliło ją za każdym razem, gdy myślała o tym, że Harry został ranny. Nawet w dzieciństwie najmniejszy jego upadek lub zranienie potrafiły sprawić, że robiło jej się słabo. Kiedyś przeciął sobie wargę, próbując wspiąć się na bramę, a ona odkryła – zresztą ku swojemu wielkiemu zdumieniu – że świat zaczyna pływać jej przed oczami.

Jakże bezużyteczna okazałaby się w sytuacji prawdziwego zagrożenia! Może byłoby łatwiej, gdyby miała do czynienia z rannymi. Może wtedy nie czułaby, że wywracają jej się wnętrzności, a puls przyspiesza. Tak wiele dziewcząt z dobrych domów pracowało jako pielęgniarki wolontariuszki, ale Octavia czuła, że nie podołałaby temu zadaniu. Skoro mdlała na widok rozciętej wargi, w jaki sposób mogłaby się przydać w szpitalu? A jednak musi, absolutnie musi wziąć się w garść przed spotkaniem z Harrym. I będzie opatrywać jego rany. W końcu była jego matką. To był jej obowiązek.

Zastanawiała się, co jeszcze mogłaby zrobić. Rozmyślała o tym często od tamtego bolesnego spotkania z Kentami. Stracili Ruperta, ale wielu innych wracało w stanie, który nie pozwalał im na prowadzenie normalnego życia. Równie dobrze Harry mógł okazać się jednym z nich. Ta okropna myśl sprawiała, że czuła łzy w gardle. Co będzie, jeśli Harry już nigdy nie stanie na własnych nogach, nie wspominając o wzięciu ślubu lub zajęciu się Rutherford? Jakie leczenie można im zaoferować, jakie schronienie? Postanowiła, że – poza napisaniem listu – porozmawia również z Florence de Ray o szpitalu w Regent's Park, gdzie pracowała dziewczyna. Może zaoferuje im pieniądze, jeśli się zgodzą.

Cała ta sprawa była tak trudna i deprymująca. Francja leżała po drugiej stronie Kanału, zaledwie kilka mil stąd, a jednak równie dobrze mogłaby znajdować się w innym świecie. Mimo że William udał się wczoraj z wizytą do Herberta de Raya, wiedzieli bardzo niewiele. Wszystko okazało się „tajne z powodu wojny". „Mężczyźni uwielbiają dodawać sobie ważności, stosując takie sformułowania" – pomyślała. „Tajne z powodu wojny", „niezbędna wiedza"

oraz inne podobne bzdury. Tak jakby miała wybiec na ulicę i roz-
głosić te informacje wśród przypadkowych przechodniów! Cóż za
wierutna, napuszona bzdura.

Świat znajdował się na łasce mężczyzn i na tym polegał cały
problem. Chociaż nigdy nie przyznałaby się Williamowi, Octavia
zgadzała się z ruchem sufrażystek przynajmniej w tej kwestii. Mężczyźni zanadto kochali swoje terytoria, te wszystkie płoty, granice,
zasady. Pewnego dnia, może już niedługo, zwyczajni mężczyźni
i kobiety zniwelują te granice. Bogactwo i władza przejdą w całości w ręce kupców. Utytułowane klasy staną się niczym więcej niż
marginesem historii. William, oczywiście, parsknąłby śmiechem,
gdyby usłyszał coś podobnego. Ale jej wydawało się to całkowicie
prawdopodobne.

Z ogromną przyjemnością wkroczyłaby do biura Herberta de
Raya przy Whitehall, domagając się informacji o tym, co naprawdę
dzieje się we Francji. Ostatnio nabrała zwyczaju podawania w wąt-
pliwość wszystkiego, o czym pisano w gazetach. Poprzedniego wieczoru pokazała mężowi „Timesa".

– Piszą, że na Aubers sprawy mają się bardzo dobrze – stwierdziła sceptycznie.

– Skoro tak, z pewnością musi to być prawda – odpowiedział
William.

Zmarszczyła brwi.

– Nie mogę uwierzyć, że jesteś taki naiwny.

– Nie jestem naiwny – odparł spokojnie. – Ale wydarzenia należy przedstawiać w korzystnym świetle.

– Nawet jeśli to oznacza kłamstwo?

– „Times" nie zniżyłby się do kłamstwa.

– Ależ Williamie, chodzą słuchy, że straciliśmy dotąd setki
tysięcy żołnierzy, a Francuzi jeszcze więcej. Mówią, że nie mamy
żadnej możliwości manewru. Dosłownie. Że stoimy w martwym
punkcie. – Wskazała na artykuł w gazecie. – Zwyczajne brednie,
prawda? Całe to patriotyczne gadanie o rozwalaniu Hunów.

Zrobił zdziwioną minę.

– Rozwalaniu? – powtórzył z wyraźnym sarkazmem. – Nie użyłbym tego słowa.

I to był koniec tematu. Użyła niestosownego, żargonowego wyrazu, a jej mąż najwyraźniej uznał to za dowód, że nie można prowadzić z nią rozsądnej rozmowy. Wstał, uśmiechnął się pobłażliwie i zadzwonił, żeby przyniesiono mu brandy i cygaro.

Patrzyła na niego i zastanawiała się, czy naprawdę wierzy w to, co mówi, czy może czuje się w obowiązku ślepo wspierać francuskie i angielskie dowództwo. „To starzy mężczyźni!" – chciała krzyknąć. Ale oczywiście nie mogła, zwłaszcza przy służbie. Wszystko szło wspaniale, każda kampania okazywała się sukcesem. Szkopy dostawali cięgi. Sfrustrowana, zmięła gazetę w kulkę i rzuciła w bok. William przyglądał jej się z głębokim zakłopotaniem i wyrazem niedowierzania.

Zadrżała teraz, nie z zimna, lecz z bezsilności. Wstała. Kiedy myślała o swoich rozmowach z Williamem, coraz bardziej czuła, że musi uciec. Jakże wielką przyjemność sprawiłby jej własny pokój, mieszkanie, miejsce, w którym mogłaby się ukryć. Marzyła o anonimowym mieszkanku gdzieś wysoko – tylko małym pokoju albo dwóch – dokąd trzeba by się wspinać po stromych schodach. Byłaby tam nikim, nie miała imienia, pozycji ani odpowiedzialności.

Ach, samolubne pragnienie. Przecież była lady Cavendish i nie potrafiła tego zmienić. Nie mogła stać się bezimienna ani samotna. Ale, na Boga, jak bardzo tego pragnęła! To samo pragnienie wyrwania się na wolność czuła rok wcześniej w towarzystwie Johna, kiedy perspektywa ucieczki do Ameryki przez kilka krótkich, wspaniałych dni brzmiała zupełnie realnie. „Mogłabyś chodzić boso po piasku, jak często byś chciała" – obiecał jej, opowiadając o domu na Cape Cod, którego budowę planował. – „Mogłabyś obejść nawet całą zatokę. Samotnie albo razem ze mną. Jeśli tylko pragniesz...". John rozumiał. „Pragniesz wolności, prawda?" – spytał. – „Chcesz się dowiedzieć, kim może być Octavia?". A ona odpowiedziała „tak". To było jednak przed Louisą, przed wypadkiem Harry'ego, przed wojną. Przed...

Po drugiej stronie pokoju stał mały sekretarzyk. Octavia podeszła do niego. Przekręciła kluczyk w pokrywie i przesunęła palcami po znajdujących się w środku szufladach.

W najdalszym końcu po prawej stronie chowała się dźwigienka. Przesunęła ją i wyskoczyła sekretna szufladka. W środku trzymała listy od Johna Goulda. Powoli wyjęła pierwszy z nich. Włożyła go tam zaledwie wczoraj, a samo to sprawiło, że zalało ją poczucie winy. Wyciągnęła list z koperty, przyglądając się znaczkowi. Nowy Jork. List napisano na papeterii linii żeglugowej.

Dzień wcześniej przez całą drogę do pociągu miała list w torebce, a torebkę blisko siebie. Nadszedł tuż przed ich wyjazdem, a Amelie, która przechwyciła korespondencję, szybko wcisnęła ją w ręce Octavii, kiedy William odwrócił się do nich plecami.

To oczywiście haniebne, włączanie służącej w tak ewidentne intrygi. Octavia była pewna, że w wyobraźni Amelie pomiędzy nią a Gouldem kwitła wielka namiętność, dla której nawet Atlantyk nie stanowił przeszkody. Kilka tygodni wcześniej Octavia zauważyła na twarzy służącej delikatny uśmieszek. Zrugała ją odrobinę.

– Pan Gould nie otrzymuje ode mnie żadnych odpowiedzi – oznajmiła.

Amelie skinęła głową.

– Oczywiście, że nie, proszę pani.

Ale widziała wyraźnie, że dziewczyna nie wierzy w ani jedno słowo, bo zawsze, kiedy na toaletce Octavii lądował kolejny list z Ameryki, pokojówka uśmiechała się niczym towarzyszka zbrodni.

A ten list... ten list. Mój Boże, mój Boże.

Ręce jej drżały, kiedy rozłożyła go i przeczytała po raz dwudziesty.

„Nie mogę tu dłużej zostać" – napisał przed dwoma tygodniami. – „Przypływam na «Lusitanii». Mam nadzieję, że pozwolisz mi się odwiedzić, kochanie. Będę w Liverpoolu ósmego maja".

Pełna niepokoju przygryzła wargę.

John Gould przypłynie tutaj, do Anglii. Już jutro.

To był wspaniały statek.

Przez całą drogę z Nowego Jorku pogoda im dopisywała. Każdego ranka przed śniadaniem John wychodził na przechadzkę po pokładzie, szerokim i wyszorowanym na błysk. „Lusitania" należała do „mokrych statków" – jej lekko rozszerzające się na dziobie boki wcinały się głęboko w morze i sprawiały, że w górę wzbijały się niemal pionowe ściany wody, która opadała na pokład. John bardzo starał się stawiać kroki prosto, ale mimo to lekko się zataczał. Pokład był wyraźnie wypukły, żeby woda mogła spływać.

Wzdłuż obu burt zainstalowano rozkładane i zwykłe łodzie ratunkowe. John stanął przy barierce i spojrzał na linię statku. Oto jak dramat pasażerów „Titanica" przysłużył się innym – łodzi ratunkowych mieli dość. To jedyna dobra rzecz, jaka wynikła z tamtej tragedii.

Zastanawiał się, kiedy odbędą się ćwiczenia dla pasażerów z obsługi tych łodzi. Niezbyt się tym niepokoił, raczej dręczyła go zwykła ciekawość. Załoga zjawiła się na pokładzie o piątej rano. To właśnie go obudziło. Wyjrzał z kajuty i zobaczył, że kręcą się w kółko bez wyraźnego planu. W końcu oficer zdołał wsadzić kilku mężczyzn do łodzi, gdzie siedzieli przez jakiś czas, nie wypuszczając z dłoni wioseł, po czym po prostu wysiedli i zostali odesłani do swoich obowiązków. Była to zbieranina kucharzy, stewardów i oficerów w różnym stopniu, a także kilku wybrudzonych węglem palaczy, ale nie odnosiło się wrażenia, że ktokolwiek z nich ma choćby najmniejsze pojęcie, jak opuścić łodzie. John wrócił do łóżka, skonsternowany.

Statkiem płynęło znacznie mniej pasażerów, niż się spodziewał. Pierwszego wieczoru zapytał stewarda, czy już wszyscy zasiedli do kolacji. W odpowiedzi usłyszał, że pierwsza klasa jest może w połowie pełna. Do drugiej zgłosiło się więcej chętnych niż było miejsc, a to dlatego, że oferowano zniżkę na bilety, poza tym powszechnie uważano, że druga klasa na „Lusitanii" jest równie dobra, jak pierwsza na innych statkach. Jednak w dolnych częściach statku, w trzeciej klasie, było „niemal pusto" – tak przynajmniej twierdził steward. Zakwaterowano tam jakieś trzysta osób, podczas gdy statek mógł pomieścić ponad tysiąc.

Statkiem płynęło mnóstwo dzieci. John lubił dzieciaki, ale nie każdy przepadał za ich towarzystwem. Jedna z pań poprosiła o przeniesienie do innej kabiny, ponieważ nie była w stanie znieść wycia szóstki dzieci za ścianą, ich marudnej niani i zirytowanych rodziców.

Pogoda dopisywała mimo rozbryzgujących się fal. John stał na pokładzie, czując nadpływającą znad Atlantyku łagodną, niemal tropikalną bryzę. Na oceanie dostrzegał niewiele grzywaczy, woda wydawała się właściwie spokojniejsza niż na rzece Hudson w letnie popołudnie. Zalało go poczucie błogości. Mógł dosłownie liczyć godziny do momentu, kiedy dopłynie do Anglii. Pojedzie prosto do Rutherford, niech szlag trafi Williama Cavendisha. Musi spotkać się z Octavią. Nic i nikt go nie powstrzyma.

Nie wszyscy jednak pasażerowie wydawali się równie zadowoleni jak on. Była wśród nich pewna spirytystka, o archaicznym imieniu Theodate Pope. Kiedy drugiego dnia żeglugi usiadł po śniadaniu w Verandah Café, kobieta bez skrępowania opadła na wiklinowy fotel obok niego.

– Cisi z nas pasażerowie – zauważyła. – Nie uważa pan?

Wprawdzie się z nią zgadzał, ale mimo to uznał ją za dziwaczkę. Chodziła wszędzie ramię w ramię z mężczyzną, niejakim Edwinem. Była architektką, ale wraz ze swoim towarzyszem wybierali się do Anglii na spotkanie Stowarzyszenia Badań Parapsychicznych.

– Mamy wielkie szczęście. Spotkamy się z szanownym panem Oliverem Lodge'em – oświadczył Johnowi Edwin. – Czy pan go poznał?

John musiał przyznać, że nie.

– Napisał *Życie i materię* – ciągnął mężczyzna. – To ekspert od magnetyzmu.

John musiał mimo podpowiedzi przyznać się do ignorancji. Edwin spojrzał na niego ze współczuciem.

– Genialny człowiek, zaiste. Orędownik wieczności naszych dusz.

John postarał się więcej nie siadać w pobliżu tej pary. W ich towarzystwie czuł się nieswojo. Dywagacje na temat życia pozagrobowego były bardzo modne od kilku ładnych lat, a podsycała je jeszcze wiktoriańska miłość do dobrego seansu spirytystycznego. On sam jednak wolał nie myśleć o wieczności. Interesowało go życie. Poszukiwacze duchów sprawiali, że chodziły mu ciarki po plecach.

Inni pasażerowie bardziej przypadli mu do gustu. Dotyczyło to zwłaszcza Charlesa Lauriata, którego posadzono obok niego przy drugiej kolacji. Lauriat był przystojnym bostończykiem. John, podając dłoń, powiedział:

– Słyszałem, że pracuje pan w branży wydawniczej.

Lauriat się uśmiechnął.

– Rodzinny biznes. A pan?

– W gazecie. Chociaż nie jest to część rodzinnego biznesu.

– Naprawdę? – zainteresował się Lauriat. – A co jest?

John wymienił nazwę sklepu ojca. Przez kilka minut rozprawiali o urokach pracy w poszczególnych branżach. Lauriat wskazał mu kilka innych osób, które podróżowały w interesach.

– Tam siedzi Gauntlett i Knox. Budują statki. Blachy pancerne.

– Wygląda na to, że w ten czy inny sposób wojna przyciąga nas do siebie.

– A... gazeta, mówi pan. Pisze pan tam?

– Tak.

Lauriat mu się przyjrzał.

– Jest tu jeszcze jeden korespondent wojenny – powiedział. – Czy już pan go poznał? Forman. Justus Forman.

– Nie. I nie jestem zawodowcem.

– On też nie. To dramatopisarz. Jego ostatnia sztuka zrobiła klapę, dlatego zaczął parać się dziennikarstwem. Mieszka w apartamentach z Frohmanem, impresario teatralnym.

John potrząsnął głową, dając do zrozumienia, że nie wie ani kim są obaj mężczyźni, ani nie ma pojęcia o apartamentach.

– Nie widział pan apartamentów? – spytał Lauriat. – Urządzono je w różnych stylach. Królewski jest naprawdę wspaniały. Stoi w nim marmurowy kominek, wiszą gustowne zasłony, a salon wzorowano na Fontainebleau. Tam trudno uwierzyć, że się jest na statku.

John parsknął śmiechem.

– To zbyt wystawne na mój gust. Pan się tam zatrzymał?

– Nie, nie. Zajmuję zwykłą kabinę. Podróżuję na tej trasie regularnie. W sumie to moja dwudziesta trzecia podróż przez ocean. Ale pierwsza na takim charcie. Zazwyczaj wolę podróżować czymś wolniejszym.

Gould był pod wrażeniem.

– Lubi pan morskie podróże?

– Oczywiście. A pan nie?

– Jestem szczęśliwszy, mając grunt pod nogami.

Lauriat się uśmiechnął.

– Ach, stąd „Lusitania" – powiedział. – Aby jak najszybciej znaleźć się na suchym lądzie.

John skinął głową, ale Charles położył mu dłoń na ramieniu i zniżył głos.

– W takim razie będzie pan rozczarowany.

– A dlaczego?

– Płyniemy powoli. Nie zauważył pan?

– Mnie się wydaje, że szybko. Pięćset mil pierwszego dnia. To przyzwoita prędkość.

– Nie jak na „Lusitanię" – odparł Lauriat. – Czy wie pan, że każdego wieczoru odbywa się tu gra, urządzane są zakłady, kto zgadnie, ile mil przepłynie statek następnego dnia?

– Tak, widziałem kupujących losy.

– Cóż, niech pan nie marnuje pieniędzy – poradził mu bostończyk. – Jedna z kotłowni jest zamknięta. Numer cztery. „Lusitania" płynie nie szybciej niż osiemnaście węzłów.

John zamyślił się nad słowami towarzysza.

– Ale mieliśmy płynąć z pełną prędkością, żeby nie dogoniły nas łodzie podwodne. Tak mówiono. Pytałem o to, kiedy wsiadaliśmy na pokład.

– I ja również – powiedział Lauriat. – Dowiadywałem się w bostońskim biurze, kiedy kupowałem bilet, czy statek będzie konwojowany i czy rozwinie najwyższą prędkość. Przy wszystkich tych rozmowach... – zniżył głos, żeby nie denerwować siedzących w pobliżu pań. – Przy wszystkich tych rozmowach, że moglibyśmy stać się celem, mówiono mi: „Podejmiemy wszelkie środki ostrożności". – Odchylił się i spokojnie przyglądał się Johnowi. – Co pan o tym sądzi?

– W takim razie wszystkie kotłownie powinny grzać pełną parą, prawda?

– Dokładnie tak, przyjacielu.

– Więc dlaczego jest inaczej?

– Kto wie? Może z oszczędności. Albo brakuje im ludzi, palaczy. Wie pan, że piekielnie dużo osób uciekło ze statku w Nowym Jorku? Przyjechali z Anglii i zwiali? Jakby nie wszyscy chcieli walczyć za króla i kraj.

„O tym nie przeczyta się w gazecie" – pomyślał John. – „Zwłaszcza w Anglii".

– Poza tym są jeszcze Irlandczycy i Niemcy, którzy sieją zamęt. Pracownicy bojkotują brytyjskie statki.

– Ale chyba nie aż tylu, żeby zamknąć kotłownie z powodu braku obsługi?

Lauriant wymownie skinął głową.

– Osiemnaście węzłów – mruknął, stukając w obrus palcem. – Mówi samo za siebie.

Dokończyli posiłek. Z pewnością był on wart ich uwagi – podano ostrygi, a następnie wołowinę i pieczoną gęś po normandzku. Steward, nalewając szampana, poinformował ich, że niemiecki lager i austriackie bordo zostały objęte embargiem.

– Cóż... – westchnęła siedząca naprzeciwko kobieta. Wzniosła kieliszek w toaście. – I tak wolę francuskie wino. – Uśmiechnęła się do nich. – Za wszystkich dzielnych żołnierzy. I marynarzy, i pilotów.

Opróżniła go, najwyraźniej odrobinę wstawiona.

John upił łyk, zastanawiając się, czy Harry rzeczywiście zrobił to, co obiecywał, i zdobył licencję pilota. Czy pojechał do Francji, zaciągnął się do wojska? Czy latał tam teraz w którejś z małych, zgrzytliwych maszyn? John widział zdjęcia i czytał historie. Jeśli Harry naprawdę znalazł się we Francji, może spróbowałby go odszukać. Punkt widzenia pilota z pewnością byłby czymś wyjątkowym.

A potem pomyślał o Octavii tkwiącej w Rutherford i zamartwiającej się o syna. Nie potrafił zdecydować, co gorsze – walka czy siedzenie w domu i zastanawianie się, co do diabła tam się dzieje. Nagle gwałtownie zapragnął, żeby Harry jednak nie dostał licencji, mimo swojego entuzjazmu. Żywił nawet nadzieję, że syn Octavii został ranny, może podczas treningu, albo że po prostu całe to doświadczenie rozczarowało go i czekał w domu na wezwanie do armii. Zrobiliby go oficerem, wyszkolili. To by go na jakiś czas zatrzymało z dala od frontu. „Nie rób nic głupiego, Harry" – pomyślał John. – „Trzymaj głowę spuszczoną i nie próbuj zgrywać bohatera, miej wzgląd na swoją matkę".

Obok Johna z drugiej strony siedział przyjaciel Lauriata, Withington. Był to starszy człowiek, genealog z zawodu. Miał błysk w oku i nadzwyczaj męskie, obfite wąsiska. Wkrótce zaczęli rozmawiać.

– Ja również interesowałem się brytyjskim rodowodem – wyjaśnił John.

Gawędzili o różnych rodzinach i łączących je więzach krwi, a także o strukturze angielskiej arystokracji.

– Spędziłem część ubiegłego roku w Rutherford Park – opowiadał Gould. – To pana powinno zainteresować, jego powiązania i historia.

– Możliwe, że się tam wybiorę. Gdzie leży ta posiadłość, mówił pan?

– W Yorkshire. Ale członkowie rodziny nie zawsze są w domu.

Withington spojrzał na niego uważnie z rozumiejącym uśmiechem.

– Interesuje tam pana coś jeszcze, poza historią, jeśli się nie mylę.

– Dlaczego pan tak uważa?

– Rzadko widuje się, żeby dorosły mężczyzna się rumienił – odpowiedział przyjaźnie.

Kiedy wychodzili z jadalni pod koniec wieczoru, Charles minął go z uśmiechem.

– Niech pan nie bierze sobie do serca tych osiemnastu węzłów – poprosił. – Myślę, że dotrzymają słowa. Z pewnością przyspieszymy, gdy znajdziemy się w pobliżu Irlandii.

John pomyślał, że musiał wydać się tym dwóm starszym mężczyznom szalenie młody, skoro próbowali go pocieszać.

– Nie martwię się.

– To dobrze. – Lauriat ruszył przed siebie.

John miał wrażenie, że podróż upłynęła szybko mimo tego, co mówił bostończyk o prędkości statku. Przez większość dnia zwykle spacerował w tę i z powrotem po pokładzie, jakby w ten sposób mógł prędzej znaleźć się w Liverpoolu. Gdziekolwiek się jednak nie udał, słyszał rozmowy o łodziach podwodnych, a zainteresowanie tematem było tym większe, im bardziej zbliżali się do Irlandii.

– Kiedy zobaczymy irlandzkie wybrzeże, pojawi się przy naszym boku Marynarka Królewska – powiedział starszy mężczyzna.

– Zobaczycie, jak nadpływają. Jeden lub dwa niszczyciele. Dotrzymają nam towarzystwa.

Gould nie był taki pewien. Z pewnością marynarka miała ważniejsze zadania niż wysyłanie dwóch okrętów po statek z cywilami. Ale szóstego maja odkrył, że on też uważnie wpatruje się w wodę. Od czasu do czasu wzdrygał się na widok podłużnych cieni, lecz te szybko okazywały się kawałkami drewna lub po prostu falami. Jeden z mężczyzn, których Lauriat wskazał mu jako konstruktorów statków, ku jego zażenowaniu przyłapał go na tym zajęciu.

– Nim zobaczyłby pan peryskop, pocisk już by nas trafił. – Uśmiechnął się do niego. Zatrzymał się obok i zapalił papierosa.

John zrozumiał, że zaraził się szalejącą na pokładzie chorobą, rodzajem skrytej histerii, a przynajmniej wyraźnej nerwowości.

– Chyba pragnąłbym już znaleźć się na lądzie – powiedział.

– Nie może się pan doczekać, żeby się z kimś zobaczyć?

– Chciałbym się z kimś spotkać, zanim wyruszę do Francji, tak.

– Z piękną kobietą?

– Oczywiście.

– O jakim imieniu?

– Ach, tego nie mogę zdradzić.

– Piękna kobieta i odrobina tajemnicy – podsumował mężczyzna. – Nie ma nic lepszego.

John odwrócił się i spojrzał z powagą na mężczyznę opartego o reling i mrużącego oczy w ostrym słońcu.

– Jakie są szanse? – spytał. – Pytam serio. Gdziekolwiek pójdę, ludzie o tym mówią. O łodzi podwodnej. – Wskazał głową kierunek, z którego przypłynęli. – W Nowym Jorku na nabrzeżu rozmawiałem z pewnym małżeństwem. Kobietę musieliśmy przekonać. Żartowaliśmy z tego. Słusznie? Postąpiliśmy właściwie, namawiając ją, by wsiadła na pokład?

Jego towarzysz zastanowił się.

– Wie pan, ile jest U-Bootów?

– Nie. Czy ktokolwiek to wie?

– Nie, chyba nie. Zdarza się jednak więcej zatonięć, niż podaje się do publicznej wiadomości.

– Naprawdę?

– Statki kupieckie. Co chwila. Zazwyczaj małe parowce.

– Ale nie takie statki.

– Nie – przyznał mężczyzna. – Żaden z nich. Poza tym zastanawiałem się nad czymś. Czymś, co mnie uspokoiło. „Wayfarer"...

– Kolejny statek kupiecki?

– Pływa teraz dla armii. Został storpedowany miesiąc temu w pobliżu archipelagu Scilly. Przewoził konnicę z Warwickshire do Francji. Dwustu żołnierzy i siedemset koni.

– Co się z nim stało?

– Mój przyjaciel z portu w Bostonie mówił, że zostali storpedowali, ale nie zatonęli. Poniżej linii wody mieli dziurę o średnicy czterdziestu stóp, a jednak nie poszli na dno.

– Ktoś zginął?

– Pięciu mężczyzn.

– A te wszystkie konie...

– Nie stracili nawet jednego.

John się zdziwił. Nie przyszło mu do głowy, że statek mógłby zostać trafiony i nie zatonąć.

– A więc widzi pan, skoro statek taki jak „Wayfarer" nie tonie, mimo że został uderzony...

– ...nic nie może zaszkodzić „Lusitanii" – dokończył John.

– Dokładnie – zgodził się mężczyzna. – Nic. Nic na całym świecie.


Było jeszcze przed śniadaniem. Octavia ubierała się właśnie z pomocą Amelie, gdy do jej pokoju bezceremonialnie wtargnęła Charlotte. Gdy dziewczyna szybkim krokiem przemierzała pokój, Amelie syknęła cicho pod nosem. Brak dobrych manier napawał ją odrazą w znacznie większym stopniu niż jej panią. Octavia uśmiechnęła się na ten widok. Amelie właśnie układała jej włosy i Octavia nie mogła się ruszyć, więc przyglądała się córce w odbiciu lustra. Charlotte oparła podbródek na ramieniu matki.

– Och, naprawdę nie zgadniesz. – Uśmiechnęła się szeroko.

– A zatem lepiej mi powiedz.

– Właśnie dostarczono kolejny telegram adresowany do ojca. Zaniosłam mu go.

– Więc pewnie pokojówka bardzo się zdenerwowała. W końcu to jej zadanie.

– Nie jest zdenerwowana. Właśnie tańczyłam z nią w holu.

Amelie opuściła ręce, a Octavia odwróciła się na krześle.

– Co zrobiłaś?

– Och, mamo! – roześmiała się Charlotte, opadła na kolana i objęła matkę w talii. – Harry przypłynie już jutro! Wraca do nas, do domu.

Octavię zalała fala ulgi. Miała wrażenie, jakby opłynęła ją od stóp do głów. Charlotte przyglądała jej się z uwagą.

– Och, nie płacz! – wykrzyknęła nagle. – Amelie, podaj mi chusteczkę matki...

Dwie kobiety zaczęły kręcić się wokół Octavii. Charlotte wcisnęła jej w ręce jeszcze ciepłą filiżankę herbaty.

– Wypij odrobinę, mamo. Amelie, zadzwoń po świeży dzbanek.

– Nie, nie – zaprotestowała Octavia. – Wszystko w porządku. Po prostu... to takie wspaniałe wieści.

– Prawda? – wykrzyknęła Charlotte i skoczyła na równe nogi. – Pojadę z ojcem do Folkestone. Mogę z nim jechać? Czy ty pojedziesz? Czy powinniśmy czekać na niego, kiedy będzie schodził ze statku? To byłoby cudowne!

Octavia machnęła ręką, żeby zatrzymać tańczącą w miejscu Charlotte.

– Nie, kochanie. Przeszkadzałybyśmy.

Jej córka zrobiła zmartwioną minę.

– Ale mamo...

– Na ląd przetransportują setki rannych. Zapewne będzie na nich czekało mnóstwo karetek i lekarzy. Nie, nie, kochanie. Musimy poczekać.

– No to jaki był sens przyjeżdżania tu, skoro nie możemy wyjść mu na spotkanie?

– Twój ojciec to zrobi. My przygotujemy wszystko tutaj.

Wyglądało to zabawnie, gdy Charlotte nagle opadła na pobliskie krzesło. Rozczarowanie ją załamało.

– Będzie okropnie zmęczony – przypomniała jej Octavia tak łagodnie, jak tylko zdołała. – I w złym stanie. Mogą nawet nie pozwolić, żebyśmy opiekowali się nim tutaj. To zależy od rodzaju jego obrażeń.

Spojrzała uważnie na córkę. Gdyby to Louisa siedziała na krześle, niewątpliwie wybuchłaby płaczem na myśl o obrażeniach Harry'ego. Ale Charlotte nie płakała. Niemal dało się zobaczyć myśli, które przebiegają jej przez głowę. W następnej chwili siedziała już wyprostowana jak struna.

– Nie wysiedzę tu cały dzień – powiedziała. – A ty?

– Raczej nie.

– Czy w takim razie możemy iść dzisiaj z Florence do Regent's Park? – spytała. – Do szpitala? Wiesz, że ona się uczy alfabetu Braille'a? To takie mądre. Będzie pomagała, uczyła tych, którzy zostali oślepieni.

– Kochanie – zaoponowała Octavia. – Nie sądzę, żeby to było właściwe.

Charlotte zareagowała, jakby coś ją użądliło.

– Nie możemy teraz roztrząsać, co jest właściwe, a co nie. Ludzie potrzebują pomocy.

Octavia otworzyła usta, żeby zaprotestować, ale Charlotte stała już na nogach. Sekundę później znów uklękła przy Octavii.

– Nie możemy pojechać, ja i ty? – poprosiła. – W weekend organizują jakąś uroczystość. Będą gry i inne atrakcje, cel jest charytatywny. Mogłybyśmy pomóc w przygotowaniach, prawda?

Amelie skończyła układać włosy Octavii i spojrzała na nią w lustrze. Przez krótką chwilę marszczyła krytycznie brwi. „Kto wie" – pomyślała Octavia. – „Może moja własna służąca uważa, że matka i córka są zdolne do nadzwyczaj lekkomyślnego postępowania". Po czym w jej umyśle niespodziewanie pojawiła się inna refleksja. „Jakież to staroświeckie".

Odwróciła się, wygładziła sukienkę i się uśmiechnęła.

– Myślę, że w ten sposób spędzimy bardzo pożytecznie czas – powiedziała. – Poruszę w rozmowie z twoim ojcem kwestię darowizny na szpital.

– I pójdziemy tam? Po śniadaniu?

– Tak, jeśli chcesz.

– Bi-jen! – krzyknęła Charlotte, skoczyła na nogi i zrobiła piruet w drodze do drzwi. Na progu przesłała matce pocałunek, po czym zniknęła.

Octavia znów spojrzała na Amelie.

– Co ona miała na myśli?

Twarz Amelie wyrażała jeszcze większą dezaprobatę.

– To oznacza „dobrze", *bien*, proszę pani.

– Dlaczego więc tak nie powiedziała?

– To wyrażenie slangowe, proszę pani. Wracający z Francji żołnierze zniekształcają w ten sposób mój język. – Tym razem zupełnie otwarcie mlasnęła z dezaprobatą podczas zbierania akcesoriów do włosów. – I ja myślę... wydaje mi się... że używają go tutaj złodzieje, źli ludzie.

Octavia zdusiła uśmiech i wstała.

– Tak – mruknęła sarkastycznie. – Ze wszystkich rzeczy, które dzieją się na wojnie, błędna wymowa w ojczystym języku musi być zaiste najstraszniejsza.

Po długim czasie oczekiwania w końcu złapały taksówkę spod domu do Regent's Park.

W przeszłości ta podróż zawsze sprawiała im przyjemność. Od czasu do czasu Octavia zabierała dzieci do ogrodu zoologicznego, kiedy zimą bywali w Londynie. Teraz siedziała w telepiącym się aucie z Charlotte u boku i zastanawiała się, czy to możliwe, że nie dalej niż czternaście miesięcy temu ona i Louisa jechały konną dorożką od krawcowej do hotelu Claridge's. Rzadko się je obecnie widywało. Tęskniła za nimi odrobinę. Zapewniały większą prywatność niż samochody.

Kiedy stanęły na skrzyżowaniu, stojący na zatłoczonych chodnikach ludzie zaglądali do środka, a ci, którzy siedzieli w wysokich omnibusach, patrzyli na nie dosłownie z góry. Octavię niezwykle cieszyło, że nigdy nie będzie musiała jeździć omnibusem. Wyglądały tak nędznie. Mówiło się, że trzysta podobnych wysłano do Francji, żeby przewozić wojsko, ale ciężko jej było w to uwierzyć. Miała wrażenie, że jest ich w Londynie tyle samo co zawsze. Tu i tam na zewnętrznych spiralnych schodkach kołyszących się pojazdów – balansując, żeby utrzymać równowagę – stały konduktorki. Przy pasku wisiały im kasowniki do biletów, a poruszając się w górę i w dół schodów, jedną ręką przytrzymywały długie spódnice. Wyglądały okropnie nie na miejscu, chociaż nie aż tak dziwnie jak pracujące na dworcach bagażowe, z włosami upchniętymi pod wielkimi czapkami z daszkiem, w długich do ziemi płóciennych fartuchach, i dźwigające na ramionach walizki. Charlotte uważała to za ekscytujące, Octavia znacznie mniej. William, był oczywiście zdania, że to niegodne komentarza. Odwracał głowę i kręcił nią z dezaprobatą.

– Popatrz. – Charlotte poklepała matkę po ramieniu. Na rogu ulicy zobaczyły oddział Królewskiej Konnej Artylerii Bojowej. Prowadzili nieosiodłane konie.

– Florence mówi, że jej koleżanka ze szpitala, również wolontariuszka, mieszka w dzielnicy Camberwell, gdzie mnóstwo koni trzyma się po prostu na ulicy – wyjaśniła Charlotte. – To znaczy przed normalnymi domami, tylko spętane. Dlaczego tak się dzieje?

Octavia zmarszczyła brwi.

– Muszą się tu odbywać jakieś masowe ćwiczenia wojskowe – zaryzykowała. – Może nie ma innych miejsc, w których można by je trzymać.

Tak naprawdę nie miała pojęcia.

– Biedne konie – westchnęła Charlotte.

Octavia nie odważyła się jej powiedzieć tego, co usłyszała od Williama, że z Rutherford wyjechały ostatnie konie, w tym Wacław.

Resztę podróży spędziły w milczeniu, nie wspomniały nawet o oddziałach wojsk australijskich maszerujących wzdłuż koszar. Zresztą, gdyby nie te dwa widoki – koni i żołnierzy – można by uwierzyć, że Anglia wcale nie jest w stanie wojny, ponieważ Londyn wyglądał tak samo jak zawsze – był tłoczny, zadbany, a kiedy taksówka zatrzymała się przy bramie do parku, również cudownie zielony.

– To gdzieś przy wejściu – wyjaśniła Charlotte, kiedy wysiadły. – Florence mówiła, że tam się z nami spotka.

I tam też czekała. Inaczej niż jej matka, Florence ubrana była bardzo poważnie, w ciemną spódnicę i żakiet.

– Dzień dobry, lady Cavendish – przywitała się z uśmiechem. – Może przejdziemy się po parku? Ustawiają właśnie duży namiot na sobotni festyn. Nasz dyrektor zapewne tam jest. I oczywiście spotkacie kilku pacjentów.

Sprowadziła je z białego portyku wprost do parku.

Na terenie Regent's Park panowała cisza. Zza bram dobiegał tylko szum londyńskich ulic. Stawiając stopy na żwirowanej ścieżce, Octavia przez moment poczuła niepokój. To był szpital, a ci mężczyźni byli niewidomi; nie chodziło wszakże o przechadzkę w promieniach słońca, niezależnie od tego, jak rutynowo Florence przedstawiała im po drodze rozmaitych pomocników. Tuż przed nimi na drewnianej ławce rozmawiało trzech lub czterech pacjentów i dwie pielęgniarki. Octavia zauważyła białą laskę w dłoni mężczyzny, który opowiadał coś z ożywieniem. Młodej dłoni. Siedział tyłem, ale kiedy usłyszał kroki, odwrócił głowę.

W pierwszej chwili Octavia pomyślała, że nie ma na co patrzeć. Na jego twarzy nie dostrzegła żadnych strasznych blizn. Nie była zniekształcona. Oczy miał na wpół zamknięte, małe, jakby należały do dziecka. Kiedy Florence ich sobie przedstawiła, wyciągnął rękę, żeby uścisnąć dłoń Charlotte. Dopiero wtedy Octavia zauważyła postrzępioną, błękitną cięciwę wzdłuż jego lewej skroni. Wyglądała nie jak blizna, lecz narysowana ołówkiem kreska. Odchodzące od niej zygzaki prowadziły aż do linii włosów.

– Kapitan Preston – przedstawiła go Florence.

– Miło mi pana poznać.

Uśmiechał się.

– Rozmawialiśmy o grze, w którą chyba zagramy w sobotę. – wyjaśnił. – Nazywa się pushball. Jak pani sądzi, co to może być?

– Nie mam zielonego pojęcia.

Pozostali mężczyźni roześmiali się.

– Gigantyczna, gumowa piłka – odpowiedział Preston. – O średnicy jakichś sześciu stóp. Bardzo dobry wynalazek naszego założyciela. Dwie drużyny graczy próbują przepchnąć ją za linię. Niezła zabawa.

– Na jeziorze w sobotę odbędą się też zawody wioślarskie – powiedziała Florence. – Kapitan Preston i obecny tu kapral Turner staną w szranki.

Kapral Turner okazał się zupełnie innym przypadkiem. Octavia zerknęła na córkę, ale obrażenia Turnera zupełnie nie zbiły jej z tropu. Lewa strona jego czaszki, chociaż idealnie gładka – niemal zbyt gładka, zbyt blada i sztuczna z wyglądu – była wyraźnie wgłębiona. Octavia z trwogą odkryła, że fascynuje ją ten widok. Charlotte tymczasem rozmawiała z nim bez skrępowania, podczas gdy on przechylał makabryczną głowę raz w jedną, raz w drugą stronę.

– Gdzie pan został ranny? – zapytała.

– W miejscu zwanym Fosse, proszę panienki – odpowiedział.
– W drugim tygodniu października zeszłego roku.
– Czy to... czy to była bomba?
– Nie bomba. Ostrzał karabinowy.
– Och, w drugim tygodniu... Czy to wydarzyło się mniej więcej w tym samym czasie, kiedy Niemcy ponownie zajęli Lille? – spytała Charlotte.

Octavia i Florence spojrzały na nią zdumione.

– Tak – potwierdził mężczyzna. – Mnóstwo konnicy. Huzarzy Totenkopf. Niektórych złapaliśmy. To jedna z ostatnich rzeczy, jakie widziałem. Ich wysokie futrzane czapki, z wyhaftowanymi na przodzie srebrnymi czaszkami i skrzyżowanymi piszczelami.

Octavia zdała sobie sprawę, że mężczyzna kręci głową, ponieważ słyszy tylko na lewe ucho. Tak dziwnie było patrzeć, jak odwraca zdeformowaną głowę w jedną stronę, żeby się odezwać, i w drugą, żeby posłuchać.

– Chcieli mieć pięć linii kolejowych i dostali je. Wciąż je mają.
– Szliście wzdłuż nich?
– Nie. Siedzieliśmy w okopach i czekaliśmy. Dostałem zabłąkanym pociskiem. Nie zdawałem sobie sprawy, jak ciężko oberwałem. Koledzy kazali mi iść do punktu sanitarnego. Mnie się zdawało, że to tylko draśnięcie. Nie docierało do mnie, co się dzieje. Wiedziałem, że krwawię, ale moja czapka była, cóż... jakby przytwierdzona. – Octavia zadrżała mimowolnie, lecz Turner tylko się roześmiał. – Komuś tam pomogłem i ruszyliśmy razem. Szedłem. Krok za krokiem. I cały czas myślałem „Kilka razy mrugnę i wszystko wróci do normy". Tyle że nie wróciło. Szedłem i szedłem, wlokłem czyjś plecak. A pół mojej głowy zostało z tyłu.

Znów się roześmiał. Octavia zdała sobie sprawę, że rana odebrała mu część rozumu, zniszczyła fragmenty mózgu odpowiedzialne za mowę i zachowanie.

Kapitan Preston podniósł się odrobinę.

– Proszę go nie zachęcać – odezwał się gładkim tonem osoby dobrze wykształconej. – Kiedy zacznie mówić, nie potrafi przestać. Zanudzi nas na śmierć.

– Bardzo przepraszam – zmitygował się z uśmiechem Turner.

Charlotte zachowała kamienny spokój.

– Bardzo dziękuję, że pan ze mną porozmawiał – powiedziała.

– Będę pana wyglądać na łodziach w sobotę.

Florence poprowadziła je dalej. Kiedy zrobiły dosłownie kilka kroków, Octavia się zatrzymała.

– Muszę wrócić i przeprosić tych panów – oznajmiła dziewczętom. – Nie powiedziałam do nich ani słowa. Zachowałam się okropnie niegrzecznie.

Czuła się jednocześnie udręczona ich obrażeniami, skrępowana ich optymizmem i beznadziejnie zawstydzona faktem, że nie potrafiła rozmawiać z nimi tak, jak zrobiła to jej córka, spokojnie i serdecznie. To doprawdy niesamowite, pomyślała, czym może zaskoczyć człowieka własne dziecko. Zaczęła wracać, Florence ją jednak powstrzymała.

– Lepiej, żeby pani tego nie robiła – powiedziała cicho. – To w pewien sposób pogorszy sytuację. Im nie przeszkadza, że człowiek jest wstrząśnięty. Ale wszystkich nas się tutaj poucza, żebyśmy nie przepraszali ani nie okazywali współczucia. To nie pomaga.

Ruszyły dalej. Charlotte wzięła matkę pod ramię. Octavia spojrzała na nią, jakby u jej boku pojawił się ktoś zupełnie obcy. Uśmiechnęły się do siebie.

– A poza tym... – dodała Florence po chwili. – To dobre chłopisko, ale okropnie zwyczajne.

Choć Florence wykonywała naprawdę świetną robotę, Octavia uznała, że jest w niej trochę z beztroskiego snobizmu Hetty de Ray.

Pasażerowie „Lusitanii" nie mogli wysyłać wiadomości, ale mogli je otrzymywać.

John znał Alfreda Vanderbilta z widzenia. Raz czy dwa pływali razem w klubie jachtowym. Późnym popołudniem Vanderbilt podszedł do niego rozpromieniony, wkładał do kieszeni wiadomość przekazaną drogą radiową.

– Ktoś nie może się doczekać, żeby mnie zobaczyć. Życzy mi bezpiecznej podróży.

John porozmawiał z nim chwilę o błahostkach, cały czas jednak czuł zazdrość. Oddałby wszystko, żeby otrzymać podobny telegram od Octavii. Miał wrażenie, że Vanderbilt w tych kilku słowach zawarł wszystko, czego może pragnąć mężczyzna.

– Jedzie pan do Anglii w interesach? – spytał John.

– Zamierzam kupić kilka posokowców – wyjaśnił Vanderbilt.

Słynął z samochodowych eskapad przez kilka stanów, które odbywał w angielskim stroju do polowań. John przyjrzał mu się i doszedł do wniosku, że Vanderbilt robi doskonałe wrażenie. Był elegancki, świetnie ubrany, przystojny. Olśniewał bogactwem i otaczała go aura władzy. Mężczyzna, który czuje się dobrze zarówno w towarzystwie innych mężczyzn, jak i kobiet. Gould pomyślał, że przypadło mu w udziale całe szczęście tego świata.

Nieważne, pocieszył się. Fortuna zawsze może się odwrócić. Jego właśnie się odwracała. Znajdował dla siebie nowy kierunek. Zrozumiał, że nie wyobraża sobie powrotnej drogi przez Atlantyk bez Octavii. Jechał po nią. To było takie proste. Jego determinacja rosła z każdą milą. A ojciec znał go lepiej niż on sam siebie.

Noc przed wyjazdem ojciec wezwał go do gabinetu.

– A teraz, John – zaczął – zrób, co musisz, wydostań się stamtąd i wróć do domu.

– Nie będzie mnie przynajmniej kilka miesięcy – odpowiedział.

– Myślisz o tym, żeby zostać do końca wojny?

– Może wojna skończy się w tym roku, kto wie? A może nie.

– A jeśli nie, zostaniesz tam?

John się zawahał, a jego ojciec obszedł biurko, spojrzał mu prosto w twarz i położył dłoń na ramieniu.

– Nie złam niczyjego serca, synu – poprosił. – Ani własnego, ani matki, ani nikogo innego.

Znaczenie tych słów wydawało się zupełnie jasne.

– Nigdy nie chciałem przynieść ci wstydu – powiedział. – Mam nadzieję, że nigdy tak się nie stanie.

Stali w milczeniu. Obaj wiedzieli, że gdyby Octavia odeszła od Williama, John nie uznałby tego za hańbę, lecz za wybawienie. Kierował się jej szczęściem. Nic innego nie miało znaczenia. Nie obchodziło go, co powiedzą ludzie, ani czego po żonie spodziewał się William Cavendish. Nie obchodziła go nawet – wiedział o tym, chociaż nie lubił o tym myśleć – miłość Octavii do dzieci i niemożność porzucenia ich.

Za każdym razem, kiedy w myślach natykał się na problem nie do rozwiązania, zwyczajnie go obchodził, z zaślepieniem, wytrwałością i determinacją. Dzieci mogły pojechać z nią. Albo on poczeka rok lub dwa, aż będą starsze. Louisa wyjdzie za mąż, a Harry się ożeni. Charlotte była wystarczająco uparta, żeby opuścić dom wedle własnego uznania. I co wtedy miałaby robić Octavia? Snuć się samotnie po Rutherford, podczas gdy William bez wątpienia zajmowałby się swoimi sprawami? Nie. Prędzej czy później pojedzie z nim. Będzie mogła w każdej chwili wrócić do Anglii, żeby zobaczyć się z dziećmi, albo one mogą przyjechać do niej.

Och, czasem jednak obezwładniał go ból. Boże, nigdy wcześniej nie zaznał niczego podobnego. To zaabsorbowanie, które wyrywało mu duszę, ten niedosyt, straszny, dziwny niedosyt, przez który ledwo stał na nogach. Ich władza osłabiała, a podobna obsesja była nie do pojęcia, a nawet śmiechu warta, zanim poznał Octavię. Nie potrafił wytłumaczyć tego ludziom pokroju Withingtona czy Lauriata. Wiedział, że wzięliby go za głupca. Może zresztą nim był. Octavia nigdy nie wysłała mu w odpowiedzi ani słowa. Czy to nie wystarczający dowód, że nie chciała go widzieć?

Ale potem się pocieszał. Bała się z nim kontaktować, bała się przelać na papier swoje uczucia, bała się spojrzeć wstecz: na szczęście, którego zaznali. Niemniej wciąż dręczyły go wątpliwości. Nie spocznie, dopóki nie zobaczy wyrazu jej oczu. Od razu pozna, co naprawdę czuje. Nie będzie musiał dłużej przebywać na tej okropnej ziemi niczyjej. „Myślisz, że nie chciałabym żyć tak, jak żyliśmy tego lata?" – spytała go przed rokiem z udręką w głosie. – „Myślisz, że chcę to utracić i nigdy nie zaznać ponownie?". Musiał o tym pamiętać i nie wątpić w nią, powtarzał sobie. Musiał o tym pamiętać. I pamiętał. Dobry Boże, pomyślał, to było jedyne, co robił, jedyne, czym naprawdę się zajmował. Pamiętaniem.

Wychylił się za reling, by znaleźć się bliżej. Musiała już otrzymać jego list.

„Proszę, Boże, niech mi odpowie" – pomyślał. Pragnął czuć telegram w kieszeni, jak ten szczęściarz, Alfred Gwynne Vanderbilt.

Woda poniżej marszczyła się w wieczornym świetle.

Tego wieczoru w sali dla pasażerów pierwszej klasy urządzono raut na rzecz Organizacji Charytatywnej Marynarzy. Kiedy John wszedł do środka, uznał, że atmosfera jest dość posępna, mimo że śpiewał walijski chór. Gdy skończył się ich występ, pianista zagrał *I love a piano*. To była nowa piosenka i John zatrzymał się, żeby jej posłuchać. Słowa miały lekkie zabarwienie erotyczne. Opowiadały o tym, jak autor piosenki biegnie w stronę klawiatury z kości słoniowej, żeby musnąć ją dłońmi.

– Kto to napisał? – spytał Annie Matthews.

Stała obok niego z Robertem. Śmiała się, pokazując Johnowi medal, który jej mąż wygrał w wyścigu z jajkiem na łyżce na pokładzie.

– Czy to nie głupiutkie? – spytała.

Mimo to pocałowała medal i przytuliła do piersi, jakby był najcenniejszą rzeczą na świecie.

– Kto to napisał? – spytała Roberta, przekazując pytanie Johna.

– Jakiś gość zwany Berlin czy Beilin. Irving Beilin, Żyd.

– Czy to nie urocze? – zachwyciła się Annie.

– Bogaty Żyd? – spytał John.

– Chłopak z ulicy. A przynajmniej kiedyś nim był.

John widywał podobnych chłopaków. Bóg jeden wiedział, jak udawało im się przeżyć. Przetrwali rosyjskie pogromy, do których zachęcał car Mikołaj. Ich rodziny przewędrowały całą Europę, żeby znaleźć bezpieczną przystań w starych, dobrych Stanach Zjednoczonych. Kraju, który powitał ich z otwartymi ramionami. I z tego ucisku rodziła się taka muzyka. Urocza piosenka o fortepianie.

– Boże – powiedział John. – Rasa ludzka jest nie do zdarcia.

Annie oparła się o ramię Roberta. Wzrok miała zamglony.

– Wszystko można przetrwać. – Wymieniła spojrzenia z mężem. – Każdą burzę.

W chwili, gdy to powiedziała, fortepian zamilkł, a tłum się rozstąpił. Do sali wszedł kapitan Turner i rozejrzał się z bladym uśmiechem. Nie słynął z wylewności, ale Johna to cieszyło. Wolał, żeby kapitan skoncentrował się na swoich zadaniach, niż żeby brylował na kolacjach albo na parkiecie. Turner wszedł na niewielkie podium i zapadła cisza.

– Bez wątpienia słyszeli państwo – zaczął – o ostrzeżeniu przed łodziami podwodnymi w rejonie, do którego się zbliżamy.

Nikt się nie odezwał, nikt się nawet nie poruszył. W oddali słyszeli dudnienie silników i szepty uderzających o kadłub fal.

– Jutro wpłyniemy na wody objęte wojną – ciągnął powoli.

– Ale Marynarka Królewska zaopiekuje się nami, nie ma zatem powodu do niepokoju.

John spojrzał ukradkiem na Annie Matthews. Wszystko było w porządku, dopóki nie usłyszała, że nie ma powodu do niepokoju. Wtedy lekko zbladła. Gould opuścił wzrok. Kapitan zapewniający, że nie ma powodu do niepokoju, jest jak lekarz twierdzący przed operacją, że nie ma się czym martwić. Nawet jeśli człowiek wcześniej się nie przejmował, wypowiedzenie tych słów na głos sprawiało, że w głowie pojawiały się ponure myśli. „Nie mów o niepokoju" – pomyślał z drwiną John. – „I na litość boską, nie używaj słowa «tonąć»".

Na szczęście kapitan okazał się na tyle mądry. Ciągnął tym samym miarowym, ponurym tonem:

– Jutro ruszymy przed siebie z pełną prędkością – oznajmił. – I dopłyniemy do Liverpoolu już niebawem.

Przez tłum przeszedł pomruk aprobaty i pojawiło się kilka uśmiechów. Dobre samopoczucie uległo jednak gwałtownemu pogorszeniu, kiedy kapitan, schodząc z podium, wystrzelił ostatni pocisk.

– Chciałbym przypomnieć mężczyznom, żeby nie palili dziś papierosów na pokładzie. Nie ma potrzeby ujawniać naszego położenia.

– Boże w niebiosach – jęknął Robert Matthews.

Annie złapała mocniej ramię męża.

– Śpię dzisiaj w ubraniu na pokładzie – John usłyszał słowa innej kobiety. – Powiedz stewardowi, żeby mi przyniósł koc.

Jej towarzysz mruknął w odpowiedzi.

– Spanie? Uda ci się zasnąć?

John rozejrzał się uważnie po swoje kajucie. Pokój wyglądał przyzwoicie. Pozłacane lustro, gruba, wypełniona pierzem kapa na łóżku, miednica i biała boazeria na ścianach. Lampa z dwiema żarówkami. Zasłona w drzwiach, przytrzymywana w miejscu ozdobnym sznurem z frędzlami. Wszystko solidne, niezawodne i niezniszczalne. Ale nie było solidne, niezawodne ani niezniszczalne. Znajdowali się na wodzie, i to w dodatku, jak przypomniał im kapitan, w strefie objętej wojną.

Gould stanął przed lustrem i zaczął się rozbierać, gdy zauważył, że trzęsą mu się ręce. Przestał i postanowił spać w ubraniu. Przykrył się kapą. Zawsze bał się utonięcia, a teraz dawny lęk powrócił z całą mocą. Próbował się uspokoić, kiedy jednak wziął kilka głębokich wdechów, zauważył, że w nogach łóżka położono kamizelkę ratunkową. W przypływie czarnego humoru roześmiał się rozpaczliwie.

– Cóż za diabeł ją tam położył? – mruknął. Steward? Dlaczego? Z powodu przemówienia kapitana? Czy załoga dostała taki rozkaz, czy to wyraz niepokoju tego jednego, który odpowiadał za te kabiny? John nie wiedział, nie podobała mu się jednak myśl o stewardzie bardziej nerwowym niż on sam.

Westchnął, patrząc na kamizelkę.

– Na litość boską. Przecież to nic nie znaczy.

Ale w głębi duszy wiedział, że jest inaczej. Dotąd nie tknął tego przeklętego brzydactwa z czystego przesądu, teraz miał wrażenie, że kamizelka zajęła należne sobie miejsce. Wyglądała na olbrzymią, nieporęczną i skomplikowaną. Wyciągnął niepewnie rękę i dotknął jej, myśląc, że powinien ją włożyć, nauczyć się ją wiązać. Na wszelki wypadek. Tylko na wszelki wypadek...

– Boże – mruknął. Skrzywił się i podniósł kamizelkę. – Po prostu dowieź nas na miejsce. Szybko.

Zaczęło padać. Delikatny, łagodny, miły deszcz powoli spływał z dachu.

Znajdowali się dwie lub trzy mile od Rutherford, wysoko na wrzosowiskach. Zjawili się tu osobno. Louisa wyszła przez drzwi frontowe, a jakiś czas później Jack wyruszył z najdalej położonej łąki. Zatoczył wielki krąg na północ. Dopiero gdy dach Rutherford zniknął mu z oczu, zawrócił i ruszył powoli pod górę. Louisa była już na miejscu. Siedziała w milczeniu, kiedy się pojawił. Rozmawiali niewiele, nie potrzebowali słów. Siedzieli ramię w ramię. Jej głowa spoczywała na jego ramieniu. Dziewczyna patrzyła na zapadniętą ścieżkę i rozciągające się za nią wrzosowisko, aż wreszcie nadeszła ciężka chmura deszczu. Okna w zniszczonym domku znajdowały się nisko nad podłogą, a miejsce pachniało przechowywanym tu przez stulecia drewnem – dębem i cedrem. Kiedyś odpoczywali tu ci, którzy szli traktem przez szczyt wrzosowiska z zachodu i przez Góry Pennińskie.

W rogu mieściło się coś w rodzaju twardej ławki i palenisko pełne śmieci – liści i gniazd, które spadły przez wąski komin. Teraz nikt już nie korzystał z tego schronienia, ponieważ znalazło się na terenie Rutherford. Chatka zaczęła się rozpadać, oplatana coraz gęściej gałęziami kolcolistu. Dach się zapadał.

Koło domku stał stary kamienny murek zbudowany bez zaprawy. Miał dwieście lub trzysta lat. Jego omszała podstawa wciąż pozostawała nienaruszona, ale kamienie z wierzchu popękały od mrozu i spadły na ziemię. Kiedyś musiał się tu znajdować ogród, skrawek zieleni. W całości zarastały go teraz przetacznik i lepnica, a przez grubą warstwę wrzosu, zbitej darni i różowych kwiatów przebijały niespodziewanie dwie lub trzy dalie, rozety krzykliwego pomarańczu.

Słuchali deszczu padającego na lepnicę, kolcolist i popękane kamienie. Powoli, może po godzinie, niebo się rozjaśniło. Letni deszcz jednak nie ustawał. Światło przenikało przez ociekające wodą dzielone okno, a na podłodze pojawiły się barwne plamy, błękitne, indygo i fioletowe.

– Drugi koniec tęczy – westchnęła Louisa. Podniosła głowę i spojrzała na Jacka. – Tu właśnie jesteśmy. Daleko, wśród niknących kolorów, w cieniu. Chowamy się tu razem.

– Nie – zaprotestował. – Nigdy w cieniu. W świetle, w różnych jego odcieniach.

– Tak też można na to spojrzeć.

– Właśnie tak to widzę – powiedział. I rzeczywiście widział barwy, miękko osiadające na kamieniach. W błękitach krył się odcień przetacznika. Królował na zewnątrz, wyraźny w małych, słodkich płatkach przebijających się przez trawę kwiatów. Matka nazywała je „kwiatami Marii", choć nigdy nie zrozumiał dlaczego.

– Przetacznik – powiedziała Louisa, jakby usłyszała jego myśli. – Tamten w środku, o innym odcieniu... – uśmiechnęła się – ...nazywany jest również „wiernym mężczyzną".

– Dlaczego?

– Bo płatki szybko opadają – wyjaśniła. – Tak samo jak znika męska wierność. W bibliotece mojego ojca jest książka o botanice.

Pogłaskał leżącą w swojej dłoni jej dłoń.

– Niektórych mężczyzn – powiedział. – Nie wszystkich.

– Ach, wiem o tym.

Zostali tam znacznie dłużej. Kiedy myślał o tym później, nie potrafił stwierdzić, ile minęło czasu. Wystarczyło, że jest koło niej. Nie pragnął niczego innego. O nic jej nie prosił. Uważał, że Louisa potrzebuje schronienia. Nie tylko tego miejsca i jego anonimowości, ale też łagodności i czasu. A on teraz miał go mnóstwo. To mogło się zmienić, teraz jednak chciał dać jej to popołudnie, spokojne, łagodne i ciche jak deszcz.

Pod wieczór wreszcie przestało padać. Słyszeli brzęczenie pszczół w ciernistych zaroślach. Jack zastanawiał się leniwie, jak daleko latają i czy odległości można porównać z tymi, jakie przemierzają ludzie. Wszystkie te mile do Londynu, gdzie rodzice Louisy czekali na Harry'ego. Do Francji. Niezliczone mile. Tyle mil, tyle podróży. Wszyscy mieszkańcy Ziemi wyruszyli w podróż, przybywali z Indii, Kanady i Nowej Zelandii. Zjeżdżali się zewsząd. Ludzie i konie zza mórz. Serce bolało go na samą myśl, chociaż nigdy by się do tego nie przyznał, nawet jej.

– Nie możemy tu dłużej zostać – powiedział niechętnie. – Ojciec będzie się zastanawiał, gdzie jestem.

Ale nie ruszyli się z miejsca, splatali dłonie.

– Muszę ci coś powiedzieć – odezwał się.

Louisa spojrzała na niego.

– Co takiego?

– Myślę o tym, żeby się zaciągnąć.

Nie zaprotestowała. Patrzyła na niego niemal obojętnie, w milczeniu.

– Masz tu zapewnione zajęcie. Tak mało osób zostało – powiedziała w końcu.

– Wiem – odrzekł. – I nie podoba mi się ta wojna. Nie mówię, że nie należy zapędzić Niemców z powrotem na miejsce... Nie powinni napadać na inne kraje, nie mają do tego prawa. Ale nie wynika z tego nic, tylko ból. Nikt nie chce cierpieć. – Wiedział, że nie potrafi dobrze wyjaśnić, o co mu chodzi. – Świat się od niego brudzi. Nawet my tutaj. W gazetach kłamią. To żadne zwycięstwo, jeśli zbudowano je na barkach miliona poległych.

Nie spuszczała wzroku z jego twarzy.

– Sądzisz, że będzie ich aż tak wielu?

– I jeszcze więcej – odpowiedział. – I na co? Po co to wszystko?

Zaczęła lekko marszczyć brwi.

– Jesteś pacyfistą – zdziwiła się. – Na pacyfistów się pluje. Wsadza się ich do więzienia. „Osoba odmawiająca służby wojskowej ze względu na przekonania" to brzydkie określenie. Nie chcę tego dla ciebie.

– Nie wątpię, że mają dla mnie jakąś etykietkę.

– A więc dlaczego u licha chciałbyś się zaciągnąć?

– Piszą w gazetach, że potrzebują ludzi.

– I poszedłbyś wspierać wojnę, w którą nie wierzysz?

– Nie – powiedział. – Poszedłbym wspierać takich jak ja, którzy już tam są. Tych, którzy wplątali się w to wszystko i próbują teraz znaleźć jakieś wyjście.

– Zabijając innych.

Zastanawiał się nad tym przez jakiś czas.

– Nie pomyślałabyś o mnie źle, gdybym się nie zaciągnął?

Uśmiechnęła się.

– Nie mogłabym, Jack. – Ścisnęła mocniej jego dłoń. – Niektórzy powiedzieliby, że jesteś odważniejszy niż inni, bo robisz to, czego nienawidzisz.

Spojrzał ponad jej głową na mokry ogród.

– Chciałbym dostać się do służby weterynaryjnej. Istnieją szpitale weterynaryjne. Tym pragnąłbym się zająć.

– Ach – mruknęła cicho. – Teraz rozumiem.

– Porozmawiam o tym z lordem Cavendishem, jeśli zgodzi się mnie wysłuchać. Pomyślałem, że może będzie wiedział, w jaki sposób to zrobić. Jak mógłbym być z końmi. Wtedy przydałbym się na coś.

Uwolniła rękę z uścisku i dotknęła jego ramienia. Odwrócił się w jej stronę.

– Tam jest inaczej niż tu, na farmach. Zupełnie inaczej.

– Wiem.

– Mógłbyś zrobić bardzo wiele. Wiem, że tak – stwierdziła. – Nie ma osoby, która lepiej niż ty zajmowałaby się zwierzętami. Ale tam nie starcza czasu na to, co ty i twój ojciec robicie tutaj. Nie mógłbyś siedzieć przez noc i opiekować się końmi. Gdyby zachorowały, nie mógłbyś dać im czasu, nie mógłbyś ich obserwować, czekać. Nic z tych rzeczy, Jack. Ani czasu, ani spokoju.

– Wiem.

– Czy byłbyś w stanie to znieść? Patrzeć, jak zwierzęta cierpią?

– Jeśli one mogą przez to przechodzić, ja też mogę.

Przyglądała mu się przez długi czas, aż wreszcie powiedziała cicho:

– Nie chcę, żebyś jechał, Jack. – Oparła się z powrotem o niego, sięgając po jego ramię i oplatając się nim. Poczuł, że Louisa drży. – To ci złamie serce.

– Tak – odparł cicho. Przycisnął usta do jej włosów i zamknął oczy. – Nie mam co do tego wątpliwości.

William Cavendish siedział w swoim gabinecie na Grosvenor Square i trzymał cienki kawałek papieru.

Dostarczono go tego ranka, tuż po tym, jak Octavia i Charlotte wyszły. Zwyczajna poczta dotarła znacznie wcześniej. Minęło już południe. William stał właśnie w holu i za pośrednictwem spółki telefonicznej próbował nawiązać połączenie z Folkestone. Był to skomplikowany proces. Najpierw musiał złożyć prośbę. Następnie poproszono go, żeby poczekał, a później powiedziano mu, że pracownik spółki oddzwoni do niego, kiedy znajdą osobę, z którą pragnie porozmawiać.

– Dobry Boże – mruknął z irytacją.

Chciał tylko skontaktować się z przedsiębiorstwem żeglugowym, żeby upewnić się co do godziny przybycia statku szpitalnego. Potem zdał sobie sprawę, że informacja ta zapewne objęta jest tajemnicą. Właśnie odwracał się od aparatu, kiedy do drzwi zadzwonił goniec.

– Co to? – spytał William służącego, myśląc, że może to telegram od Harry'ego.

Podano mu przesyłkę. Była to bardzo cienka żółta koperta ze znaczkiem z Liverpoolu, opatrzona znakiem towarowym Cunard Line. Zaadresowano ją do Octavii. Przez chwilę zawahał się, zdezorientowany. Wreszcie rozerwał kopertę ze zmarszczonym czołem.

Teraz po raz dwudziesty patrzył na wiadomość.

„Potwierdzenie depeszy dla pana J. Goulda...".

Wiadomość wysłano poprzedniego wieczoru na „Lusitanię". William głowił się, próbując zrozumieć. „Lusitania"? Czyżby zmierzała do Liverpoolu? Przypływała w tym tygodniu? Najwyraźniej tak. I nie tylko to. Na jej pokładzie musiał znajdować się Gould, któremu Octavia przesłała wiadomość i poprosiła o potwierdzenie otrzymania depeszy. Najwyraźniej bardzo zależało jej na informacji, czy telegram dotarł. Odłożył kartkę na biurko, zacisnął pięści na kolanach i spojrzał na zegar.

Za kwadrans pierwsza. Zbliżała się pora lunchu. Octavia zjawi się w domu lada moment. Próbował znaleźć racjonalne wytłumaczenie dla tego, że Gould wraca do Anglii i że Octavia postanowiła się z nim skontaktować, ale nic nie przychodziło mu do głowy. Pulsowało mu pod czaszką. Przed oczami pociemniało. Siedział na krześle i nie chciał dłużej myśleć. W końcu usłyszał dźwięk dzwonka i otwieranych drzwi. Z korytarza dobiegł go znajomy głos Charlotte. I Florence de Ray. I Octavii.

Podniósł się i ruszył w stronę drzwi. Jego żona stała w korytarzu, spokojnie zdejmowała kapelusz i przyglądała się sobie w lustrze. Gdy zobaczyła w odbiciu jego sylwetkę, uśmiechnęła się i odwróciła.

– Co się stało? – spytała natychmiast na widok jego miny. – Czy coś z Harrym?

– Nie – odparł. – Z Harrym wszystko w porządku.

Podeszła do niego.

– Wyjeżdżasz po lunchu do Folkestone?

– Tak. Pojadę pociągiem.

Charlotte stanęła między nimi, nie przestając mówić i śmiać się. Jej słowa ledwo do niego docierały, chociaż pochylił głowę, jakby słuchał. Przez cały czas patrzył, jak Octavia wchodzi po schodach. Widział łuk jej pleców, sprężyste kroki. Spojrzał na córkę i dotknął jej ramienia.

– Czy możesz opowiedzieć mi o wszystkim w trakcie lunchu? – poprosił. – Muszę najpierw porozmawiać z twoją matką.

Otworzył drzwi jej pokoju. Amelie stała przy toaletce ze szczotką do włosów w ręku, czekając, aż Octavia usiądzie. Kobiety spojrzały na niego, zaskoczone. Rzadko odwiedzał ten pokój i nigdy nie wchodził bez pukania.

– Muszę z tobą porozmawiać – oznajmił.

Octavia gestem nakazała Amelie wyjść i powoli wstała. Jej pół-uśmiech zgasł, kiedy William ruszył w jej stronę.

– Coś się stało – stwierdziła.

Podał jej wiadomość z Cunard Line.

Przeczytała ją i przesadnie długo stała zupełnie nieruchomo z kartką w rękach, a przynajmniej takie wrażenie odniósł William. W końcu odłożyła ją na toaletkę i odwróciła się w jego stronę.

– To pierwszy raz, kiedy się z nim skontaktowałam.

I znów gdzieś za jego oczami rozległo się głuche dudnienie. Tym razem poczuł też ból. Przyłożył palce do skroni.

– Oczekujesz, że w to uwierzę.

– Oczywiście, że tego oczekuję – powiedziała zimnym głosem. – On do mnie pisał, a ja nie odpowiadałam. Tylko ten jeden raz.

– Pisał do ciebie? Kiedy?

Miała przyzwoitość się zarumienić.

– Raz czy dwa.

– To nie jest prawda. – Czuł się pewnie, wypowiadając te słowa. Octavia nie potrafiła kłamać. To nie leżało w jej naturze. Zdradziła się, opuszczając wzrok.

– Byłaś z nim w kontakcie.

Ponownie spojrzała na niego.

– Do utrzymywania kontaktu trzeba dwojga. W tym przypadku tak nie było – zapewniła. – Ale przyznaję, napisał więcej listów.

– Po co je wysyłał? – dopytywał William. – O czym pisał?

Octavia zamilkła na kilka sekund.

– Myślę, że to moja prywatna sprawa.

Na peryferiach jego pola widzenia rozkwitła jak kwiat delikatna czerwonawa mgła. W lewym oku kwitła czerwona peonia. Zamrugał kilkakrotnie, żeby odzyskać ostrość, ale nie potrafił zapanować nad wściekłością.

– Prywatna sprawa! – krzyknął. – Między mężem i żoną nie ma prywatnych spraw!

Zdało mu się, że żona delikatnie się uśmiecha, jednak uśmiech szybko zastąpiło zaskoczenie.

– Z pewnością były takie między nami – oznajmiła spokojnie.

– Tamto już się całkiem skończyło – zaprotestował. – O ile masz na myśli Helene de Montfort, a tak właśnie sądzę. Nie przychodzi mi do głowy nic innego.

Octavia mu się przyglądała. Poczuł się pod jej spojrzeniem jak okaz laboratoryjny. Nie widział w niej ciepła. Być może szacunek. Pewną stabilność, z pewnością, a nawet lojalność. Ale nie ciepło. Nie tego rodzaju, jakiego pragnął. Raptownie zrobił w jej kierunku kilka kroków i stanął kilka centymetrów od niej. Natychmiast obezwładnił go jej cudowny, słodki wygląd. Jego zapalczywość na sekundę osłabła. Z pewnością kobieta, która tak wygląda – która zawsze w ten sposób wyglądała, szczerze i uroczo – nie mogłaby gonić za innym mężczyzną. To uwłaczałoby jej godności.

– Powiedz, że się z nim nie spotkasz – poprosił.

– Nie mogę tego obiecać – odparła. – Nie zdecydowałam jeszcze, co zrobię.

– Nie... nie zdecydowałaś?! – zagrzmiał. – A o czym tu decydować? Jaką decyzję trzeba podjąć? Nie zobaczysz się z Johnem Gouldem tutaj, w Rutherford, ani nigdzie indziej!

Wyglądała na nieporuszoną jego zachowaniem. Usiadła powoli na krześle przed toaletką, tyłem do lustra. Rozpraszało go jej odbicie, kark widoczny spod zakręconych włosów, sznur pereł, miękki, koronkowy kołnierzyk jej sukni. Taka elegancka i krucha, należała do niego, i to on powinien ją chronić. A jednak pisała listy do innego mężczyzny. Krew się w nim zagotowała.

– Pokaż mi listy.

Westchnęła ze zdziwieniem.

– Możesz być pewny, że tego nie zrobię, Williamie.

– Pokaż mi listy!

Siedziała nieruchomo. Rozejrzał się.

– Gdzie one są? Gdzie je schowałaś?

– Williamie, proszę... Nic w nich nie ma... To znaczy nic, na co bym odpowiedziała...

Błyskawicznie znalazł się przy jej nocnym stoliku, lekkim, niewielkim mebelku we francuskim stylu. Kiedy szarpnął, stolik zaczął się chwiać. William złapał go i otworzył górną szufladę. Nie znalazł w niej nic poza chusteczką. Obrócił się na pięcie.

– Gdzie one są?

– William, proszę. Dotrzymałam swojej obietnicy. Zostałam z tobą, z dziećmi. Wciąż tu jestem. To takie zbyteczne.

Jakiś diabeł go opętał. Podbiegł do niej, złapał za ramię i pociągnął do góry.

– Zbyteczne? – spytał. Próbowała wyrwać się z uścisku. – Tak, masz rację. To zbyteczne, żeby żona pisała do obcego mężczyzny i próbowała trzymać to w tajemnicy. To zbyteczne, by trzymała się na dystans. By gardziła swoim mężem.

– Nie gardzę tobą – zaprotestowała. Teraz się przestraszyła. Wolną ręką próbowała rozewrzeć jego palce. – Williamie...

– To zbyteczne, żeby żona opierała się mężowi – syknął. – Zgadzasz się? Prawda? Czy nie? Czy nie należy mi się powinność, nie należy mi się uczucie?

Przyciskał ją do toaletki. Jakby z daleka dobiegło go pukanie do drzwi i głos Amelie.

– Proszę pani... proszę pani?

– Odejdź, do cholery! – wrzasnął.

Spojrzał znów na żonę.

– Czy nie traktowałem cię z absolutną szczerością i szczodrością przez ostatnich kilka miesięcy?

Wściekłość sprawiała, że przed oczami zaczęły tańczyć mu dziwne kręgi i kwadraty. Na chwilę twarz Octavii pokryła się osobliwymi kolorami. Zamknął oczy i złapał ją za oba ramiona, przyciągnął do siebie i wciągnął jej zapach. Jej skóra była jak jedwab. Suknia szeleściła pod jego dotykiem. Otworzył oczy.

– Kochałem cię – szepnął. – Przez cały czas trwania naszego małżeństwa, chociaż postanowiłaś w to nie wierzyć. Kochałem cię w zeszłym roku, chociaż wielu mężczyzn wyrzuciłoby cię na ulicę. Kochałem cię...

Jej oczy zaczęły wypełniać się łzami. Ale on myślał tylko o tym, że nie odpowiedziała mu tymi samymi słowami. Puścił ją i dotknął twarzy.

– Czy ja cię już nie obchodzę? – spytał.

– Williamie, dla dobra dzieci...

– Nie chodzi o dzieci. Chodzi o mnie. O nas. Nie o lojalność. O to, jak kochałaś mnie kiedyś.

Zaczęła płakać w milczeniu. Cofnął się o krok i przyjrzał uważnie.

– Czy wszystko stracone? – spytał. – Na zawsze i całkowicie? Nic, co zrobię, nie może tego zmienić?

Odwróciła głowę.

– Jestem z tobą – odpowiedziała. – Nie zamierzam cię opuszczać.

– To za mało. Samo zostanie nie wystarczy. Chcę, by było dawniej.

– Nie potrafię cofnąć się o dwadzieścia lat, Williamie. Byłam bardzo młoda. Nauczyłeś mnie wtedy, że ten rodzaj miłości, który mam do zaoferowania, jest... – szukała odpowiedniego słowa – ...nietaktowny. Nie na miejscu.

– To nieprawda.

Otworzyła oczy ze zdumienia.

– Oczywiście, że prawda. Nie mam do ciebie o to pretensji. Byłam tylko młodą dziewczyną, a ty, jak często mi powtarzałeś, musiałeś zachować pozycję w towarzystwie...

– Do diabła z towarzystwem!

Przyjrzała mu się uważnie i zmarszczyła brwi.

– Dobrze się czujesz? – spytała. – Wszystko w porządku?

Z trudem łapał oddech, starając się opanować. Cichy głosik z tyłu głowy podpowiadał, że powinien czymś ją ująć, zamiast się nad nią znęcać. Czy nie to właśnie sprawiło, że Gould wydał jej się atrakcyjny? Amerykanin miał chłopięcy optymizm, mówił tak ładnie. William odwrócił się na chwilę od Octavii, chciał się uspokoić.

– Wiem, że jestem innym mężczyzną niż Gould – zaczął.

– Och, Williamie. Proszę, przestań.

– Wiem... – powtórzył.

W gardle poczuł ból. Spróbował zakaszleć. Octavia, zaniepokojona, złapała go za ramię, ale machnął na nią ręką.

– Nie mówmy o tym, co było dwadzieścia lat temu – poprosił. – Porozmawiajmy o dniu dzisiejszym. Zacznijmy od nowa. Mówmy o czymś innym. Octavio...

Przykryła jego dłoń swoją.

– Obiecuję, że cię nie opuszczę – zapewniła. – Jesteś ojcem moich dzieci.

– Nie o to mi chodzi – wychrypiał. W jego klatce piersiowej narastał ból, promieniował na lewe ramię, jak rozgrzana do białości szpada. – Chcę, żebyśmy się kochali.

– Och, Williamie – westchnęła boleśnie. Wydawało mu się, że słyszy jej ciche słowa: „Nie, nie...".

Świat zamknął się nad nim. W niewielkim okręgu światła widział tylko Octavię.

Wypuścił ją z rąk. Upadał, jak mu się wydawało, powoli i bezdźwięcznie. Widział jeszcze tkaninę jej sukienki w kremowo-szare wzory. Materiał przesuwał się przed jego oczami powoli i spokojnie, jak kurtyna w teatrze.

Nie poczuł, jak uderza w podłogę.


Było późne popołudnie. Mary, Jenny i panna Dodd siedziały przy długim, wyszorowanym do czysta stole w kuchni dla służby w Rutherford. Przełożona pokojówek, wyraźnie zmęczona, nalewała herbatę. Caluteński dzień pani Jocelyn gnębiła swoje pracownice. Podczas nieobecności jaśnie pana i lady Cavendish ochmistrzyni wpadła w obsesję na punkcie czystości, każąc im wyszorować każdy cal powierzchni wielkiego domostwa. Tego ranka doprowadzona do furii panna Dodd ośmieliła się zauważyć, że dom jest idealnie wysprzątany.

Oblicze pani Jocelyn wyraźnie pociemniało.

– Czystość jest wyrazem pobożności.

– W takim razie już siedzimy po Jego prawicy – żachnęła się panna Dodd.

Mierzyły się wzrokiem. Pani Jocelyn miała piorunującą siłę rażenia, z którą należało się liczyć, ale pannę Dodd cechowało opanowanie wynikające z doświadczenia trzydziestu lat pracy na służbie, poza tym wykazywała się uporem jak każdy mieszkaniec Yorkshire. Była chuda jak chart i kiedy tylko chciała, potrafiła być równie pobożna jak pani Jocelyn: połączenie stanowczości i zadufania. Ale miała serce i odrobinę współczucia. Wydawało się, że ochmistrzyni obydwie te cechy raz na zawsze wyrugowała ze swojego charakteru po wypadku z Emily Maitland.

Jednak to pani Jocelyn stanowiła wśród służby najwyższą władzę i w końcu panna Dodd spuściła wzrok. Otworzyła leżącą koło niej gazetę.

– Nie ma na to czasu – warknęła ochmistrzyni.

Gazeta wylądowała z trzaskiem ponownie na stole.

– W takim razie, o ile pani pozwoli, przeczytamy ją w trakcie popołudniowej przerwy na herbatę – odparła panna Dodd. – Naszym obowiązkiem jest wiedzieć, jak chłopcy radzą sobie we Francji.

Pani Jocelyn nie mogła się z tym kłócić. Wyszła, cmokając z dezaprobatą. Słuchały, jak przystaje w korytarzu i znów rusza. Mary uniosła znacząco brwi, patrząc na Jenny. Liczba dziwactw ochmistrzyni zwiększyła się tak bardzo, że niemal stanowiły rozrywkę.

Siedziały wycieńczone i trzymały w rękach kubki z herbatą. Od świtu szorowały podłogę w wielkiej sali, głównie na kolanach. Zrobiły to bez entuzjazmu. Przynajmniej pani Jocelyn oszczędziła im swojego towarzystwa.

Gazeta leżała otwarta na stole. Mary i Jenny patrzyły, jak panna Dodd przegląda ją z nadzieją, że znajdzie wieści o swoim bracie. Był w Śródziemnomorskich Siłach Ekspedycyjnych oddziału Marynarki Królewskiej.

– Pojechał do miejsca zwanego Gallipoli – powiedziała im kilka dni wcześniej.

– Gdzie to jest? – spytała Mary.

– W Turcji czy gdzieś.

Równie dobrze mogła powiedzieć „na księżycu". Nie miały pojęcia, gdzie leży Turcja, wiedziały tylko tyle, że było tam gorąco i przywożono stamtąd dywany.

Najwyraźniej panna Dodd nie natrafiła na żadne wiadomości o bracie. Popchnęła gazetę w ich kierunku.

– Gdzie jest Nash? – spytała.

– Dostałam od niego list z Lancashire w tym tygodniu – odparła Mary. – Znów się przenieśli.

– A Harrison?

Jenny zarumieniła się pod badawczym spojrzeniem panny Dodd.

– We Francji.

– Co robi? Jest na froncie?

– Nie wiem – odparła Jenny. – Nie pisał od dawna.

– Cóż – stanowczo powiedziała panna Dodd. – Gdyby zginął, szybko byś się o tym dowiedziała, więc bym się nie martwiła.

– Nie martwię się – skłamała Jenny i pochyliła głowę. – Tylko... to się wydaje takie dziwne. Był tu w Rutherford, był jednym z nas. – Zamilkła, zdając sobie sprawę, że wszystkie na nią patrzą. – Nie potrafię tego dobrze wytłumaczyć.

– Ja rozumiem – powiedziała Mary. – To jest tak, jakbyśmy same się tam znalazły? Jakby to się przydarzyło nam, ludziom takim jak my?

– Tak – westchnęła Jenny. – Jakby Rutherford tam przeniesiono i teraz popadało w ruinę. A jeśli Harrisonowi coś się stanie...

albo Nashowi, albo komukolwiek innemu, chłopakom ze stajni czy nawet zabranym wczoraj koniom... to dzieje się tutaj, prawda? Tutaj, nie we Francji.

Panna Dodd zmarszczyła brwi, po czym wzruszyła ramionami.

– Cóż za głupstwa. Tutaj nic nas nie może dosięgnąć.

Jenny popatrzyła na nią, jakby miała w głowie gotową odpowiedź, ale rozmyśliła się.

– Tak – odpowiedziała cicho. – Chyba rzeczywiście. Dziękuję, panno Dodd.

Mary otworzyła gazetę.

Przesunęła wzrokiem po kolumnie z nazwiskami poległych – samych oficerów. Gazeta nie trudziła się drukowaniem nazwisk szeregowców. Mary była wystarczająco praktyczna, by wiedzieć, że prawdopodobnie nie starczało na to miejsca.

– Jest tu ktoś z Workington – zauważyła cicho. – I Ripon.

Zagryzła wargę. Przypomniała sobie ogłoszenia zamieszczane w tej samej gazecie w październiku zeszłego roku, zachęcające mężczyzn, żeby się zaciągnęli: „Pracujemy razem, walczymy razem". Dawano im do zrozumienia, że zawsze będą stali ramię w ramię.

W tym samym czasie pisano też, że „mądrzy ludzie uważali wojnę za nieuniknioną". Skoro więc „mądrzy ludzie" tak mówili, reszta – zapewne niemądrzy ludzie, pomyślała Mary – powinni myśleć podobnie. „Musimy stawić temu czoło" – mówiono wtedy. – „Wszyscy musimy coś zrobić". Cóż, pomyślała, czytając ze smutkiem listę poległych, rzeczywiście coś zrobili.

Jenny zaglądała jej przez ramię. Przewracając strony, zauważyły artykuł dziennikarza, który towarzyszył nocnemu przeglądowi wojska w Ypres w ostatnim tygodniu kwietnia.

„Księżycowa noc i żadnych oznak życia" – napisał. – „Ruszyliśmy do miejsca zwanego Plaine d'Amour. Nigdy nie widziałem równie nieadekwatnie nazwanej okolicy, nędznej i wymarłej".

– Co to znaczy „Plaine d'Amour"? – spytała Jenny.

– To miłość, prawda? – odparła Mary. – *Amour*.

Czytały dalej.

– Są tam Kanadyjczycy – mruknęła Mary. – I Hindusi. I francuscy Algierczycy.

– Ciekawe, co myślą o Francji.

– Niewiele. Tu jest napisane, że wszystko jest płaskie. Wszędzie pełno cegielni, kanałów, odpadów powęglowych i błota.

Jenny oparła podbródek na dłoni.

– Zawsze sądziłam, że we Francji jest ładnie. Myślałam o Paryżu i w ogóle, że jest tam tak elegancko. Mówią, że Francuzki są... wiesz. Bardzo ładne.

– Nie sądzę, żeby Kanadyjczycy i Hindusi byli tego samego zdania. I nie spodziewam się, żeby oglądali jakieś dziewczęta.

Jenny wyprostowała się.

– I pomyśleć, że przejechali całą tę drogę dla Imperium. Ciekawe, co mówią o wojnie w koloniach. Muszą przyjechać tu tylko dlatego, że Anglia potrzebuje żołnierzy. Co o tym myślą? Ciekawe, co ich matki sądzą na temat wojny. I że w ogóle muszą jechać.

– To nie Anglia prowadzi wojnę – upomniała ją panna Dodd.

– Wielka Brytania prowadzi wojnę, a skoro my jesteśmy w stanie wojny, prowadzi ją całe Imperium. Po to właśnie mamy Imperium.

– Wiemy o tym – powiedziała Mary. – Ale proszę sobie wyobrazić kogoś, kto mieszka w Indiach. W jakiejś tamtejszej wiosce. Albo może w jednym z tych wielkich, starych miast, albo w górach w samym środku głuszy. W miejscu, gdzie nikt nawet nie wie, co to Londyn, śnieg czy deszcz. Proszę sobie wyobrazić, że musi pani jechać do Francji, żeby walczyć o to, żeby Niemcy nie przedostali się na drugą stronę kanału i tu nie zamieszkali. Muszą myśleć: „Do licha, a co my mamy do tego?".

– W ogóle tak nie myślą – odparła panna Dodd. – Kochają swoją ojczyznę i króla.

– Ale dlaczego to my jesteśmy ich ojczyzną? – drążyła Mary. – Nie jesteśmy Hindusami.

– Dość tego – warknęła panna Dodd. – To bardzo odważni ludzie i są warci dziesięciu takich jak wy. Wypijcie herbatę i zajmijcie się sypialnią panny Louisy.

Wyszła z kuchni. Słyszały jej kroki dudniące na schodach, kiedy szła do swojego pokoju na trzecim piętrze. Mary się uśmiechnęła.

– Poszła napisać list do swojego kochasia.

– Mary!

– Kiedy to prawda. – Mary wciąż się szczerzyła. – Dziewczyna z wioski mówiła mi, że widziała ją w niedzielę po południu z rzeźnikiem ze Scorton. Trzymali się za ręce na moście jak dwójka rozmarzonych głupców. I to w ich wieku! – zadrwiła. – To powinno być nielegalne.

Zaczęły się śmiać, ale nie trwało to długo, bo nagle z hukiem otworzyły się drzwi kuchenne. Stanęła w nich pani Jocelyn z listem w dłoni. Twarz miała czerwoną jak burak.

– Co to ma znaczyć!? – wrzasnęła.

Dziewczęta zerwały się na nogi.

– Proszę pani, to nasza przerwa na herbatę.

– Nie to mam na myśli! – Pani Jocelyn ruszyła w stronę Mary, machając jej listem przed nosem. – Ale to! To!

– Nie wiem, co to jest – zająknęła się Mary.

Bolesne uderzenie całkowicie ją zaskoczyło. Nigdy, przez cały czas, odkąd pracowała w Rutherford, nikt jej nie uderzył. Wiele razy dostała burę, oczywiście. Zabrano jej wolne niedziele. Wrzeszczeli na nią wszyscy, którzy byli wyżej od niej w hierarchii, łącznie z lokajami. Obłapiał ją Harrison. I najgorsze ze wszystkiego – raz lady Cavendish upominała ją łagodnym, rozczarowanym tonem, gdy śpiewała w trakcie pracy wczesnym rankiem. Ale nigdy, przenigdy nikt jej nie uderzył.

Jenny zachłysnęła się ze zdumienia.

Mary stała z otwartymi ustami, trzymając się za zaczerwienioną twarz.

– To list od zarządcy przędzalni w Blessington! – warknęła pani Jocelyn. – Jaśnie pani rozkazała mu znaleźć twojego ojca i przysłać go tutaj.

– Tutaj? – spytała zdumiona.

– Nie zgrywaj przede mną niewiniątka – prychnęła ochmistrzyni. – Coś powiedziała lady Cavendish?

– Nic, proszę pani.

– Musiałaś coś powiedzieć, bo inaczej skąd by o nim wiedziała?

– Przepraszam panią, ale naprawdę nie wiem. Rozmawiałyśmy o nim, kiedy moja siostra zmarła w zeszłym roku i to wszystko.

Pani Jocelyn oparła ręce na biodrach i otaksowała Mary spojrzeniem.

– Och, rozmawiałyście o nim? – powtórzyła zjadliwie. – I błagałaś panią o pracę dla niego. Cóż za skandal!

– Nie, proszę pani.

– A zatem skąd się to wzięło? – znów pomachała listem.

– Nie wiem, proszę pani, naprawdę. Jaśnie pani nic mi nie wspominała.

Pani Jocelyn zrobiła krok w jej kierunku. Mary oparła się o krawędź stołu.

– Często rozmawiasz z jaśnie panią, co?

– Nie – szepnęła Mary. – Tylko w zeszłym roku. Tylko raz.

– I mam uwierzyć, że ona to zapamiętała?

– Nie wiem.

Pani Jocelyn patrzyła na nią z taką miną, jakby przyglądała się groźnemu zwierzęciu.

– W każdym razie on ma tu przyjechać – poinformowała pokojówkę. – Zarządca mu kazał. Będzie za kilka dni.

Mary nie wiedziała, co odpowiedzieć. Od miesięcy nie słyszała wieści od ojca. Nie potrafił pisać, więc tylko od czasu do czasu przekazywał wiadomość przez jakiegoś kupca, który przejeżdżał przez Blessington. Zawsze tę samą: „Pozdrów moją Mary". I to wszystko.

Poczuła ciężar na sercu. Nie miała pojęcia, czy lady Octavia kiedykolwiek widziała jej ojca. Mary zdawała sobie sprawę, że w Rutherford brakuje ludzi, nie wątpiła jednak, że jej ojcu nigdy nie zaoferowano by pracy, gdyby pani Cavendish go zobaczyła. Był pijakiem, w dodatku żałosnym i płaczliwym. Za kilka pensów zamiatał podwórza koło przędzalni, lecz czas spędzał głównie na rogach ulic, przy piwiarniach, w nadziei, że pracownicy zakładów zlitują się nad starym pomagierem, wdowcem, dla którego odniesione rany oznaczały brak możliwości znalezienia pracy. „Mój Boże" – pomyślała Mary bezradnie. – „Proszę, niech ktoś go umyje, zanim się tu zjawi. Proszę, proszę, zanim pani Jocelyn go zobaczy".

– Jaśnie pani jest ogromnie wspaniałomyślna – wyjąkała wreszcie. – Ale ojciec jest całkiem... słaby, wie pani. Nie wiem, na co mógłby się przydać.

Czuła, jak pani Jocelyn przewierca ją wzrokiem. Spuściła oczy.

– Wiem jedno – wycedziła wreszcie ochmistrzyni. – Ty i lady Cavendish jesteście ulepione z tej samej gliny. Mogę się założyć, że to dlatego cię lubi. – Jej twarz znalazła się o kilka cali od twarzy Mary. – W zeszłym roku bez mojego pozwolenia poszłaś zobaczyć się z siostrą. Nie myśl, że o tym zapomniałam.

Pokojówka nie potrafiła wykrztusić słowa. Jej siostra umarła, a Mary była przy niej, kiedy to się stało. Pani Jocelyn dotknęła ją do żywego.

– Niezła z was parka – pastwiła się dalej ochmistrzyni. – Parka dziewczynek z przędzalni. Ty i ona.

Mary kątem oka dostrzegła, że Jenny drży z szoku i strachu. Starsza kobieta nagle się wyprostowała, zrobiła krok do tyłu i rozejrzała się po kuchni. Ten nagły ruch sprawił, że Jenny odskoczyła i krzyknęła cicho.

– Plugastwo – mruknęła pod nosem pani Jocelyn. Szarpnęła palcami za wielki pęk kluczy uwieszonych u paska. – Wszystkie jesteście tak samo złe, a ten dom jest pełen brudu i ohydztwa.

Wokół Harrisona zapadła innego rodzaju, niszczycielska i głośna, poznaczona błyskami noc.

Niemal nie docierał do niego huk eksplozji, słuch przestał je rejestrować. Człowiek potrafił się wyłączyć. Tej sztuczki nauczył się... ile lat temu? Nie umiał sobie przypomnieć. Wydawało mu się, że minęło kilkanaście lat, odkąd Nat leżał na poboczu drogi tuż przed rozniesionym na strzępy wózkiem z wodą.

Harrison się zestarzał. Czuł to bardzo wyraźnie. Był znacznie starszy niż ziemia, po której pełzał. Wiekowy, tak stary, że nie był już człowiekiem, lecz ochłapem chemii organicznej, żywym i jednocześnie martwym zestawem pierwiastków.

– Nakaż sobie tego nie słyszeć – poradził mu stary wyga, gdy zasypał ich grad pocisków. Harrison miał twarz zbryzganą błotem, w ręku ściskał broń. Razem rozłożyli się na martwej, zniszczonej ziemi.

– Jak mogę tego nie słyszeć, ty draniu? – spytał. Mężczyzna smętnie rozchylił usta, ukazując zęby. Był to rodzaj grymasu, czegoś, co uchodziło tu za uśmiech.

– Słuchaj czegoś, co pamiętasz. W myślach. W środku. Głosu kobiety. Jadącego drogą samochodu.

W nieludzkim ryku pocisków Harrison próbował przypomnieć sobie cokolwiek. Pamiętał... co? Pastowanie butów. Bardzo dobrej jakości skórzanych butów, które należały do lorda Cavendisha. Pamiętał, jak lśnią. Pamiętał... kto to był? Jenny na kamiennych schodach kuchni. Wykrochmalone białe kołnierzyki służących. Wykrochmalone białe kołnierzyki...

– I co? O czym myślisz? – spytał towarzysz.

Łup, łup, łup. Ziemia bryzgała na wszystkie strony. Jakiś ryk – zwierzęcy, ludzki? Trudno stwierdzić. Próbował wsłuchać się w Jenny, schodzącą po schodach.

– O kobiecych butach – powiedział.

– Nie przestawaj o nich myśleć – poradził mężczyzna.

Przedostatni raz widział go, gdy byli obaj okopani w miejscu, które nazywano La Quinque Rue. To znaczyło „pięć ulic" albo „piąta ulica", wyjaśnił im major. Quinque Rue. Kang-ru.

Wkrótce Harrison zaczął słyszeć po prostu „kangur". Straszny, oślepiający i ogłuszający tupot kangura. Zwierzę deptało jego duszę z głośnym, gromkim rumorem. Harrison pozwalał temu niedorzecznemu wyobrażeniu snuć się w głowie, kiedy maszerował, biegł, kopał, mocował bagnet i czekał, czekał, czekał w ciemnościach. Kangur dołączył do całej reszty dziwnych, zwichrowanych wyobrażeń, które tańczyły mu w myślach – jęczącej armii duchów, makabrycznych numerów cyrkowych. Wirujących fajerwerków, spienionej wody. Pohukiwania, klaksonów i rogów: cyrkowych automobilów wypełnionych klaunami, pędzących wśród trocin i krwawych snów. Cyrk zwany Festubert.

Czasami słyszał, że coś do siebie mówi, a jeszcze częściej, że się śmieje. Mówiono, że miał wypaczone poczucie humoru. Jeśli zapadała cisza, prawdziwa cisza, kiedy milkły działa, mężczyźni modlili się, spali albo leżeli otępiali w następstwie całego tego szału i zezwierzęcenia, a Harrison śmiał się cicho pod nosem. Może to było dziwne, ale sprawiało, że czuł się lepiej. Żołnierze przestali nawet powtarzać, żeby się zamknął. Stał się dla nich rodzajem maskotki, jak gdyby jego śmiech oddalał od nich widmo śmierci, przeistoczenia się w zielonkawe błoto, przez które pełzli.

Ostatni raz widział starego wygę w Kangurze. Chowali się w wygrzebanym wspólnie okopie. Musieli kucać, jakby ktoś wepchnął ich obu do jednej nasiadówki. Stopy wystawały im na zewnątrz, a szrapnele warczały ze wszystkich stron. Nie mogli się ruszyć – snajper wiedział, gdzie są. Nadszedł wieczór – dzięki Bogu za ciemności – zaczęli więc wypełniać worki ziemią wykopaną z ich małego otworu w ziemi. Udało im się napełnić dwa i wypchnąć w stronę, z której strzelał wróg.

Gdzieś po prawej zajmował pozycję nieustraszony artylerzysta. Działał na własny rachunek, miał muła i hinduską armatę górską. Wydawało się, że posiada niewyczerpany zapas amunicji. Od czasu do czasu zasypywał Niemców gradem pocisków, po czym rozpływał się w ciemnościach. Potem zaczął strzelać do nich. Przeklęli go za ten chwilowy brak dokładności i za miażdżący ostrzał, który wróg rozpoczął w odpowiedzi.

Jakieś czterysta jardów od nich broń ciężkiego kalibru, jak wielki, węszący pies, szukała w ciemnościach artylerzysty. Jedna jej odpowiedź rozerwała na strzępy pozostałości starego okopu przed nimi. Siedzieli nieruchomo, sądząc, że już są martwi, bo znali ten dźwięk aż za dobrze. Czekali te kilka sekund, aż pocisk spadnie, całkowicie pewni, że oto ich życie dobiegło końca.

Harrison pomyślał wtedy z nagłym wybuchem sięgającej trzewi miłości o wykrochmalonym kołnierzyku Jenny i jej miękkim, cichym głosie. Dlaczego nigdy nie powiedział jej nic miłego? Całe życie czuł się odcięty od wszelkiej dobroci, dawanej czy otrzymywanej. Izolował się w myślach, odzywał oziębłe. Nie potrafił pojąć, czemu tak się dzieje, a teraz było już za późno. Leżał tu, na skraju życia, widząc w wyobraźni drogę, którą dotąd przemierzył i czuł dziwną, dojmującą pustkę. W tej samej koszmarnej chwili nadeszła eksplozja. Pocisk zagłębił się w grunt pod nimi i wyrzucił w powietrze ścianę ziemi. Ale po chwili okazało się, że wciąż siedzą w swojej piekielnej dziurze.

Tamtej nocy myśleli, że nikt nie każe im wracać i wszystko wyglądało tak, jakby w pobliżu nikogo nie było. Uznali, że są pozostawieni sami sobie. Gdy nadszedł świt, gnani czystą paniką, wrócili do oddziału. Bez tchu wpadli do brytyjskich okopów, zameldowali, że całą noc wysyłali Szwabów na tamten świat i nikt nie przyszedł ich wesprzeć. Ach, wyraz twarzy czerwonego jak burak majora, który z wściekłością wykrzykiwał rozkazy! Ach, drwiące z niego uśmieszki i skryte wyrazy aprobaty!

– Jak tam było? – spytał chłopaczek, który właśnie opuścił okopy rezerwy. Trząsł się ze strachu jak liść i był równie zielony.

– Jak w czasie chińskiej egzekucji – odpowiedział Harrison. – Śmierć od tysiąca cięć.

Chłopak wskazał kciukiem za siebie.

– Tak jak on?

Wtedy Harrison zobaczył towarzysza swoich nocnych przeżyć, mężczyznę, który kazał mu myśleć o czymś innym, kiedy pierwszy raz znaleźli się w Kangurze. Dostał szrapnelem, którego Harrison nawet nie usłyszał, gdy wślizgiwali się do brytyjskiego okopu. Twarz miał przeciętą wzdłuż w całkiem elegancki sposób. Czerwone pręgi znaczyły jego czoło, grzbiet nosa i czubki uszu. Ktoś włókł go do stacji opatrunkowej. Mężczyzna mimo wszystko spojrzał na Harrisona i uśmiechnął się na tyle, na ile zdołał.

Tego popołudnia również Harrisonowi pozwolono iść na tyły.

Leżał na plecach jakąś milę za linią frontu i gapił się w niebo. Miał na ręku ranę, której nie poczuł, tak samo jak nie usłyszał wybuchu szrapnela. Ktoś dał mu papierosa. Położyli go na noszach. A teraz wpatrywał się w odległe chmury.

Podszedł do niego lekarz. Mówił z arystokratycznym akcentem, nosił cienkie wąsiki i nowiutki mundur.

– Jak pan się trzyma? – spytał.

– Pierwszorzędnie, sir.

– Proszę usiąść.

Harrison wykonał polecenie. Mężczyzna usiadł obok niego i odezwał się jak do dziecka.

– Czy może mi pan powiedzieć, jaki mamy dzień?

– Nie, sir. Jakie to ma znaczenie?

– Pana jednostka?

Harrison nie potrafił myśleć. Patrzył na chmury, które wciąż widział nad ramieniem oficera.

– Armia brytyjska. – Roześmiał się z własnego dowcipu.

– Bombardowanie dało się panu we znaki?

To pytanie było tak głupie, że po prostu je zignorował. Chmury tańczyły lekko. Zastanawiał się, jak mocno się trzęsie i czy właśnie dlatego oficer jest taki przejęty.

Lekarz się nachylił.

– Nie byłoby w tym nic dziwnego – zdradził poufałym tonem. – Zużyliśmy sto tysięcy pocisków w ciągu sześćdziesięciu godzin.

Harrison spojrzał na niego.

– Sto tysięcy – powtórzył. – A mówili, że nie mamy pocisków, sir.

– To prawda. Właśnie w tym tygodniu omawiano tę sprawę w parlamencie.

Harrison zgasił papierosa w błocie. Jeśli chodziło o niego, rozmowa dobiegła końca. Nienawidził spoufalających się oficerów, chłoptasiów z uniwersytetów. Chciał przywalić facetowi w twarz. Nie był jego kumplem. Był szczurem z okopów, czymś, co pełzało wilgotnymi kanałami, chowało się za roztrzaskanymi zaporami i workami z piaskiem.

– Cóż – powiedział spokojnie i wstał. Zaczął przestępować z nogi na nogę, żeby ukryć drżenie. – Jeśli pan pozwoli, sir, muszę już wracać. Mamy wojnę.

Na pokładzie „Lusitanii" rozwiała się gęsta mgła wczesnego poranka. Zaczął się piękny dzień.

John Gould opierał się o reling i spoglądał na morze. Miało gładką powierzchnię w kolorze indygo. Słońce odbijało się od niej i musiał przysłonić oczy. Ludzie mijali go, wielu z nich się uśmiechało i kiwało mu głową. Na statku nastroje wyraźnie się poprawiły. Zbliżali się do Irlandii, wkrótce będą mogli zobaczyć najdalej wysunięty na południe przylądek Old Head of Kinsale. Pasażerowie się odprężyli. Wkrótce dopłyną do Liverpoolu i wszystkie te rozmowy o łodziach podwodnych się skończą.

Mimo wszystko widział, że sporo osób, podobnie jak on, przygląda się badawczo powierzchni wody. Zastanawiał się, jak wygląda peryskop. Czy łódź podwodna wynurzyłaby się na powierzchnię, czy gdyby do nich strzelano, widać byłoby tylko tor pocisku? Nie wiedział nawet, czy można dostrzec torpedę. Może płynęłaby tak głęboko, że nikt nawet by nie zauważył, jak się zbliża. Wzdrygnął się mimowolnie. Nie ma powodu, by o tym myśleć, upomniał się. Już są prawie na miejscu. Nic w nich nie uderzy.

Obok niego przechodziła pewna para. John rozpoznał Elberta Hubbarda, autora artykułu w „The Philistine", który doczekał się czterdziestu milionów czytelników. Gould widział go na statku wiele razy, ale ta niepojęta liczba – czterdzieści milionów! – sprawiła, że nigdy się nie przedstawił. Nie chciał mówić „jestem dziennikarzem, pisarzem" komuś, kogo czytywało czterdzieści milionów ludzi. Czuł się zawstydzony jak uczniak. Poza tym Hubbard był zwalistym mężczyzną o przeszywającym spojrzeniu, prawdziwym żywiołem. W słynnym artykule napisał, że należy wziąć się do roboty, wzmacniając kręgosłup i koncentrując siły. John bał się okropnie, że Hubbard na pierwszy rzut oka uzna, że jemu stanowczo brak kręgosłupa.

Hubbard złapał jego spojrzenie. Zatrzymał się.

– Wypatruje pan U-Bootów? – spytał.

John stanął do niego przodem.

– To zapewne kuszenie losu.

Hubbard się uśmiechnął.

– Wierzy pan w takie rzeczy?

– Owszem, tak – odpowiedział po chwili milczenia.

Dziennikarz podszedł i bez skrępowania oparł się o reling. Jego żona przechyliła głowę, zlustrowała Johna i się uśmiechnęła.

– Ach, los – mruknął Hubbard. Wyciągnął rękę, żeby się przedstawić. – Hubbard.

– Słyszałem o panu, sir.

– A pan?

Podał wielkiemu mężczyźnie swoje nazwisko.

– Pracuje pan w Anglii?

John miał właśnie powiedzieć, że tak, będzie pracował i pojedzie do Francji, ale nagle zdał sobie sprawę, że cała ta historia o pisaniu artykułów o wojnie była dla niego tylko zasłoną dymną. Powiedział matce i ojcu, że to będzie robił, mówił tak innym ludziom na statku. Teraz jednak pojął, że mówił wyszukane i wygodne kłamstwo. Jego podróż do Anglii miała określony i tylko jeden cel. Od początku.

– Jadę znaleźć kobietę, w której zakochałem się w zeszłym roku – oznajmił. – Okazuje się, że nie mogę bez niej żyć.

Hubbard się rozpromienił.

– Wygląda pan na zdecydowanego.

– Jestem, proszę pana.

– Wiadomość dla Garcii, co? – spytał Hubbard i ryknął głośnym, dudniącym śmiechem. Poklepał Johna po ramieniu i z żoną przy boku odszedł.

*Wiadomość dla Garcii* – tak brzmiał tytuł jego artykułu. John wyprostował ramiona i uśmiechnął się do siebie. Elbert Hubbard uznał go za porządnego człowieka, kogoś z misją, kto jest w stanie wszystko osiągnąć.

Zmierzał, jak strzała, prosto do celu.

Poszedł na lunch, czując się znacznie lepiej.

Postanowił, że nie będzie więcej patrzył w morze. Skupi się na tym, co zrobi, kiedy dotrze wreszcie do Liverpoolu.

O ile pamiętał, przez Góry Pennińskie regularnie jeździł pociąg, ale może lepiej pojechać ekspresem do Manchesteru, a potem do Leeds. Pociąg jadący przez góry był w najlepszym razie powolny. Zatrzymywał się w każdym najmniejszym miasteczku i przy każdej latarni. John nie miał ochoty patrzeć na wrzosowiska, nieważne jak piękne.

Kiedy tak siedział i patrzył przed siebie z lekkim uśmiechem na twarzy, do jadalni wszedł steward. Skierował się prosto w jego stronę. Niósł telegram.

– Pan Gould?

– Tak, to ja.

John wziął kopertę i otworzył. Przez chwilę słowa tańczyły mu przed oczami – niezrozumiała mieszanina liter – tak bardzo był zaskoczony, że dostał wiadomość. A potem przeczytał:

„Odezwij się, kiedy znajdziesz się w Liverpoolu. Bezpiecznej podróży. Octavia".

Dziesięć słów. Policzył je. Dziesięć słów.

Kobieta z naprzeciwka pochyliła się w jego stronę.

– Mam nadzieję, że to nie złe wiadomości?

– Och, nie. – Poczuł, że się rumieni. – Nie. Wręcz przeciwnie.

Złożył kartkę papieru drżącymi rękami.

Mógł jedynie pomyśleć: „Po tak długim czasie...".

Rozejrzał się wokół, jakby nagle znalazł się w niebie. Zauważył wyszukane kompozycje z kwiatów, srebro, idealnie zaprasowane serwetki. Detale tak wyraźnie jawiły mu się przed oczami, jakby dostrzegł je po raz pierwszy. Gdzieś na statku pracowali ludzie, którzy przechowywali i układali kwiaty, podawali jedzenie, prasowali obrusy i czyścili srebra. Poczuł, że ma ochotę popędzić na niższe pokłady i uścisnąć im wszystkim dłoń. „Dziękuję" – chciał powiedzieć. – „Dziękuję, że za sprawą waszej pracy wszystko jest idealne". Zaczął się śmiać, lecz widząc zaskoczenie na twarzach towarzyszy posiłku, w ostatniej chwili powstrzymał się od zrobienia z siebie kompletnego głupka.

Wszystko było dobrze.

Tak bardzo dobrze, że aż doskonale.

Po lunchu wybrał się na pokład.

Sądził, że będzie chodził przynajmniej przez godzinę – nagle zaczęła rozpierać go energia. Spojrzał na morze, a potem w górę, na cztery wysokie kominy. Popatrzył na zegarek – było tuż po drugiej po południu. Zauważył, że obserwatorzy wciąż przeczesują wzrokiem ocean. Nagle jeden z nich uniósł rękę. John zerknął na bociane gniazdo, które wskazywał mężczyzna.

Tam, wysoko nad nimi, stało dwóch członków załogi.

Oni również wskazywali na coś w wodzie po prawej stronie, tam, gdzie stał. Słyszał podniesione głosy, ale nie potrafił rozróżnić słów.

Spojrzał za burtę.

Jakąś milę dalej na powierzchni pojawiło się coś, co przypominało ogromny bąbel, który właśnie pękał i się rozpadał. Tuż przed nim John ujrzał dwie białe smugi, wyraźne jak kreda na tablicy. W jednej sekundzie przypomniał sobie, jak znalazł się na jachcie motorowym o zachodzie słońca na Cape Cod. Nie pamiętał dnia, ani nawet roku, ale widział we wspomnieniach identyczny podwójny ślad na morzu, zrobiony przez coś, co pędziło przez spokojny ocean. Nie mógł oderwać od niego wzroku, zahipnotyzowany.

Obserwator na sterburcie złapał za megafon. Odwrócił się w stronę mostka i wrzasnął.

– W stronę prawej burty płyną torpedy, sir!

Ludzie na bocianim gnieździe zaczęli szybko schodzić, krzycząc coś po drodze.

„Mój Boże" – pomyślał spokojnie John. – „Zrobili to".

Dwie smugi piany zniknęły i niemal natychmiast dobiegł ich łoskot przypominający dźwięk zamykanych olbrzymich żelaznych drzwi. John odwrócił się w momencie, gdy z kominów buchnął kłąb dymu i żaru. Obok statku wystrzeliła w powietrze fontanna wody.

– Och, trafili nas! – krzyknęła jakaś kobieta.

Ludzie rzucili się do barierek.

„Uderzyli w magazyn węgla" – pomyślał John. Eksplozje okazały się stanowczo zbyt głośne, żeby mogło chodzić tylko o jeden pocisk. Johnowi wydawało się, że słyszał trzy. Pierwszy to była torpeda – ten dźwięk różnił się od pozostałych. Kolejne dwa... wybuchło coś pod pokładem. Głębiej w środku. Coś, co się zapaliło.

Dziób statku podniósł się i ponownie opadł; wciąż drżał. Kątem oka John zobaczył, że wiszące w kawiarni kosze z kwiatami spadły na podłogę. Na pokładzie niżej kłębiły się chmury pary.

Pomyślał bardzo wyraźnie – niemal powoli – że palacze musieli zginąć. Na dole rozpętało się piekło, nie mogli tego przeżyć. Potem pomyślał o ludziach w ładowni, którzy zapewne przygotowywali bagaże do wyładunku. Do ładowni zjeżdżała tylko jedna winda – Lauriat mu o tym powiedział. Gdyby wysiadł prąd, zostaliby uwięzieni na dole.

– Zatoniemy? – usłyszał czyjeś pytanie.

– Nie „Lusitania" – odpowiedział ktoś inny. – Poza tym, nawet jeśli tak, jesteśmy blisko lądu.

John podniósł głowę i zobaczył na horyzoncie niewyraźny, cienki zarys Old Head of Kinsale.

I wtedy właśnie poczuł, że statek się przechyla.

Złapał reling z myślą, że tylko to sobie wyobraził. Statek rozmiaru „Lusitanii" musiał tonąć kilka godzin, prawda? Zanim „Titanic" poszedł na dno, minęły dwie godziny i czterdzieści minut.

Poczuł, że jego ręka jest jakby przyspawana do poręczy. Zbielały mu knykcie. Powoli, niemal w zwolnionym tempie, zdołał rozluźnić uścisk. Obok niego przebiegła kobieta z małym chłopcem na rękach i krzyczała, że jej drugi syn śpi w kajucie. Na pokładzie jest mnóstwo kobiet i dzieci, pomyślał John. Były wszędzie. Niemowlaki, dziewięcio- i dziesięciolatki. Dziewczynki w letnich sukienkach i chłopcy w marynarskich mundurkach.

– Mój Boże, mój Boże... – szepnął.

Spojrzał na szalupy ratunkowe i z przerażeniem zauważył, że statek rzeczywiście się przechylił – o jakieś piętnaście stopni. Ale tak szybko? Minęły zaledwie trzy lub cztery minuty od momentu trafienia. Jak mógł nabrać aż tyle wody?

Obok niego przebiegł oficer. John złapał go za rękaw.

– Co się dzieje? – spytał. – Co powinniśmy robić?

– Kapitan zarządził, żeby spuszczono szalupy – usłyszał. – Ster się zablokował. Straciliśmy zasilanie. Nabieramy wody.

– Straciliśmy zasilanie – powtórzył John, gdy mężczyzna już odbiegł.

Pomyślał o ludziach w ładowni i tych, którzy zdążyli wejść do windy.

Gdy on rozmyślał o tym horrorze, statek zaczął zataczać olbrzymi okręg i coraz bardziej przechylać się w stronę gładkiej jak lustro tafli oceanu.

Octavia przez chwilę była w stanie jedynie przyglądać się leżącemu nieruchomo na podłodze mężowi. Wreszcie podbiegła do niego, opadła na kolana i położyła ręce na jego ramionach.

– Williamie! – zawołała. – Williamie, co ci jest?

Nie usłyszała odpowiedzi. Twarz jej męża powoli traciła rumieńce, które wykwitły w trakcie kłótni.

– Amelie! – krzyknęła. – Amelie, chodź tutaj!

Pokojówka musiała przez cały czas podsłuchiwać pod drzwiami, bo natychmiast wpadła do pokoju. Na widok lorda Cavendisha pisnęła z przerażeniem.

– Powiedz na dole, żeby natychmiast zadzwonili po lekarza – poleciła Octavia. Próbowała poluzować Williamowi kołnierzyk. – I przyprowadź kogoś, kogokolwiek znajdziesz. Musimy przenieść go na łóżko.

Amelie się nie odezwała. Wybiegła na korytarz. Octavia usłyszała jej kroki na schodach, a potem podniesione głosy.

– William, William – szepnęła.

Przyłożyła mu palce do szyi w poszukiwaniu pulsu. Okazał się ledwo wyczuwalny.

– O mój Boże – westchnęła. Widząc go leżącego na podłodze, zapomniała o tym, co wcześniej o nim myślała. Nie był już oschłym, nieco apodyktycznym człowiekiem, ale kimś więdnącym, bezradnym, szarym.

Amelie ponownie wpadła do sypialni. Za nią wbiegł lokaj. Razem przenieśli Williama na łóżko.

– Dajcie wody – rozkazała Octavia. – Sprawdzimy, czy uda się go odrobinę napoić.

– Proszę pani, tu są sole trzeźwiące – ośmieliła się zaproponować Amelie.

Małą buteleczkę, którą dziewczyna znalazła w garderobie, podstawiono Williamowi pod nos. Mrugnął raz czy dwa, po czym odwrócił gwałtownie głowę.

– Na litość boską, zabierz to ode mnie!

Wszyscy odetchnęli z ulgą. William otworzył szeroko oczy i zaczął się rozglądać. Spróbował się podnieść.

– Nie, nie – zaoponowała Octavia. Popchnęła go stanowczo z powrotem na poduszki. – Musisz leżeć spokojnie, miałeś atak. Lekarz już jedzie.

– Nie mogę tu zostać – zaprotestował. – Muszę jechać po Harry'ego. Muszę jechać do Folkestone.

– Nigdzie nie pojedziesz – oznajmiła Octavia i wzięła go za rękę.

Boulogne-sur-Mer. Wieczór.

Cóż za miło brzmiąca nazwa, pomyślał Harry Cavendish. Sur-Mer. Sur-Mer. Nad morzem. Miłe nadmorskie miasteczko, tak podobne do leżących po drugiej stronie Kanału. Prosta i skromna promenada. W pobliżu portowego muru stał ogromny hotel Casino z szerokim błękitnym dachem. Obecnie pełnił rolę szpitala. Przywodził na myśl miejsca w rodzaju Scarborough. Miękki piasek, kabarety, hotele. Światła odbijające się w falach przypływu. Długie połacie mokrej plaży zalewane wodą i pomarszczone od morskich prądów.

Kiedy był chłopcem, bawił się na plażach w rodzaju tej w Scarborough, na wybrzeżu Yorkshire. Szczęśliwe czasy. Między palcami miał piasek, matka zostawała gdzieś daleko z tyłu; siedziała na ozdobnym leżaku przyniesionym na plażę przez jednego ze służących i dusiła się pod parasolem w jasnej, letniej sukience.

Mały król biegał, gdzie chciał. Jego matka znosiła upał przez godzinę czy dwie, po czym wracała do jednego z tych przypominających tort weselny hoteli ze szklanymi dachami, pomalowanymi na biało sklepieniami i ścieżkami obsadzonymi różami. Szczęśliwy mały król, który tupał nogami i wrzeszczał na niańkę, kiedy musiał wracać. Rozpuszczony mały książę, uznał teraz. Jego siostra Louisa chodziła za nim krok w krok w swoich płóciennych, bufiastych spodenkach, wykrochmalonej sukience i słomkowym kapeluszu zawiązanym wstążeczką. Wyglądała na spokojną i opanowaną. Nawet w najgorętsze dni zachowywała urok dziecka z pocztówki.

Mój Boże, jak się cieszył, że Louisy tutaj nie ma i nie może zobaczyć Boulogne-sur-Mer w dzisiejszym stanie. Miał nadzieję, że nie przyjdzie jej do głowy zostać wolontariuszką. To doświadczenie by ją załamało, zszargało nerwy. Wprawdzie potrafiła postawić na swoim, ale to nie jest coś, czego tutaj potrzebowano. Dziewczyna – a wiele dziewcząt z wyższych sfer pomagało żołnierzom – musiała przymykać oczy na wiele spraw, musiała też być wytrwała albo serdeczna. Louisa nie posiadała żadnej z tych cech.

Harry uniósł się na łokciu.

Znajdował się na przedzie długiego rzędu mężczyzn. Nosze leżały na ziemi wzdłuż nabrzeża. Dok – tak samo jak skromna promenada, piaski i Casino, właściwie wszystko, nawet łodzie rybackie, strome uliczki z lichymi domkami i chodniki – był częścią wojny. Wokół panował ustawiczny hałas. Statki przypływały, wyładowywały towary, wypluwały z siebie tłumy mężczyzn w mundurach, tabuny koni albo stosy karabinów i góry sienników. Kolejne statki wypływały, ciężkie od rannych, wraków maszyn i ludzi.

Na nabrzeże prowadziły tory kolejowe, powietrze przecinał dźwięk sunących wagonów i syk lokomotyw. Konie, które prowadzono na stały ląd, płoszyły się. Od czasu do czasu zmuszano je do posłuszeństwa. Ich łajno śmierdziało, mieszając się ze wszystkimi innymi gryzącymi zapachami – benzyny, potu, nieszczęścia.

Niektóre konie wyczuwały to: dało się to dostrzec w ich szeroko otwartych oczach i w tym, jak szarpią łbami. Niektóre zwierzęta wysiadały z łodzi chore po morskiej podróży, tak samo jak ludzie. Żołnierze jednak maskowali słabość żartami, szturchali się łokciami, tupali, żeby pokazać, jak twarde jest nabrzeże pod nimi, robili miny, jakby zbierało im się na wymioty. Konie nie miały innego języka niż piana na pysku, parskanie i drżenie mięśni na grzbiecie.

Harry naliczył osiemdziesiąt par noszy po prawej stronie. Dziesięć po lewej. Spojrzał na leżącego obok mężczyznę o ostrych rysach twarzy, w stopniu kapitana. Do tej pory spał. Teraz jednak otworzył oczy i patrzył na Harry'ego.

– Dzień dobry – odezwał się z akcentem z wyższych klas. – Obaj się zdrzemnęliśmy. W tym bałaganie to nie lada sztuka, prawda? – Uśmiechnął się. – Powinno się raczej protestować przeciwko temu, że rzucają człowieka na bruk.

– Nie jest to pięciogwiazdkowy hotel.

Mężczyzna zaśmiał się głośno.

– Pięciogwiazdkowy hotel! Mój Boże, kiedy dotrę do Londynu, wynajmę apartament w Claridge'u i zaproszę do towarzystwa jakąś miłą panią. – Mrugnął do Harry'ego. – Będzie moimi rękami.

Harry spojrzał w dół. Obie dłonie kapitana były tak spowite bandażami, że wyglądały jak bele materiału.

– Uścisnąłbym panu prawicę, ale sam pan widzi...

– Harry Cavendish. – Harry poklepał rodaka po ramieniu przyjaznym gestem.

– John Hooge-Haldane.

– Ach, Hooge.

– Oczywiście, to troszkę ironiczne, jeśli weźmie się pod uwagę, gdzie obecnie walczymy.

– Czy wciąż trzymamy tam front?

– Od czasu do czasu. – Haldane westchnął głęboko. – Obawiam się, że dwudziesta ósma została rozniesiona. Ciężkie straty. Dziesięć tysięcy albo więcej.

– Dziesięć tysięcy!

– Mówią, że od końca kwietnia w tamtym rejonie zginęło ponad czterdzieści tysięcy ludzi. Szwaby odgrodziły się drutem kolczastym, którego nie możemy przeciąć. No i artyleria... brakuje amunicji.

Harry na moment przymknął powieki.

– Jechałem tamtędy – mruknął. – W szpitalnym pociągu. Zatrzymywał się i ruszał.

Otworzył oczy i spojrzał na ręce Haldane'a.

– Chce się panu pić? – zapytał.

– Cholernie.

Harry miał przy sobie manierkę, Caitlin dała mu ją w pociągu. Woda pochodziła z kolejowego bojlera. Ale to bez znaczenia, najważniejsze, że była mokra. Z pewnym trudem wyciągnął manierkę spod koca. Haldane nie próbował nawet poruszyć rękami, które śmierdziały środkiem odkażającym. Przez bandaże przesączało się coś brązowawego. Harry zdołał pochylić się nad noszami Haldane'a. Jego własne nogi i biodra wydawały się zrobione z gliny. W końcu udało mu się wlać strużkę płynu do ust mężczyzny.

– W porządku?

– Dzięki.

Harry spojrzał w dół na okryty kocem kształt. Jego towarzysz nie miał na sobie munduru, ale – co zakrawało na szaleństwo – spodnie od piżamy w paski.

– Wyciągnęli je z mojego kufra w Bailleul.

Przez chwilę Harry myślał, że mężczyzna zwariował, że ten kulturalny człowiek powiedział „Balliol". Może wyobrażał sobie, że znów jest w Oksfordzie? Wtedy Harry zrozumiał, że chodziło mu o nazwę francuskiego miasta we Flandrii. Był tam szpital polowy, mówiła mu o tym Caitlin. Żeby nie zasnął, zmuszała go do powtarzania nazw szpitali, w których pracowała: Bailleul, Armentieres, Ypres.

– Ho, ho – stwierdził Haldane. – Moja przeklęta piżama.

– Jak to się stało?

– Cały cholerny mundur się na mnie zapalił. Musiałem go ściągnąć. Był zalany benzyną.

– Rzucają teraz benzyną?

Ochrypły, rzężący śmiech.

– Szwaby nie musiały niczym we mnie rzucać. Mój kapral usiłował rozpalić ognisko.

Harry nie wiedział, co powiedzieć. To z pewnością musiał być żart. W końcu szepnął:

– Och, co za pech.

– Cholerny, nieudolny drań – warknął mężczyzna. – Zrobił ze mnie pośmiewisko, a z siebie zwłoki. Spalił cały namiot – parsknął. – Niezbyt szlachetna rana, nie uważa pan? Nie będzie się czym pochwalić w kraju naszym drogim współobywatelom.

– Chyba rzeczywiście nie będzie.

– Chodzi o to... – zaczął kaszleć. Przez jakiś czas zmagał się z atakiem. Po chwili odzyskał głos. – Słyszał pan o bitwie o wzgórze sześćdziesiąte? Zaatakowano nas pierwszego maja. Zbombardowali, a potem rzucili gaz.

– Widziałem ludzi, którzy padli jego ofiarą.

– Straszne... – wymamrotał Haldane. – Gaz doszedł do okopów, a wtedy zaczęli bombardowanie z obu skrzydeł batalionu. Oczywiście wzięliśmy odwet... Wie pan, przeżyłem to. Co za pieprzona ironia – niech mi pan wybaczy słownictwo – że przeżyłem to, a potem zdarzyło mi się coś takiego. A tyle jest do zrobienia... – zamilkł, po czym ponownie odzyskał wściekły animusz. – Straciliśmy dziewięćdziesięciu ludzi z batalionu, zatruli się gazem. Pięćdziesięciu sześciu w szpitalu polowym.

Znów zaczął kaszleć.

– Niech pan odpocznie, kolego.

Nie zanosiło się jednak na to, by Haldane miał w planach odpoczynek.

– Pułkownik powiedział, że to była mieszanka chloru i bromu. Wie pan, co się wtedy dzieje? Człowiek próbuje wykaszleć coraz gęstszą wydzielinę, a w końcu się dusi. Kaszle, żeby się tego pozbyć, ale to tylko pogarsza sprawę. Człowiek się topi, oddychając.

Harry zastawiał się, czy Caitlin to widziała.

– Przeżyłem to. Wróciłem do Bois Confluent. A przynajmniej w pobliże. Złożyłem raport. Czułem, że tego dnia zrobiłem coś ważnego, odparłem ich. Nie miałem dla nich litości za używanie tak obrzydliwych sztuczek. Francuzi byli tuż przy linii frontu. Dostali baty, powiem panu, jeszcze gorsze niż my. Pisałem... i wtedy ten cholerny kapral...

Haldane zaczął się śmiać. Wyciągnął przed siebie zabandażowane dłonie.

– Zrobiłem to sobie, próbując zedrzeć z niego ubranie. Zapalił się jak cholerna pochodnia. Głupiec. – Nagle odwrócił głowę. – Cóż to, u diabła, za kwiki?

Harry popatrzył.

– Próbują załadować konie do pociągów.

Obaj zerknęli w tym samym kierunku. Wielki szary shire odmawiał wejścia na rampę. Zwiesił głowę. Musiał mieć sześć stóp albo więcej. Sfrustrowani żołnierze przestali go popychać. Zamiast tego obwiązali konia szeroką taśmą i mocno pociągnęli. Z każdej strony napinało się po dwóch ludzi. Mimo to koń ani drgnął.

– Biedne zwierzę – mruknął Haldane.

– Tak. Nie lubią tego – zgodził się Harry. Nagle niemal usiadł. – Na Boga, ja znam tego konia!

Ale pomiędzy nimi a pociągiem chodziło tylu ludzi, że trudno było się przyjrzeć.

– Naprawdę?

– Jestem przekonany, że... – zaczął Harry. W tej samej jednak chwili shire wreszcie ruszył i po chwili zniknął w wagonie. Łeb wciąż miał pochylony, szedł na wpół odwrócony. Harry zmarszczył brwi, teraz nie był już pewien. – Może nie... – mruknął. – To z pewnością niemożliwe.

Z daleka, ze starej przystani, dobiegały dźwięki muzyki, przebijając się przez hałas. Zarówno Harry, jak i Haldane odwrócili głowy w tamtą stronę.

– Ludzie się bawią – szepnął Haldane. – Ależ mają szczęście.

– Tak – powiedział Harry. – Nieziemskie.

Haldane spojrzał na stojący w porcie statek.

– To chyba nasza łajba, nie wydaje się panu?

– Tak.

– Zdezelowany mały prom.

– A jednocześnie bilet do domu.

Haldane ponownie położył się na noszach i popatrzył w niebo.

– Wstałbym i wybrał się na przechadzkę, gdyby nie ta piekielna piżama.

– Nie wiem, czy mogę chodzić – przyznał Harry.

– Co, nie zabrali pana na spacer?

– Raczej przewlekli z łóżka na nosze.

– Daję głowę, że na tyłku.

Harry się roześmiał. To był pewnie pierwszy raz, kiedy się roześmiał od wyjazdu z Anglii. Zaśmiał się szczerze, bo przypomniał sobie, jak człapał i powłóczył nogami przed Caitlin oraz jak klął przy tym.

– Szczególnie zaimponowałem jednej z pielęgniarek.

– Och, my wszyscy zrobiliśmy wrażenie na pielęgniarkach – parsknął Haldane. – Niech pan spróbuje sikać z takimi rękami. Biedaczki musiały gmerać w poszukiwaniu mojego małego i go trzymać. Szczanie przez pośrednika. – Spojrzał znacząco na Harry'ego. – I muszę powiedzieć, że ma pan pecha, przyjacielu. Bo o ile się nie mylę, pan również będzie musiał wkrótce to dla mnie zrobić.

Harry opadł na nosze i obaj śmiali się, aż łzy popłynęły im z oczu.

– Pieprzony kapral... – sapnął Haldane. – Nie został mi ani jeden palec...

To wszystko, w całym swoim okrucieństwie, wydawało się takie zabawne.

Po chwili przestali się śmiać i patrzyli na siebie – dwóch zniszczonych chłopaków z uprzywilejowanych rodzin. Tak naprawdę wciąż byli dzieciakami, doświadczyli jednak tyle, ile niektórzy przez całe życie. Wpatrywali się w swoje usmarowane i spocone twarze.

– Ma pan rodzinę? – spytał wreszcie Haldane.

– W Yorkshire.

– Tam pan dołączył do lotników? – Haldane zauważył, co zostało z jego munduru.

– Tak. I wrócę.

– Do rodziny?

– Nie – odparł szybko Harry. – Do korpusu. Potrzebują każdego pilota.

Haldane otworzył usta, jakby chciał coś powiedzieć, ale najwyraźniej się rozmyślił. Zerknął tylko na bezwładne ciało Harry'ego rozciągnięte na noszach.

– Miałem raczej na myśli, czy wróci pan do Yorkshire, kiedy przedostaniemy się na drugą stronę.

Harry uświadomił sobie, że w ogóle nie zastanawiał się nad tym, co zrobi, kiedy z powrotem znajdzie się w Anglii.

– Sądzę, że umieszczą nas w szpitalu blisko portu.

– Wyślą pana na wieś. Nie mogą wszystkich tam trzymać, prawda?

Rzeczywiście, to było logiczne. Zdał sobie sprawę, że myślał tylko o sobie. Sądził, że poskładają go i będą trzymać w pobliżu Folkestone, by wysłać z powrotem do Francji tak szybko, jak to możliwe.

– W takim razie rzeczywiście, dom... – wymamrotał.

– Żona czeka?

– Nie – zaprzeczył. – A na pana?

– Jestem cudownie nieobciążony, stary druhu.

Obaj się uśmiechnęli, ale Harry dodał:

– Mam córkę.

Haldane uznał, że nierozsądnie jest ciągnąć temat i znów spojrzał na statek. Ta cisza, niechęć do omawiania własnych tragedii i strat, stanowiła część żołnierskiego losu. Harry widział to wcześniej. Unikano rozmów o dzieciach i żonach. Po prostu się o tym nie mówiło, a on nigdy nie zastanawiał się dlaczego, aż do tej chwili. Nie mówiło się, żeby nie myśleć o wszystkim, co zostawili w domu. Nie mówiło się, bo wspomnienie kochających ramion kobiety, rodzica albo dziecka byłoby nie do zniesienia. Harry słyszał kiedyś, jak jeden z oficerów mówił o swojej świeżo poślubionej żonie.

– Kiedy myślę o niej, o tym, co może się z nią stać, kiedy mnie nie będzie... Kiszki wywracają mi się na lewą stronę...

Pozostali mężczyźni w kantynie odwrócili głowy dokładnie tak samo jak Haldane. Nie z braku zainteresowania, wręcz przeciwnie. Oficer powiedział na głos to, czego bał się każdy.

Oczywiście, byli też inni. Zdawali się tak pewni siebie, tak zadufani, przekonani o własnej wspaniałości. Mieli ogromny apetyt na zaszczytną walkę i nigdy nie myśleli o rodzinach, które zostawili w domu. Nie zastanawiali się, czy się martwią. Zdaniem Harry'ego wina nie leżała po ich stronie. Cały proces szkolenia układano tak, żeby wyplenić im z głów podobne myśli. Kobiety, dzieci, radość, romanse – należały do innego świata. Podobne sprawy mogły ich niebezpiecznie rozpraszać. Bywało, że wspomnienie małej rączki Cecelii wracało do niego we śnie i powodowało żarliwe pragnienie zobaczenia jej, coś na kształt ogromnego głodu duszy.

Ale przez większość czasu zachowywali się, jakby wojna była jednym wielkim źle zorganizowanym przyjęciem. Pewien znany mężczyzna powiedział to nawet publicznie, powodując w zeszłym roku ogromne poruszenie. Harry próbował przypomnieć sobie jego imię. Granville? Nie, nie Granville. Pisali o tym w gazetach... Grenfell. Julian Grenfell.

Wyciągnął rękę i dotknął ramienia Haldane'a.

– Ten gość, Grenfell. Pamięta pan, co mówił? „Nigdy nie czułem się tak dobrze, ani nie byłem taki szczęśliwy". Zastanawiam się, co by powiedział, gdyby nas teraz zobaczył.

Haldane spojrzał na niego, zmieszany.

– Słyszałem, że gdzieś tu jest.

– Co, tutaj?

– W jednym ze szpitali. Ranny w głowę.

– Gdzie pan to słyszał?

– W szpitalu polowym. W okolicach Hooge.

– Dobry Boże. Co za ponura sprawa. – Harry zamilkł. – A takie się zrobiło zamieszanie, kiedy nazwał wojnę przyjęciem czy czymś w tym rodzaju.

– A nie miał racji? – Haldane uśmiechnął się drwiąco.

Dziwne pytanie.

– A niech mnie zaraza, jeśli wiem – powiedział Harry.

Zamyślił się. Cóż... Czy Grenfell miał rację, on i jemu podobni w blasku sławy? Grenfell otrzymał Order za Wybitną Służbę. Nie było lepszego. Walczył w Królewskich Dragonach, stał się bohaterem. Zdjęcie w „Timesie" pokazywało przystojnego mężczyznę, który otrzymał odznaczenie za zabijanie niemieckich snajperów. Polował na nich, tak jak Harry często polował na jelenie z własnym ojcem. Była to umiejętność nabyta w trakcie arystokratycznych rozrywek.

Zastanawiał się, czy Grenfell także leżał godzinami na wilgotnej ziemi i czekał na ten krótki moment, kiedy jego ofiara podniesie głowę. To jednak nie to samo, co polowanie na ptaki łowne czy zwierzynę. Chodziło o ludzi. Strzelenie człowiekowi między oczy różniło się od strzelenia między oczy jeleniowi. A może nie? Może wszyscy byli zwierzyną, a ludzi pokroju Grenfella i Haldane'a nauczono polowania na nią? Nagle zrobiło mu się niedobrze. Haldane pochylił się nad nim, opierając się na łokciach.

– W porządku, przyjacielu?

– Biedny Grenfell – wymamrotał.

Nie chciał mówić na głos, co przemknęło mu przez głowę. Wiedział, że to w złym guście.

– Chodził ze mną do Eton, do starszej klasy – powiedział Haldane. – Lubił trzaskać z bata. Był w tym diablo dobry.

– Bat – mruknął pod nosem Harry.

Baty i broń myśliwska. Zabawa, wszystko to zabawa... Haldane się poruszył.

– Nie mogę tu leżeć – jęknął. – Tak po prostu nie można. Traktują nas jak inwalidów. Doprowadza mnie to do szału.

Zdołał usiąść.

– Cześć, ty tam! – wrzasnął.

Wzdłuż szpaleru leżących powoli przemieszczała się wolontariuszka i nalewała rannym kakao z wielkiego parującego emaliowanego dzbana.

– Hej, tam, słodziutka! Proszę!

Spojrzała na niego.

– Zaraz do pana podejdę.

– Proszę, najdroższa dziewczyno, tylko na chwileczkę.

Uległa i ruszyła w ich stronę.

– Co się stało?

– Czy możemy prosić o wielką przysługę? Leżymy tu od kilku godzin. Czy mogłabyś przyprowadzić mi tutaj to ustrojstwo zwane wózkiem inwalidzkim?

– Och, nie! – powiedziała i spojrzała w miejsce, które wskazywał. – To byłoby wbrew przepisom.

Haldane się nachylił. Harry zauważył, że jego towarzysz to wprawny flirciarz. Nie należał do przystojniaków, ale miał w sobie coś nieprzyzwoitego akurat w wystarczającej ilości, żeby dziewczyna się zarumieniła.

– Powiedziałbym... – mruknął Haldane – ...że niezła z ciebie ślicznotka.

– Głupstwa – odparła. – Niechże się pan zachowuje.

– Nie utknęliśmy w tym nieszczęsnym porcie z powodu dobrego zachowania – odpowiedział ostro Haldane. – Co to, to nie. Cavendish jest pilotem. Łamie wszelkie zasady, jakie istnieją. Jechał pociągiem kilka dni, biedaczek. Musi porządnie usiąść i nabrać w płuca morskiego powietrza. Mógłbym się tym zająć, gdybyś tylko przyprowadziła wózek.

– Ale niedługo zaczną przenosić was na pokład.

Haldane uśmiechnął się do niej niewinnie.

– Obiecuję, że nie spóźnimy się na statek – zniżył głos. – O rany, aleź ty jesteś urocza. Takie piękne oczy.

Harry roześmiał się w duchu. Wolontariuszka ruszyła na poszukiwania.

– Nigdy się panu nie uda mnie na to wsadzić – ostrzegł Haldane'a.

– Jest pan pewien?

Haldane ukląkł i podpierając się przez sekundę na łokciach, wstał. Natychmiast się zatoczył. Wyglądał absurdalnie zawadiacko w spodniach od piżamy i narzuconym na wierzch płaszczu. Dziewczyna wróciła, popychając wózek, który skrzypiał złowieszczo.

– A teraz pomóż mi z tym szlachetnym pilotem – poprosił Haldane.

Zdołali go przenieść. Dziewczyna trzymała wózek, a Haldane włożył ramiona pod biodra Harry'ego. Ciężko było stwierdzić, który z nich głośniej jęczał.

– Pieprzone wiosła – przeklął Haldane własne ręce. Harry zagryzł wargi. Nogi, zwłaszcza kolana, miał mocno spuchnięte. Wolontariuszka sięgnęła w dół i wyciągnęła podpórki pod stopy.

– Tylko proszę, wracajcie szybko – szepnęła. – Wpakujecie mnie w niezłe kłopoty.

– Nigdy nie dałaś mi żadnego wózka – odparł Haldane z szerokim uśmiechem. – Rąbnę każdego, kto twierdzi inaczej.

Podskakujący na kocich łbach wózek okazał się dla Harry'ego prawdziwym narzędziem tortur. Ale wkrótce zobaczył w tym element czarnej komedii – mężczyzna w piżamie i płaszczu popychał wózek łokciami i od czasu do czasu zatrzymywał go wstawianą pod koło nogą. Harry siedział krzywo, czując się jak przerośnięte dziecko.

– Hej, ho, szczęśliwe dni – powiedział Haldane. – Chodźmy sprawdzić, kto to śpiewa.

Toczył wózek po nabrzeżu, trzymając się bezwzględnie środka drogi. Ciężarówki, samochody i bardziej mobilni piesi musieli ich wymijać. Na rozlegające się w proteście klaksony i przekleństwa kierowców Haldane reagował nonszalanckim machnięciem zabandażowanej dłoni.

– Zjeżdżaj z drogi, sukinsynu! – krzyknął jeden z kierowców.

– I tobie też miłego dnia! – wrzasnął Haldane.

Jakimś cudem dotarli do czegoś, co przypominało chodnik. Ku zaskoczeniu Harry'ego, w jednym miejscu wzdłuż ściany przystani cumowały łodzie rybackie. Skierowali się w ich stronę. Na nabrzeżu rozstawiono stoły, na których czyszczono ryby. Za stołami stały kobiety. To one śpiewały. Haldane zatrzymał wózek i obaj mężczyźni się zasłuchali. Słońce nad morzem powoli chyliło się ku zachodowi.

– Późny połów – zauważył cicho Haldane. – Ale mają szczęście, że w ogóle mogą wypłynąć.

Dziewczyna stojąca przy najbliższym stole wytarła ręce w płócienny fartuch i popatrzyła na nich.

– *Anglaise?*

– *Oui, m'selle.*

Uśmiechnęła się serdecznie. Wyglądała zwyczajnie – miała szeroką, szczerą twarz i przewieszony przez ramię warkocz – uśmiech był jednak anielski.

– *Vous êtes...*

Nagle beztroska Haldane'a pękła jak balon. Harry odwrócił się na tyle, na ile zdołał, i zauważył, że twarz jego towarzysza wykrzywiła się, zanim zdążył dokończyć komplement. Na pace za stołem siedziało dziecko, gryzło piąstkę i nie odrywało wzroku od Haldane'a.

– *M'sieur...* – zaczęła dziewczyna. Wskazała na chłopca, jakby chciała dać im do zrozumienia, że mogą przestraszyć dziecko.

Haldane natychmiast zawrócił fotel. Odkaszlnął i zaczął paplać z wymuszonym entuzjazmem.

– Tutaj przybijają amerykańskie statki. Płyną z Nowego Jorku do Rotterdamu. Tutaj cumują. A przynajmniej kiedyś tak było. Z kolei z Anglii codziennie przypływa parowiec. Albo... przynajmniej tak było. Kiedyś. Wpadłem tu z kumplem w tysiąc dziewięćset jedenastym na wycieczkę, wie pan? Wszystko z powodu plakatu.

– Plakatu?

– Takiego plakatu, który przyciąga do Francji młodych chłopaków – wyjaśnił. – Miłego plakatu przedstawiającego na plaży *mademoiselle* w różowej sukience, z jedną z tych falbaniastych parasolek w dłoni, a za nią stała kolejna, w kostiumie plażowym...

Harry poczuł w kieszeni złożony kawałek papieru. Dotknął go i uśmiechnął się na wspomnienie Caitlin, zapisującej na nim swoje imię i adres w Londynie. Caitlin Allington de Souza. „Cóż za niezwykłe imię" – zauważył, kiedy nieśmiało podawała mu kartkę. – „Czy powinienem je znać?" – Ona jednak nie odpowiedziała i zniknęła w tłumie ludzi opuszczających pociąg.

Spojrzał przez ramię na Francuzkę z dzieckiem. Podniosła małego i trzymała go teraz na biodrze. Chłopiec schował twarz w jej ramieniu.

– Chyba wyglądamy przerażająco – mruknął Harry.

– Zapewne tak – odparł Haldane.

Ruszyli w stronę statku.

Kiedy dotarli do linii noszy, Harry spojrzał na towarzysza.

– Te dni jeszcze powrócą – zapewnił go. – Wypady z przyjacielem, ładne dziewczyny na plaży. Ani się pan obejrzy.

– Mam nadzieję, że ma pan rację – mruknął Haldane.

Wybiła dziewiętnasta i na niebie pojawiały się pierwsze gwiazdy, kiedy nadeszła ich kolej wejścia na pokład.

W domu na Grosvenor Square Octavia miała wrażenie, że lekarz siedzi z Williamem już okropnie długo.

Wreszcie opuścił sypialnię męża i położył jej rękę na ramieniu w geście pocieszenia.

– Rozumiem, że wasz chłopak wraca dziś z Francji?

– Tak... właśnie otrzymaliśmy kolejny telegram. Statek jest opóźniony. Nie sądzą, żeby przypłynął wcześniej niż jutro o świcie, może nawet później. William zapewne się tym zamartwia.

– Istotnie.

Spojrzała w dół szerokich schodów prowadzących do wystawnego holu.

– Nie stójmy tutaj – zaproponowała. – Poprosiłam, żeby podano herbatę w salonie.

– Doskonale.

Ruszył przodem i z galanterią zaoferował jej ramię na półpiętrze. Poczuła się lekko zakłopotana – ledwie go znała. Był lekarzem Hetty de Ray, znacznie starszym niż ich rodzinny lekarz w Yorkshire. Nosił się oficjalnie: długi czarny fartuch, jak na jej gust zanadto przypominający strój grabarza. Jego twarz miała adekwatnie poważny wyraz.

Kiedy już usiedli wygodnie w salonie, Octavia odesłała pokojówkę.

– Sama naleję.

Poczekała, aż dziewczyna zniknie, i uśmiechnęła się słabo do doktora.

– Stoją jak owce. Nie ma już w Londynie ani jednej porządnie wyszkolonej dziewczyny. Myślę, że ta pochodzi ze wschodniej Anglii. Ledwie potrafię zrozumieć, co mówi, i mam wrażenie, że ona tak samo mnie nie rozumie.

Nagle zdała sobie sprawę, że trajkocze. W tej chwili nie było ważne, czy pokojówki są dobre czy złe.

– Przepraszam – mruknęła. – To bez znaczenia. Proszę powiedzieć coś o stanie mojego męża.

Lekarz siedział na krawędzi szezlongu w chińskie wzory. Wyglądało na to, że nie czuje się komfortowo w tak kobiecym wnętrzu.

– Z tego, co powiedział lord Cavendish... – zaczął. – Już od jakiegoś czasu ma taki problem.

– Mówi pan o jego sercu?

– Tak, istotnie.

– Ale nigdy nie wspomniał o tym ani słowem.

– Bóle w klatce piersiowej zdarzają mu się od ponad roku.

Podniosła rękę do ust.

– Od roku!

– Z mojego doświadczenia wynika, że tego rodzaju choroby postępują. Lord Cavendish jest starszym mężczyzną i trudne warunki...

– Co pan ma na myśli, mówiąc „trudne warunki"?

– Praca dyplomaty jest bardzo stresująca.

– Oczywiście.

– Do tego dochodzą długie podróże. Wieści o państwa synu. Ogólna skłonność większości mężczyzn, by tłumić cierpienie, unikać wizyt u lekarza, nie szukać porady. Wszystkie te czynniki się sumują – wyjaśnił.

– Sugeruje pan, że mąż za dużo od siebie wymaga?

– Tak, rzeczywiście.

– I ignoruje objawy.

– Owszem – przytaknął lekarz. – Sądzę również, że jego ojciec... to może być sprawa dziedziczna.

– Myśli pan, że jego ojciec chorował na serce?

– To tylko domysły. Z tego, co zrozumiałem, zmarł w wieku pięćdziesięciu sześciu lat, upadł.

– Tak mi się wydaje... William miał zaledwie szesnaście lat.

– Nie było sekcji zwłok, ale w takich okolicznościach należy wziąć pod uwagę, czy...

– Oczywiście – wymamrotała.

Patrzyła na swoją nietkniętą herbatę. Uświadomiła sobie, że nic nie wie o teściu, którego nigdy nie poznała, poza tym, że był łagodny i raczej oderwany od realiów tego świata. Zamykał się w Rutherford, zajęty botaniką i archeologią oraz innymi spokojnymi zajęciami, które przystoją dżentelmenowi. William znacznie więcej czasu spędzał w towarzystwie, zważywszy choćby jego pracę w parlamencie i ciągłe podróże między Paryżem a Londynem na zlecenie Ministerstwa Spraw Zagranicznych.

Podniosła wzrok na lekarza, starając się okazać opanowanie. Prawda była jednak taka, że nie potrafiłaby niczego powiedzieć o wewnętrznym życiu Williama. Odgradzał się od niej i trzymał większość spraw dla siebie. Jeśli nie spał w nocy i martwił się o Harry'ego, ona nic o tym nie wiedziała. Od miesięcy mieli osobne sypialnie.

Szczera prośba Williama, żeby zbliżyli się do siebie, jego niecierpliwość i wściekłość, niespodziewane zdjęcie odwiecznej maski – to nią wstrząsnęło. Nagle zdała sobie sprawę, że odkąd odszedł John Gould, żyła w jakimś odrętwieniu. Małżeńskie problemy zamietli pod dywan. Octavia próbowała zignorować własne potrzeby, starała się myśleć o dzieciach i o Rutherford Park, o wszystkich, byle nie o Gouldzie i kryzysie, jaki nastąpił rok wcześniej.

Zdołała tego dokonać. Wyłączyła uczucia, jak ktoś zakręca kurek albo zasłania kotary w oknie. Usiłowała sobie wmówić, że ostatecznie liczą się wyłącznie sprawy związane z Rutherford – nazwisko, potrzeba zachowania dyskrecji, pielęgnowanie długiej historii rodu bez skandali i pokątnych szeptów, unikanie najdrobniejszych rozdarć w gładkiej materii ich życia.

Nauczyła się dusić niewygodne wspomnienia. Uważała to za swój obowiązek, jeśli nie wobec siebie, to wobec dzieci, a nawet wobec Johna, który powinien mieć ładną młodą żonę i gromadkę cudownych dzieci. A jeśli płakała z tego powodu w zaciszu własnej sypialni? Cóż, zło konieczne. O ile udawało się jej myśleć logicznie i racjonalnie, całą energię wkładała w myślenie o przędzalniach w Blessington. To było coś rzeczywistego, coś, co mogła kontrolować, zmienić i ulepszyć. Inaczej niż własne życie.

Dotąd sądziła, że William radzi sobie w identyczny sposób: wyrzuca z głowy takie myśli. Z pewnością od miesięcy odgrywał rolę niewzruszonego męża. A dziś...

Poczuła, że robi jej się gorąco. Tego ataku nie spowodowała jego praca. Ani obrażenia Harry'ego, ani troska o Rutherford. Chodziło o nią. O nią i Goulda. O jego listy. O telegram wysłany na „Lusitanię". Mówiono, że można mieć złamane serce. To była popularna i nadużywana fraza. Słyszało się ją tak często, że wydawała się niemal bez znaczenia. Ale ona wiele razy w ciągu ostatniej jesieni, zimy i wiosny myślała, że już naprawdę wie, co to znaczy. Czuła ten nieprzyjemny miażdżący ból we własnej piersi. Może w przypadku Williama to nie była tylko przenośnia? Naprawdę poczuł...

– Och, proszę pani – odezwał się lekarz. – Proszę...

Nie zdawała sobie sprawy, że łka. Mężczyzna usiadł koło niej i poklepał ją po ręku.

– Tak mi przykro... – szepnęła.

– Nie ma potrzeby teraz się zamartwiać. Lord Cavendish, tak wnioskuję po wstępnym badaniu, jest w miarę dobrym zdrowiu. Nie ma nadwagi. Powiedział, że nie choruje na podagrę ani zapalenie stawów. – Uśmiechnął się pocieszająco. – Za pani pozwoleniem, chciałbym poprosić kolegę, specjalistę, o złożenie mu wizyty. Wydałby opinię na temat problemów z sercem. Istnieje bardzo duża szansa, że jeśli zapewni się pani mężowi całkowity spokój, wróci do zdrowia.

– To nie jest człowiek, który potrafi odpoczywać. Nie cierpi bezczynności.

– Nie będzie miał wyjścia. Leżenie w łóżku to na atak serca najlepsza terapia. Żadnych aktywności, hałasu, ciężkostrawnego jedzenia. Tylko wypoczynek.

– Ale Harry...

Doktor uśmiechnął się i zaczął zbierać rzeczy.

– Żadnych ale. Pani mąż nie może podróżować przynajmniej przez miesiąc. Jeśli można coś zasugerować, może wysłaliby państwo na przykład lokaja albo kogoś zaufanego? Skoro uważa to pani za koniecznie, by ktoś pojechał do Folkestone po syna.

Octavia wstała i odprowadziła lekarza do drzwi.

„Nie wyślę Coopera na spotkanie z Harrym w Folkestone" – pomyślała stanowczo, potrząsając ręką mężczyzny i dziękując mu za sugestię. – „Nie wyślę służącego na spotkanie z moim synem".

„Lusitania" wciąż zataczała krąg.

John Gould miał wrażenie, że statek przyspiesza, chociaż nie wydawało się to możliwe. Zapewne chodziło o gwałtowne zmiany nachylenia, przechył w stronę wody, który dawał złudzenie, że liniowiec płynie szybciej.

Na pokładzie panował chaos, absolutny bałagan. Głośniki nie działały, więc od czasu do czasu słychać było wykrzykiwane rozkazy oficera lub informacje dla pasażerów. Do Johna docierały pojedyncze słowa.

Kobiety i dzieci oczywiście wsiadały do szalup w pierwszej kolejności. Minęła go cała rodzina. Najwyraźniej przyszli z trzeciej klasy. Rozglądali się na boki i wlekli jak niezgrabny ślimak. Dzieci trzymały się spódnicy matki, a pośrodku grupy podtrzymywano i częściowo niesiono starszą kobietę. Przed nimi szedł mężczyzna, który próbował torować sobie drogę, krzycząc na cały głos:

– Moje dzieci... zróbcie przejście... moje dzieci!

Nikt nie zwracał na niego uwagi.

John przyglądał się tej niewielkiej procesji, kiedy wpadł na niego jakiś mężczyzna, niemal odbierając mu dech w piersiach. Gould go rozpoznał, jeden z tych, którzy każdego wieczoru grali w karty w palarni. Był czerwony na twarzy, śmiał się i trzymał cygaro.

– Przepraszam, stary druhu! – huknął. – Co się stało? Jakieś problemy?

– Zostaliśmy storpedowani – odpowiedział John.

– Storpedowani? – powtórzył mężczyzna i zaśmiał się głośniej. Śmierdział whisky. – Niech pan nie gada! Torpeda, co?

Ktoś inny, kolejny gracz, stanął obok nich.

– To nie torpeda, to mina.

– Będziemy musieli jakoś się dokulać! – ryknął pierwszy. – Do diaska! Spóźnię się na cholerny pociąg do Londynu.

Jakby w odpowiedzi na jego słowa statek ponownie się przechylił, wyprostował i ustawił pod innym kątem. Gdzieś z dołu dobiegł ich dźwięk tłukącego się szkła.

– Co to? – krzyknął. Twarz mu poczerwieniała. Rozlał whisky na buty Johna i kręcił głową na boki. – Cóż to u diabła było? – Ponownie odwrócił się do Johna. – Miałem parę asów. Niech diabli porwą cholernych Niemców. Parę asów!

John odszedł.

Przeciskał się przez tłum. Otaczający go ludzie znajdowali się w różnym stadium strachu, szoku i paniki. Minął dwie żałośnie łkające kobiety w średnim wieku. Położył rękę na ramieniu tej stojącej bliżej.

– Musi pani włożyć kamizelkę ratunkową – powiedział.

Kobieta odwróciła się do niego, zalana łzami.

– Boję się wrócić do kabiny – wyznała. – Co mamy robić?

– Gdzie jest pani kajuta? – spytał John.

– W pierwszej klasie... – Podała mu numer pokoju.

– Proszę tu poczekać.

Torował sobie drogę, aż znalazł drzwi prowadzące do kajut. Tu stanął twarzą w twarz ze stewardem. Za mężczyzną kłębili się pasażerowie, którzy zamierzali iść w górę po głównych schodach. Steward zatarasował przejście, odwrócił się i krzyknął:

– Łodzie ratunkowe są na pokładzie spacerowym. Idźcie na pokład spacerowy!

Tłum jednak napierał. John cofnął się i pozwolił się minąć. Instynkt kazał im wchodzić coraz wyżej.

– Wszystko w porządku – zapewnił go steward ponad głowami ludzi. – Oni mnie nie posłuchają, ale to nie szkodzi. Statek nie zatonie.

John spojrzał na niego i poznał po jego minie, że kłamie. Kiedy wypowiadał te słowa, John musiał zaprzeć się nogami o pokład, bo statek znów się przechylił. Uśmiechnął się do stewarda i zniknął za drzwiami.

Przypomniał sobie, co po obu stronach Atlantyku mówiono o ludziach, którzy przeżyli katastrofę „Titanica", jak ich szkalowano. Zdecydował, że tak źle nie będzie, nie wsiądzie do łodzi ratunkowej, jeśli na pokładzie wciąż będą kobiety i dzieci. Pobiegł tak szybko, jak tylko zdołał, w stronę kajuty kobiet. Po drodze minął własną. Otworzył drzwi. Jego kamizelka ratunkowa zniknęła.

W kajucie kobiet znalazł dwie kamizelki ratunkowe, elegancko złożone w szafie. Wyjął je stamtąd i wybiegł na korytarz, gdzie natknął się na nastolatkę, która kurczowo trzymała za rękę chłopca. Była kredowobiała.

– Wszystko w porządku? – spytał. – Dokąd idziecie?

Dziewczyna z trudem oddychała. Ledwie usłyszał jej odpowiedź.

– Zgubiliśmy mamę – wyjąkała. – Myśli pan, że poszła w tę stronę?

Podejmując natychmiastową decyzję, niepewny, czy kiedykolwiek uda mu się odnaleźć tamte kobiety, John ukląkł i założył dzieciom kamizelki. Zgadywał, że dziewczynka ma około czternastu lat, a chłopiec odrobinę mniej. Upewnił się, że paski są mocno pozaciągane i poklepał chłopca po ramieniu.

– Musisz być odważny. Potrafisz pływać?

– Tak – odpowiedział. – Moja siostra nie umie.

Dziewczynka zaczęła się trząść. Starannie zakręcone loczki po obu stronach jej twarzy zadrżały, a on poczuł przypływ smutku. Pod dziecięcym ubraniem kryła się młoda kobieta, chociaż wciąż przerażająco chuda. Pewnie rosła jak na drożdżach, pomyślał. Dorastała, wyrastała ze swojego dawnego ja. Nawet teraz, choć przerażona, była również skrępowana i zawstydzona. Brat spojrzał na nią ostro i wydął pogardliwie wargi. Patrzył na Johna, gotowy słuchać rozkazów. John złapał oboje za ręce.

– Chodźcie ze mną.

Ludzie wciąż próbowali dostać się na pokład. Na schodach panował ścisk. Jakiś mężczyzna uderzył Johna łokciem w twarz. W następnej chwili go nadepnął. Próbował przejść górą, po dzieciakach.

– Proszę uważać – upomniał go John. – Tu są młodzi ludzie.

– Niech ich szlag trafi.

John puścił rękę dziewczyny i złapał faceta za marynarkę.

– Zachowuj się pan jak dżentelmen – syknął mu do ucha.

Dziewczynka krzyknęła. Mężczyzna niemal oddarł jej kołnierzyk, próbując zrzucić ją ze schodów.

– A zatem po twojemu – powiedział John.

Puścił chłopca, złapał mężczyznę obiema rękami za włosy i pociągnął. Ten zatoczył się i o cal minął ludzi stojących niżej od niego. Ręką drapał ścianę, aż wreszcie runął jak kłoda na dole schodów.

– Och, dobrze mu tak – szepnęła jakaś kobieta.

John ponownie złapał dzieciaki i wybiegli na zewnątrz. Gould zobaczył, że mijana przed momentem kobieta włożyła kamizelkę w komicznie niezdarny sposób. Zatrzymał ją, kładąc jej ręce na ramionach.

– Nie dotykaj mnie! – wrzasnęła.

– Zatonie pani jak kamień, jeśli kamizelka będzie zawiązana w ten sposób – próbował wyjaśnić. – Proszę pani, założyła ją pani na odwrót. W wodzie obróci się pani głową w dół.

– Nie dostaniesz jej! – syknęła, więc oderwał ręce.

– Nie chcę jej. Zawiązała ją pani...

Ale kobieta pobiegła co sił w nogach i rzuciła mu przez ramię złowrogie spojrzenie.

Przed sobą ujrzał znajomą, elegancką sylwetkę Alfreda Vanderbilta. Milioner w typowy dla siebie, swobodny sposób uśmiechnął się do kobiety, która pojawiła się na pokładzie z dzieckiem w ramionach. Kiedy ich mijali, John usłyszał, jak Vanderbilt mówi:

– Proszę nie płakać. Wszystko w porządku.

– Nieprawda – westchnęła.

John zatrzymał się na moment i przyglądał się zdumiony, jak Vanderbilt spokojnie oddaje kobiecie własną kamizelkę ratunkową i zawiązuje sznurki.

Gould spojrzał na towarzyszące mu dzieci.

– Jak się nazywasz? – spytał dziewczynkę.

– Annalisa. A to jest Joseph. Mama poszła zobaczyć, co to za hałasy. Mieliśmy na nią zaczekać, ale potem inna pani powiedziała, że musimy opuścić kabinę.

– A ja nazywam się Gould. John Gould. Czy jest tu wasz ojciec?

– Nie – odpowiedziała. – Czeka na nas w Liverpoolu.

– Jak wygląda wasza mama? Jak ma na imię?

– Jest... jest bardzo ładna...

– Na pokładzie jest mnóstwo ładnych pań. Jak macie na nazwisko?

– Petheridge.

– Czyli szukamy pani Petheridge – powiedział John. – A więc, potomkowie Petheridge'ów, zatańczmy shimmy w drodze do łodzi.

Spojrzał na Annalisę.

– Umiesz tańczyć shimmy?

– Nie. – Zarumieniła się i uśmiechnęła.

– Nie wolno jej tańczyć – zdradził brat.

– Raz możesz zatańczyć tango, dobrze? – spytał dziewczynę John. – Zatańczymy dzikie tango na pokładzie spacerowym?

– Tak – szepnęła.

– Jest pan szalony – stwierdził Joseph.

– Masz rację – zgodził się John. – Jestem w tej chwili w stu procentach szalony.

Wydawało mu się, że woda w oceanie błyszczy jaśniej niż wcześniej, skrzy się we mgle. Nie widział innych statków, choć „Lusitania" z pewnością nadała sygnał SOS. Znajdowali się nie dalej niż milę lub dwie od lądu. W okolicy musiał być port, a w nim mnóstwo małych kutrów. Poza tym znajdowali się na ruchliwym szlaku handlowym. Musiały pływać tu większe łodzie... Zlustrował powierzchnię morza.

Gdzieś tam była łódź podwodna, która wystrzeliła torpedę. Czy kapitan teraz na nich patrzy? Obserwuje, co zrobił? Przez sekundę John miał wrażenie, że widzi peryskop daleko na pomarszczonej, opalizującej powierzchni wody. „Ty draniu" – pomyślał z wściekłością. – „Zająłeś dobre miejsce, żeby obejrzeć przedstawienie?".

– Ta pani nie czuje się dobrze – szepnęła Annalisa.

Spojrzał za wyciągniętą ręką dziewczynki. Na leżak opadła kobieta w zaawansowanej ciąży, trzymała się za brzuch i zanosiła płaczem z bólu.

– Ktoś inny jej pomoże – stwierdził John, ciągnąc Annalisę i Josepha przed siebie.

Przedzierali się w stronę łodzi, porwani przez falę pasażerów. Kilku mężczyzn podtrzymywało swoje żony w pasie i niemal je niosło, a one zdezorientowane powłóczyły nogami. Dzieci przycisnęły się bliżej. Słyszał, jak Annalisa od czasu do czasu krzyczy albo jęczy, kiedy ktoś ją nadepnął lub ją popchnął. Joseph nie odzywał się wcale, chociaż w pewnym momencie potknął się i John musiał postawić go na nogi. Cała trójka straciła wtedy równowagę.

– Ostrożnie! – krzyczał John. – Uwaga na dzieci!

Dotarli do szalupy. Właśnie ją spuszczano, chociaż wyraźnie było widać, że statek jest przechylony o co najmniej trzydzieści stopni. John spojrzał na bujające się na żurawikach łodzie i w chwili dziwnego spokoju pomyślał całkiem rozsądnie, że nie da się opuścić łodzi, kiedy statek znajduje się w takiej pozycji.

Na mostku pojawił się kapitan Turner. Coś krzyczał.

– Co on powiedział? – spytał John oficera, który stał trzy czy cztery osoby dalej i podobnie jak on gapił się na łodzie. Oficer się odwrócił.

– Mówi, żeby nie opuszczać łodzi.

– Dlaczego? Dlaczego? – wrzasnął facet obok oficera. – Niech kobiety i dzieci wsiadają, statek tonie!

– Statek nie tonie – zaprzeczył oficer. – Stoi na mieliźnie.

Zaczął odpychać i przesuwać ludzi, żeby dostać się na przód tłumu.

– Wysiadać z łodzi!

Mężczyzna, który krzyczał, że toną, odwrócił się i spojrzał Johnowi prosto w oczy.

– Dziób się zanurza – powiedział niskim, okrutnym tonem, pełnym wściekłości i żądzy mordu. – Czy oni tego nie widzą? Statek nie stoi na mieliźnie. On tonie.

Nastąpił chaos, kiedy oficerowie zaczęli wywlekać z łodzi pasażerów, którzy zdołali dostać się do środka. Jedna z bogato ubranych kobiet, w grubym, obszytym futrem płaszczu, z kapeluszem zawiązanym błękitnym szyfonowym szalem, upierała się, że nie wykona rozkazu.

– Proszę zabrać ode mnie ręce! Precz!

Łódź ratunkowa zatrzęsła się i zakołysała. Pozostali pasażerowie mocno przywarli do burt.

Nagle stojący przed nimi mężczyzna podszedł i wyciągnął rewolwer z wewnętrznej kieszeni marynarki. Wycelował w oficera.

– Jeśli nie opuścicie tej łodzi na wodę, strzelę – zagroził. – Mówię poważnie. Zabiję pana. Moja żona jest w tej łodzi.

John pociągnął Annalisę i Josepha.

– Chodźcie – polecił. – Spróbujemy z drugiej strony.

– Co mówił ten pan? – chciała wiedzieć Annalisa. Zaczęła płakać.

– Nieważne – odpowiedział John.

Popychał i odsuwał ludzi przed sobą. Oni rewanżowali się tym samym. Pasażerowie przepychali się w różne strony, na obydwie burty statku. Ktoś uderzył go mocno w plecy, chyba pięścią, ale ścisk był zbyt duży, żeby się odwrócić.

W szamoczącym się tłumie lamentujących pasażerów John usłyszał wyraźny i spokojny głos Josepha.

– Wie pan, ile jest łodzi?

– Nie, nie wiem – odparł John. – Ale miejsca wystarczy dla wszystkich.

Serce tłukło mu się w klatce piersiowej. Gładkie, białe od słońca morze wydawało się znajdować coraz bliżej. Pod stopami wyczuł kolejną, tym razem cichszą eksplozję.

– Są dwadzieścia dwie z poszyciem zakładkowym i dwadzieścia sześć składanych – powiedział Joseph.

John spojrzał na niego, zaskoczony. To był typowy rodzaj informacji, jakiej szukali chłopcy – ile jest łodzi ratunkowych, ile silników, ile pokładów.

– Cóż, to dużo – John postarał się uśmiechnąć.

– Powinniśmy być bezpieczni – poinformował go Joseph.

Minęło zaledwie dziesięć minut, odkąd statek został zaatakowany. Gdy dostali się na sterburtę, John zobaczył, że niektórzy próbują przeskoczyć przepaść dzielącą statek od wściekle kołyszących się łodzi. Inni trzymali się z tyłu i spoglądali na morze. Znajdowali się jakieś osiemdziesiąt, dziewięćdziesiąt stóp nad powierzchnią. John spojrzał w dół i pomyślał, że to cholernie wysoko. W tej samej chwili zdał sobie sprawę, że nie ma koła ratunkowego ani niczego w tym rodzaju. „Zginę" – pomyślał. To była prosta prawda. Stał i patrzył na szalupy. Ludzie pędzili na lewą burtę, która znajdowała się teraz znacznie wyżej niż prawa, mimo że rozsądek wskazywał, że znacznie trudniej opuścić łódkę z lewej burty niż z prawej.

Jakieś dwadzieścia jardów dalej dostrzegł Roberta Matthewsa i Annie. Obejmowali się przy relingu, ale nic w ich zachowaniu nie wskazywało na to, by Annie zamierzała wejść do łodzi ratunkowej. Patrzyli w dół. Annie trzymała głowę na ramieniu Roberta. Kiedy porwał ich tłum, John się odwrócił. Robert mówił coś do Annie, uniósł jej dłoń i pocałował. John nie mógł przestać myśleć o tym, jak bardzo Annie denerwowała się, kiedy czekali w nowojorskim porcie. On i Robert uspokajali ją, może nawet odrobinę śmiali się z jej lęków. John chciałby ją przeprosić. W następnej chwili jednak stracił ich zupełnie z oczu.

Przepchnął się w stronę łodzi, która była pełna kobiet i dzieci. Część z nich krzyczała, inni płakali, reszta siedziała w milczeniu, bladzi ze strachu. Łódź wisiała nad przepaścią tuż obok burty statku.

– Weźcie te dzieci! – krzyknął.

Annalisa się zatrzymała.

– Nie mogę wsiąść bez matki.

Popchnął ją bezceremonialne w stronę burty.

– Obiecuję, że znajdę waszą matkę – powiedział. – Po prostu wsiądź.

Spojrzała na niego.

– Matki tam nie ma – powiedziała. – Nie ma jej w szalupie. Okłamuje mnie pan, wcale nie będzie jej pan szukał.

Stała sztywno, z łokciami przyciśniętymi do boków i zaciśniętymi pięściami. Popchnął ją, ale ona nie ruszyła się nawet o cal.

John odwrócił się do jej brata.

– Joseph – poprosił. – Musisz przekonać siostrę do wejścia na łódkę i pójść za nią. Rozumiesz?

Joseph nie odpowiedział. Ale skinął głową.

Statek trzeszczał. Kable telegraficzne i liny rozpięte między kominami a pokładem napinały się z wysiłkiem. Z dołu dobiegł ich potworny dźwięk przesuwających się, pękających mebli, które roztrzaskiwały się o sterburtę we wspólnych salach. Teraz przechylali się szybciej. Niższe pokłady musiały już znajdować się pod wodą. A minęło zaledwie kilka minut, odkąd ich trafiono. Dwanaście, trzynaście? Z pewnością nie więcej...

Jacyś mężczyźni próbowali opuścić dwutonową łódź, ale byli wśród nich tylko pasażerowie. „Gdzie jest załoga?" – zastanawiał się John. Musiała zostać uwięziona pod pokładem. Nie było nikogo, kto wiedziałby, co robić. Nikogo.

Popchnął Annalisę i Josepha do barierki i podniósł dziewczynę. Kopała i krzyczała: „Nie, nie!". Właśnie kiedy John chciał postawić ją z powrotem, jakiś mężczyzna złapał ją i rzucił. Wylądowała w łodzi i złapało ją kilka kobiet.

– Teraz ty – polecił Josephowi. – Szybko, szybko.

Ale Joseph złapał się barierki.

– Nie mogę tego zrobić – powiedział.

– To tylko kilka stóp.

– Nie o to mi chodzi. Najpierw kobiety i małe dzieci. Ja nie jestem mały. Mam dwanaście lat.

John spojrzał w jego żałośnie poważną twarz. Chłopiec nie zamierzał się poddać. Objął go ramieniem.

– Dobrze – ustąpił. – Będziemy musieli zapamiętać. Annalisa jest w łodzi dwunastej.

Dwóch mężczyzn i kobieta zaczęli wspinać się na zwisające liny, żeby dostać się do szalupy. Przemieszczali się szybko jak kraby. Żadne z nich nie miało kamizelki. Mężczyzna stanął na barierce „Lusitanii" i próbował postawić drugą nogę na krawędzi łodzi ratunkowej. Ciężar uwieszonych na linach pasażerów sprawił, że dziób zaczął opadać. Oficer krzyknął:

– Opuszczajcie ją szybciej przy rufie!

John spojrzał na Annalisę.

– Joseph! – krzyczała. – Joseph!

Nagle łódź opadła od strony rufy. „Za szybko ją poluzowali" – zdążył pomyśleć John. W następnej chwili szalupa przechyliła się i poleciała osiemdziesiąt stóp w dół, rufą do wody, w locie wyrzucając pasażerów.

Wszystko stało się w ułamku sekundy. John wychylił się, przerażony. Łódka dryfowała do góry dnem. Na wodzie unosiło się kilka ciał, a gdzieniegdzie na powierzchni pojawiały się twarze kolejnych osób. Annalisa zniknęła, podobnie jak kobiety, które ją przytrzymywały.

John z trudem utrzymywał równowagę. Wokół rozległy się krzyki i nawoływania osób, które w tym samym czasie próbowały zwodować łódź numer czternaście. Pasażerowie opuszczonej do połowy szalupy zdali sobie sprawę, że wiszą nad przewróconą łódką i że popycha ją w ich stronę prąd wytwarzany przez coraz szybciej tonącą „Lusitanię". John kątem oka zauważył bijące powietrze ramiona i skłębiony, krzyczący tłum. Jednocześnie usłyszał jęki, kiedy liny trzymające łódź czternastą pękły. Poleciała w dół i wylądowała na głowach pasażerów szalupy dwunastej, którzy miotali się w wodzie.

Odwrócił Josepha, przycisnął go do siebie, próbując przesłonić mu tę scenę.

Kawałek dalej łódź osiemnasta wychyliła się w stronę burty. Uderzyła o „Lusitanię", po czym wbiła się w stojący tam tłum ludzi. John ukląkł i spojrzał chłopcu w twarz.

– Posłuchaj mnie, Joseph – powiedział. – Popatrz na mnie. Nie patrz nigdzie indziej. Nie słuchaj niczego innego. Tylko mnie, dobrze?

– Tak – odpowiedział Joseph.

– Lada moment statek się przewróci – mówił John. – Kiedy to się stanie, wskoczymy na barierkę i poczekamy, aż woda dojdzie do naszych stóp. Wtedy popłyniemy. Będziemy płynąć jak szaleni, dobrze? W wodzie znajdą się różne rzeczy, ludzie, przedmioty ze statku, ale nie patrz na nie, dobrze? Będziesz płynął szybciej niż kiedykolwiek wcześniej. Kieruj się w stronę łodzi ratunkowej albo składanej, albo pontonu. Czegoś w tym rodzaju. Słyszysz?

Joseph patrzył na niego z poważną miną i nie zwracał uwagi na piekło wokół.

– Tak. Słyszę.

– Doskonale – mruknął John. Wstał i wziął chłopca za rękę. – Doskonale, a zatem ustalone...

Zawładnął nim strach, każąc walczyć o oddech.

Wciąż słyszał gdzieś w oddali oficera krzyczącego, że statek nie zatonie.

Daleko w dole po prawej stronie zauważył Charlesa Lauriata, który wskoczył do łodzi ratunkowej i jak szalony zabrał się do uwalniania jej z cum. Na drugim końcu łodzi steward scyzorykiem ciął grube sznury. Lauriat krzyczał do pasażerów, że jest już za późno. John dobrze rozumiał, co Charles chce im powiedzieć – łódź wciąż była przymocowana do statku i zatonie razem z nim. Mieli kilka sekund na to, żeby się wydostać. Ale nikt się nie poruszył. Trzymali się kurczowo elementów wyposażenia szalupy – wioseł, beczek z wodą, haków, żagli, tak jakby te rupiecie mogły im w czymkolwiek pomóc. Ponad nimi cztery olbrzymie kominy „Lusitanii" przechyliły się jeszcze bardziej, sypiąc wokół pyłem i sadzą. Lauriat wspiął się na krawędź szalupy i skoczył.

John odwrócił wzrok. Pomyślał o Octavii. Była to jego ostatnia składna myśl przed końcem. Zobaczył ją, jak się leniwie uśmiecha, zobaczył długie zielone trawniki Rutherford, znów stał u jej boku tego pierwszego ranka w bibliotece.

Zalała go gwałtowna fala wspomnień. Przypomniał sobie, jak leżeli w lesie na wzgórzach, wysoko ponad parkami Rutherford. Jej dłonie wędrowały po jego ciele. Wszystkie tajemnice, które mu zdradziła. O agresywnym, dominującym ojcu. O smutku, jaki odczuła, gdy zdała sobie sprawę, że William ożenił się z nią dla pieniędzy, nie z miłości. O radości, jaką dały jej dzieci. O tym, jak biegała z małym Harrym do rzeki i pomagała mu łowić ryby. O letnim słońcu na wodzie... na wodzie...

I wtedy to się stało.

Od lat dręczyły go koszmary o tonących statkach. Tego się właśnie bał. Z przerażeniem czytał o „Titanicu" i „Empress". I nagle ten los miał stać się jego udziałem. Nie był już nad łagodnie szepczącymi wodami Rutherford, ale nad lodowato zimnym Atlantykiem. Morze dotarło do barierki.

– Teraz! – krzyknął do Josepha i pociągnął chłopca za rękę. Ale Joseph już się wspinał, niemal od niechcenia. Na jedną krótką sekundę twarz chłopca zrównała się z jego. Woda wokół nich się zakotłowała. Poczuł, jak dłoń Josepha wysuwa się w jego dłoni. Paznokcie chłopca zadrapały wnętrze jego dłoni.

I nagle już go nie było. Niczego nie było. John znalazł się pod wodą. Stopa utkwiła mu między szczebelkami relingu. Kopał wściekle i w końcu udało mu się ją uwolnić, ale w następnej chwili oplotła go lina. Zaczął za nią szaleńczo ciągnąć. Jakby dusił go wąż. Poczuł w bębenkach uszu ogromne ciśnienie i otworzył oczy.

Morze zmieniło się w zielony wir. Wokół niego obracały się zdeformowane kształty, fragmenty krzeseł, wiosła, ciała, ubrania. W tej groteskowej i coraz głębszej ciemności przepłynął obok martwy mężczyzna. Jego pokrwawiona dłoń uderzyła Johna w twarz i zaplątała się w jego włosy. W następnej chwili czyjaś noga trafiła go w podbródek z tak ogromną siłą, że John ugryzł się w język.

Woda wciągała go z przerażającą siłą. „Lusitania" szła na dno prosto jak strzała. Statek sunął obok niego jak jęczący w głębinach potwór. John wyciągnął rękę i dotknął opuszkami pomalowanej burty, olbrzymiego cielska. Miał wrażenie dziwnej intymności. Pomyślał, że chyba musi już być martwy.

Znalazł się obok statku, który opadał, opadał coraz niżej i głębiej. Dryfował w stanie nieważkości w ciemnościach, zaplątany w jego czułe objęcia.

David Nash przeszedł piechotą całą drogę z malutkiej stacji kolejowej w Wasthwaite do Rutherford. Trochę mu zajęło, zanim zdołał wyrwać się kierownikowi stacji, Baddeleyowi, który najpierw mu gratulował i ściskał dłoń, a potem przedstawiał wszystkim zakłopotanym pasażerom czekającym na pociąg do Yorku o trzeciej.

Zabawne, bo Baddeley nigdy specjalnie go nie lubił. Kiedyś, gdy David upuścił walizkę, nazwał go nawet „ciotą". Teraz najwyraźniej znajomość z Nashem przestała być powodem do wstydu. Ale mogło chodzić o mundur. Kiedy jechał tutaj z Lancashire, nawet zasmarkani chłopcy salutowali umundurowanym.

Dotarł do bram Rutherford w chwili, kiedy popołudniowe niebo zaczęło się chmurzyć. Stał na skraju długiego, wysadzanego bukami podjazdu i poczuł falę wzruszenia. Nie wiedział, kiedy znów tu wróci, ale czuł, że to był jego dom w znacznie większym stopniu niż stojąca w pobliskim miasteczku chata.

Pracował tu dwanaście lat. Zaczynał jako chłopiec na posyłki. Lord Cavendish zgodził się go zatrudnić, a Bradfield zapałał do niego sympatią i... Cóż, reszta była historią. Przez wszystkie te lata Rutherford karmiło go, ubierało i uczyło. W bibliotece lorda Cavendisha po raz pierwszy wziął do ręki tomik poezji. Tak samo sztuki Szekspira i *Państwo* Platona. Pewnej zimy przeczytał tam od deski do deski *Piekło* Dantego, w świetle świec, kiedy inni już spali. Podczas pewnej wspaniałej wiosny zapoznał się ze wszystkimi poetami romantyzmu, a tej samej jesieni przebrnął przez *Raj utracony*. To była dla niego znacznie lepsza szkoła niż nieszczęsne wysiłki placówki edukacyjnej we wsi. Słowa grały w jego umyśle jak piękna i tajemnicza orkiestra. W efekcie mógł podziękować Rutherford za własne wiersze, jakkolwiek nędzne by były. Nigdy tego nie zapomni.

W połowie podjazdu skręcił, szybko przeciął trawniki na niższym tarasie i okrążył dom, żeby dostać się do środka przez ogrody kuchenne. Kiedy dotarł do tylnych drzwi, zaczęło padać, wszedł więc żwawym krokiem do korytarza obok pralni i strząsnął z ramion wojskowego płaszcza krople deszczu.

Podniósł wzrok i zdziwił się na widok Mary Richards, która nagle przed nim wyrosła. Wyglądała na zdyszaną.

– Zauważyłam cię na podjeździe – powiedziała. – Przybiegłam z salonu. Kazali mi tam sprzątać. – Roześmiała się i dodała szeptem: – Po raz czterdziesty. Ta kobieta jest opętana.

Obejrzała się za siebie na prowadzący do kuchni korytarz.

– Jeśli mnie przyłapie, dostanie mi się. – Znów na niego spojrzała.

Nigdy nawet nie trzymał jej za rękę. W każdym razie nie dłużej niż przez moment. Ale to, że była taka zasapana, że zbiegła tu, żeby go przywitać, a teraz stała, wyraźnie zawstydzona... Mary Richards zabrakło słów! Jej, ze wszystkich znanych mu osób... Bezwiednie bawiła się wstążką od fartuszka z takim zadowoleniem na twarzy. To dało mu odwagę.

Podszedł do niej, objął ją i pocałował. Sądził, że będzie się opierała, odepchnie go. Ona jednak oddała pocałunek, a kiedy się rozdzielili, przytuliła się do niego.

– Myślałem, że może ci się to nie spodobać – wyznał.

Uśmiechnęła się.

– Nie spodobać? – spytała. – Nie bądź taki skromny, kolego.

„Za to u ciebie co w głowie, to na języku" – pomyślał David i roześmiał się głośno. Ta mała wojownicza jędza, którą znał od tak dawna i która potrafiła mordować spojrzeniem, jeśli się choć trochę wysunęło przed szereg, musiała być ogromnie poruszona. Najwyraźniej zapomniała, że jest pokojówką na salonach, bo zdanie to wypowiedziała z silnym akcentem z Yorkshire.

– Czyli mundur ci się podoba? – spytał.

– Nie podoba mi się mundur, tylko mężczyzna, który go nosi.

– Może powinienem w takim razie być odważniejszy – stwierdził. – Jak Harrison.

– Gdybyś był odważny jak Harrison, nie miałbyś u mnie szans – powiedziała zdecydowanie.

Odwróciła się i ruszyła szybko korytarzem, a po chwili obejrzała się przez ramię.

– Hej, nie stój tak z otwartymi ustami – zawołała. – Bo ci mucha wleci.

Wyszczerzył się i poszedł za nią do kuchni.

– Niech pani spojrzy, kto nas odwiedził, pani Carlisle! – krzyknęła Mary.

Kucharka podniosła wzrok i uśmiechnęła się od ucha do ucha.

– No, chłopcze! Popatrz na siebie! Wyglądasz całkiem szykownie. – Oparła ręce na biodrach, przyglądając mu się uważnie.

Nieśmiało zdjął czapkę.

– O tak, usiądź sobie – poleciła pani Carlisle. – Ty też, Mary.

– Och, nie odważyłabym się.

– Jest wpół do szóstej. Już dawno pora na podwieczorek – zauważyła pani Carlisle. – Gdzie jest reszta?

– Ona każe im robić różne rzeczy. Polerują i bielą schody przed głównym wejściem i szorują westybul, czyszczą też pędzelkami obrazy i tak dalej.

Pani Carlisle spojrzała spokojnie na Davida.

– Pani Jocelyn odrobinę poprzestawiały się klepki – powiedziała. – Robimy, co każe. Ale nie zamierzam jej pozwolić, żeby się nade mną znęcała.

– Powinnam wracać na górę – mruknęła Mary. Wciąż nie usiadła.

– Nic podobnego – odparła pani Carlisle. – Zostaniesz tu na herbatę i ciasto z kminkiem, które upiekłam dziś rano. Zdejmij z półki tamtą puszkę i przynieś talerze.

– Ale...

– Jeśli tu przyjdzie, pogadam z nią – odparła kucharka. – Nie każdego dnia jeden z naszych chłopaków przychodzi w odwiedziny. Lord Cavendish z pewnością chciałby z nim porozmawiać, gdyby tu był.

– Nie ma go w domu?

– Nie, chłopcze. Pojechali do Londynu, on i pani, i panienka Charlotte. Amelie i Cooper też oczywiście. Panna Louisa wciąż tu jest. Strasznie polubiła małą.

Kobieta zdjęła czajnik z pieca i przygotowała herbatę.

– To nie jedyna osoba, którą polubiła. – Mary znacząco szturchnęła Davida łokciem. Uniósł pytająco brwi.

– Pst, żadnych plotek – skarciła ją pani Carlisle.

Mary zawahała się, po czym usiadła obok Davida.

– Mamy okropne zamieszanie – zaczęła. – Panicz Harry wraca z Francji. Państwo pojechali do Londynu, żeby się z nim spotkać.

– Wiesz coś więcej o jego obrażeniach?

Mary pisała Davidowi, że Harry został zestrzelony. Otrzymał ten list dwa lub trzy dni wcześniej, tuż przed urlopem.

– Niestety nie. Mało nam powiedzieli. Amelie wspominała przed samym wyjazdem, że jaśnie pani okropnie się ucieszyła na wieść, że Harry wraca. Płakała i w ogóle.

– Cóż, widocznie ma uczucia, tak samo jak reszta z nas – podsumowała pani Carlisle.

David z wdzięcznością przyjął kubek z herbatą. Nie pamiętał, kiedy ostatnio jadł i pił coś ciepłego. Podróż zajęła mu dziewięć godzin. Informację o tym, że ma czterdziestoośmiogodzinną przepustkę, zanim przeniosą pułk do kolejnego punktu szkoleniowego, przekazali mu dopiero tego dnia o ósmej rano.

– A co się dzieje z panną Louisą?

Mary popatrzyła bez słowa na panią Carlisle. Kucharka rzuciła jej ostrzegawcze spojrzenie. Ale kiedy się odwróciła, żeby pokroić ciasto, Mary bezgłośnie powiedziała: „Jack". David z zaskoczenia otworzył szeroko oczy. Mary splotła pod stołem palce w rodzaj supełka w ramach ilustracji i zdusiła uśmiech.

– Do licha – mruknął David. – Nie można stąd wyjechać na dwie minuty.

Pani Carlisle spojrzała na niego.

– Co się dzieje?

– Nic takiego. – Z zakłopotaniem pokręcił głową i wziął od niej talerz.

Przez kilka miłych chwil siedzieli razem, po czym nagle pani Carlisle odsunęła krzesło i wstała.

– Pójdę poszukać dziewcząt. Tak nie może być.

Niebywałe, żeby kucharka – o ile nie została wezwana – opuszczała swoje królestwo i szła do głównej części domu. W ten sposób wkraczała na terytorium ochmistrzyni.

– Och, myśli pani, że tak trzeba? – spytała Mary.

– Mam już tego serdecznie dość – odparła pani Carlisle. – Wrócę, jak tylko znajdę panią Jocelyn. Te dziewczęta i Hardy mają prawo do przerwy o piątej. Bielenie schodów, też mi coś! Nigdy nie słyszałam o czymś takim. To kamienie z Portland, nie potrzebują bielenia. Myślałby kto, że mieszkamy w szeregowcach za przędzalnią. W tamtych uliczkach mogą sobie tak robić. Bielenie i polerowanie schodów! Bzdura.

Wyszła, mamrocząc pod nosem. David i Mary słyszeli, jak przemierza kamienny korytarz i puka do drzwi pani Jocelyn. Chwilę później pukanie rozległo się kawałek dalej, u pana Bradfielda. Drzwi się otworzyły. Dobiegły ich przytłumione dźwięki wymiany zdań. Potem drzwi ponownie się zamknęły.

– Wpuścił ją do środka! – wykrzyknęła zaskoczona Mary.

Pokój pana Bradfielda był jego prywatnym sanktuarium. Dziewczyna uśmiechnęła się do Davida.

– Działy się tu dziwne rzeczy – przyznała. – Pani Jocelyn... cóż, nie wszystko z nią w porządku. Cały dzień biega po schodach w tę i we w tę. Wchodzi po kolei do wszystkich pokoi i obchodzi je naokoło.

– Pani Carlisle ma rację z tymi schodami. Będą wyglądały fatalnie.

– Wiemy o tym. Ale co możemy zrobić? Ona w kółko gada o czystości. I ciągle się modli.

– Zawsze się modliła.

– To prawda. Teraz jednak robi to na głos. Słyszymy ją aż tutaj. „Boże, zniszcz wszystkich prześladowców" i tak dalej. To naprawdę przerażające, David. – Zamilkła. – I ciągle mówi o jaśnie panu w taki zabawny sposób.

– Co masz na myśli?

Mary zagryzła wargę.

– Jaki jest dobry i jak mu zawsze służyła, jeszcze zanim poślubił lady Octavię.

– To chyba akurat prawda?

– Ale chodzi o sposób, w jaki to mówi. I jak mówi o jaśnie pani. Nazwała ją grzesznicą, tutaj, w tym pokoju, przy nas wszystkich.

– Dlaczego? Czym jaśnie pani nagrzeszyła?

– Pan Gould w zeszłym roku...

– Ach, to – mruknął David. – Powinna wiedzieć, co jest napisane w Biblii. Kto, jeśli nie ona? Kto jest bez grzechu, niech pierwszy rzuci kamień i tak dalej.

Mary uśmiechnęła się szeroko.

– Jakie grzechy twoim zdaniem ma na sumieniu pani Jocelyn?

– Z tego, co słyszę, pożąda męża innej kobiety.

– David!

– Nie uważasz tak?

Mary się zamyśliła.

– Chyba nie powinniśmy się nad tym wszystkim zastanawiać.

Siedzieli przez chwilę w ciszy, po czym David powoli wziął ją za rękę.

– A co z twoim ojcem?

– Przyjeżdża jutro. Dostaliśmy wiadomość. Kolejna rzecz, która jej się nie spodobała. To dlatego, że poprosiła o niego jaśnie pani. – Zamilkła i spojrzała na Davida. – Uderzyła mnie przez to.

– Uderzyła cię?!

– Spoliczkowała. Powiedziała, że zrobiłam to w tajemnicy przed nią czy coś w tym rodzaju.

David poczerwieniał. W pierwszej chwili też chciał popędzić i odnaleźć panią Jocelyn. Podniósł się nawet z krzesła, ale Mary go przytrzymała.

– To nie ma znaczenia. Trochę jej odbiło, tak jak mówi pani Carlisle.

– Mimo wszystko... Tak nie powinno być. Wszystko wokół się zmienia, Mary. Ludzie tacy jak my nie muszą już znosić podobnych rzeczy. Zobaczysz, co mam na myśli, kiedy wojna się skończy. Nie może tak być, że ludzie walczą i widzą, jak umierają ich towarzysze, a potem wracają w miejsca, gdzie nic się nie zmieniło. Mogą przyjmować rozkazy od oficerów, później jednak... Wydaje mi się, że większości ludzi polecenia staną kością w gardle.

– Musimy pracować.

– Tak, ale nie muszą nas źle traktować. Wiesz, o czym mówię. Widziałaś przędzalnie. Niezbyt się zmieniły.

– Jaśnie pani kazała odesłać wszystkie dzieci. Zrobiło się spore zamieszanie – powiedziała Mary. – Chwilę po tym pod bramy przyszły kobiety i powiedziały, że nie wyżyją bez ich pensji. Po dwóch dniach nadzorca przyjął dzieci z powrotem. Nie wiem nawet, czy jaśnie pani o tym wie.

– Dowie się, kiedy wróci.

– Słyszałam, jak mówili, że nie będą przyjmować od niej rozkazów.

David uśmiechnął się lekko.

– Cóż, w końcu to tylko kobieta.

Mary uderzyła go w ramię.

– Z niektórymi kobietami nie można zadzierać, mój chłopcze.

– Wiem o tym doskonale.

Po chwili, marszcząc brwi, Mary znów zaczęła mówić.

– Martwię się o ojca. Wysłałam wiadomość do przędzalni, prosząc, by upewnili się, że jest czysty, i trzymali go z daleka od alkoholu. Ale nie wiem, czy to zrobią. Pewnie wyślą go w drogę po kilku głębszych w pubie. Bardzo mnie to niepokoi.

– Mogę zostać do jutra. Chcesz, żebym z nim porozmawiał?

– Och. – Zarumieniła się. – Do jutra. To dobrze.

Siedzieli przez chwilę w milczeniu, uśmiechając się do siebie.

– Piszesz takie ładne listy, David – przerwała ciszę Mary.

– Podobają ci się?

– A jednak jestem pewna, że nie ma w nich całej prawdy.

– Co masz na myśli?

– Piszesz tak, jakby tam było zabawnie.

– Nie jest zabawnie. Ale trzeba dostrzegać jasne strony. Organizują nam różne gry, a czasem nawet koncerty. Grałem w piłkę nożną. Nie mogę powiedzieć, żebym był w tym specjalnie dobry.

– Och, Davidzie – westchnęła, patrząc na ich złączone dłonie. – Czytaliśmy gazety... Wiesz o Kentach?

– Tak. Tylko nie myśl, że to się przytrafi mnie.

Spojrzała na niego krytycznie, z zaciętym wyrazem twarzy.

– Musimy sobie pewne rzeczy wyjaśnić. Ty i ja.

– Na przykład co?

– Na przykład nie gadaj bzdur. Nie wiesz, czy przytrafi ci się coś złego, czy nie. Nie jestem głupia. Nie opowiadaj mi niemądrych historyjek, że wszystko będzie dobrze, kiedy może wcale tak nie być.

– Cóż, dziękuję za zaufanie.

Złapała go mocniej za rękę.

– Gdyby chodziło tylko o ciebie, wiem, że wytrzymałbyś aż zamarznie piekło – zapewniła go. – Wiem, że zniesiesz wszystko, ale tu nie chodzi o twój wybór, prawda? Tam ludzie się mordują z zimną krwią i dobrze o tym wiesz.

Skinął powoli głową. Odwrócił jej rękę w swojej i pogłaskał palcem wnętrze jej dłoni.

– Tak. Wszyscy o tym wiemy. Ale nie można w ten sposób myśleć, bo wtedy nie ruszysz się z miejsca. Podkulisz ogon i zwiejesz, gdzie pieprz rośnie. Więc trzymamy się razem i pilnujemy nawzajem. I podnosimy na duchu. Tylko tyle możemy z robić.

– I nie zgrywajcie bohaterów.

Roześmiał się.

– Nie będziemy zgrywać bohaterów.

– Obiecaj mi.

– Obiecuję.

– Ani ty, ani Arthur. Powiedz mu to.

– Dobrze.

Spojrzał na nią wzruszony. Potrafiła być taka zawzięta. Lubił to w niej.

– Mam nadzieję, że nie przysporzę ci zmartwień, Mary – powiedział.

Otworzyła lekko usta. Oczy nagle wypełniły jej się łzami.

– Och, cicho – szepnęła.

Objęła go za szyję.

– Masz rację – mówiła mu do ucha. – Wrócisz, pobierzemy się i stworzymy własną małą rodzinę. Będziemy tu pracować, jeśli zdołamy, i wszystko będzie tak samo jak dawniej. Tylko lepiej.

A potem odskoczyła od niego, nagle zdając sobie sprawę, co powiedziała. David się roześmiał. Wyraz zakłopotania na jej twarzy był taki komiczny.

– Pospieszyłaś się trochę, co? – zażartował.

– Ja... – Zarumieniła się mocniej. David patrzył na nią zafascynowany. Nigdy nie widział, żeby w ten sposób reagowała. Nie wiedział nawet, aż do teraz, że w ogóle potrafi się rumienić.

– Trochę mnie uprzedziłaś – zauważył. – Widzę, że pod moją nieobecność dużo o tym myślałaś.

Puściła jego rękę, jakby to była gorąca cegła, i zaczęła zbierać kubki. Złapał ją za dłoń i zmusił, żeby się odwróciła. Miała opuszczoną głowę.

– Nie śmiej się ze mnie.

– Myślisz, że pani Jocelyn dałaby ci tydzień wolnego w tym roku? – spytał. – Mogłabyś przyjechać do Wiltshire?

– Do Wiltshire? Po co?

– Za dwa dni jedziemy do Shropshire. A tydzień lub dwa później do Wiltshire, tak mówią. Potem do Fovant, tam jest duży obóz. Ale chłopaki mówią, że zanim wyjedziemy do Francji, dadzą nam krótki urlop.

– Kiedy to będzie?

– Oto jest pytanie. Kto wie? Jakoś na jesieni. Ludzie palą się do walki.

Jęknęła cicho.

– Wiem. Mary... zanim to się stanie... w czasie urlopu, który nam dadzą, zanim pojedziemy do Francji...

Spojrzała na niego wyczekująco. Dobiegły ich kroki na schodach prowadzących do głównej części domu. Szło kilka osób. Słyszeli podniesione głosy, między innymi głos pana Bradfielda.

– Mary – powiedział. – Szybko, daj mi odpowiedź, zanim oni wszyscy tu wejdą. Zanim wyjadę z Wiltshire, zanim pojadę do Francji...

Potrząsnęła głową, zdumiona.

– Jaką odpowiedź?

– Wygląda na to, że wszystko już obmyśliłaś. I wygląda mi to na doskonały plan, skoro już o tym wspomniałaś.

– Mówisz zagadkami – poskarżyła się.

– Masz rację – przyznał. – Więc po prostu: wolałbym mieć czas na zaloty. Chciałbym, ze względu na ciebie, żeby to nie działo się tak szybko. Ale skoro już poruszyłaś ten temat, a czas jest przeciwko nam... Proszę, wyjdziesz za mnie?

Dziwne, wydawało mu się, że w ciemnościach słyszy dźwięk dzwonu. Harrison stał na warcie i nasłuchiwał. Dochodziła druga nad ranem, a on znajdował się w przednim okopie.

Czuł się zmęczony, chociaż to słowo było zdecydowanie za słabe. Dawno temu, niemal przed wiekami, sądził, że jest zmęczony po całym dniu pracy w Rutherford. Uważał wtedy, że nie ma nic bardziej męczącego niż stanie w jadalni – zwłaszcza podczas uroczystej kolacji, kiedy przyjmowano gości – i obsługiwanie jaśnie pana, jego rodziny i przyjaciół. Służba spędzała w jadalni cztery, czasem nawet pięć godzin. Ale tak naprawdę, aż do teraz, nie wiedział, czym jest zmęczenie. To było coś więcej niż odrętwienie i nuda. Jego napięte mięśnie bolały od tak dawna, że stało się to normalne, a ból promieniował głęboko, aż do kości. To był rodzaj dręczącej, reumatycznej gorączki, która nigdy nie ustępowała, nigdy nie wypuszczała go ze swojego morderczego uścisku.

Chłodny wiatr gwizdał nad ziemią; kiedyś było tu pole.

Niósł ze sobą wrażenie otwartej przestrzeni. Drzewa już dawno zniknęły. A wzniesienie Aubers... cóż, to naprawdę niezły żart: tak zwane wzniesienie okazało się niewielką górką, kilka metrów wyższą niż zniszczona ziemia, która rozciągała się wokół na wiele mil.

Wiatr niósł ze sobą jednak bardziej nieprzyjemne rzeczy niż tylko wrażenie pustki. Przywiewał także brudne wyziewy, mieszaninę wilgoci i kordytu, a głębiej – uporczywy smród zgnilizny. Zapach gliny, krwi i kości.

Harrison spojrzał w noc.

Wydawało mu się, że widzi jakiś kształt. Ktoś się poruszał. Coś unosiło się tuż nad ziemią. Zmrużył oczy i spróbował się skupić. Ale przecież nic nie miało prawa tam chodzić. To niemożliwe.

Mogła to być najwyżej przygruntowa mgła, nie człowiek. Spojrzał na niebo, po którym płynęło kilka chmur. Uznał, że to tylko cień obłoku, jakiś cień jaśniejszy niż czerń nocy, ulotny kształt na powierzchni ziemi.

Jeden z chłopaków mówił, że w Neuve Chapelle o brzasku cały batalion wyraźnie widział chodzącego po polu bitwy księdza. Pochylał się nad zmarłymi i klękał obok rannych, dając im rozgrzeszenie. Ksiądz, ubrany w długi czarny płaszcz.

– To nie był ksiądz – stwierdził któryś z mężczyzn, śmiejąc się szyderczo. – To była kostucha. Przyszła zebrać dusze.

Może to ona, pomyślał Harrison. Skrzywił się. Gdyby to faktycznie była ona, zbieraczka dusz, to miała ostatnio roboty po łokcie. Mnóstwo mokrej roboty, oj tak. Harrisonowi zaczęły się trząść ręce. Oderwał na chwilę wzrok od tego, co wokół, i spojrzał na własne stopy. Mrugnął raz czy dwa. Ponownie popatrzył w górę.

Przez kilka ostatnich dni próbował ukryć nieustanne drżenie ciała. Czuł, jakby własne palce już go nie słuchały. Żył w strachu, że któryś z oficerów zauważy, jak rozluźnia uścisk na broni albo z trudem ją czyści. Mogło to wyglądać na zdenerwowanie, choć on się nie denerwował, nie lenił ani nie był niezdarny. Stracił zdolność do przeżywania głębszych uczuć. Stał się kompletnie odrętwiały. Naprawdę wierzył, że już nie będzie się bać. To wymagałoby energii, a tej nie miał. Odwaga ani tchórzostwo nie wchodziły w rachubę. Wszystko wydawało się równie nieistotne – strach czy siła. Bądź co bądź nikt nie wymagał od niego ani jednego, ani drugiego. Żądano jedynie, żeby był robotem, posłusznym ciałem: ruszającym się, stojącym nieruchomo albo leżącym na ziemi. Wyłącznie ciałem, które robi to, co mu każą, które wykonuje rozkazy.

Ale jego cholerne ręce nie chciały robić tego, co im kazał. Musiał koncentrować się z całej siły, zagryzać wargi tak mocno, że aż bolały. Tylko tak udawało mu się na tyle rozproszyć uwagę, żeby zmusić palce do działania.

Trzymał broń i gapił się na niemiecką linię frontu czterysta jardów dalej.

Czuł nie tylko zapach ziemi. Czuł też spojrzenia innych mężczyzn, który patrzyli na niego i na brytyjskie fortyfikacje. Tamci czekali, a za nimi kolejni, tysiące kolejnych. Nie wątpił, że za tą liczącą czterysta jardów barierą Niemcy mieli okopy rezerwy, kanały komunikacyjne, składy broni, linie kolejowe i pociągi do przewożenia oddziałów. Linie ciągnące się aż do Niemiec. Siedział naprzeciwko mężczyzny takiego jak on, który gapił się w ciemność i kurczowo trzymał broń. I obaj znajdowali się nad skrajem otchłani, na krawędzi urwiska bez dna, balansowali na jego brzegu, a w tym czasie po obydwu stronach inni parli naprzód, napompowani pełną niepokoju mieszanką nieszczęścia i brawury. Ale on tego nie czuł. Był czysty i pusty.

Myślał wciąż o Nacie i pozostałych. Zaledwie kilka godzin temu pobiegł do okopu rezerwy, niosąc wiadomość. Na jego krawędzi leżała dłoń odcięta w nadgarstku. Uwalana błotem obrączka tkwiła na palcu serdecznym, ale poza tym ręka wyglądała jak wyrzeźbiona w marmurze, jak dłoń posągu. Nikt nie wiedział ani nikogo nie obchodziło, do kogo wcześniej należała – taka dziwnie nie na miejscu – i nikt się nigdy nie dowie.

Słyszał wciąż to przeklęte ciągłe dzwonienie. Przypominało dzwonki w Rutherford, zanim zainstalowano nowy system elektryczny. Wszystkie te małe dzwoneczki wiszące na ciągnącej się kilka jardów listwie. Nad każdym dzwoneczkiem wymalowano tabliczkę z informacją, kto dzwoni. „Pokój jaśnie pani", „salon", „sypialnia nr 5 na górze".

To wszystko było tak dawno temu i tak daleko stąd.

Dotknął czoła. Może to przez panujący wokół hałas. Może to on powodował dzwonienie. Czasem po bombardowaniu na chwilę się głuchło. Tak jakby wokół ryczało sto piorunów. A w ciszy, jeśli zapadała cisza, w uszach wciąż syczało i dudniło, powtarzał się niedawny huk. Harrison zachwiał się lekko i spróbował skupić wzrok. „Dzyń, dzyń, dzyń" – dzwonił dzwonek w jego głowie. „Dzyń" – jak dzwoneczek w wiejskiej szkole. „Dzyń" – jak wszystkie dzwonki Rutherford naraz. „Dzyń" – jak kościelne dzwony. „Dzyń"... zrównane z ziemią kościoły.

Chciał się uwolnić od tych skojarzeń. „Nie myśl o dzwonach, nawet jeśli je słyszysz" – rozkazał sobie. Myśl o cholernych Szwabach. Myśl o naprawieniu bagnetu. Nadchodziła bitwa – wieść o tym dotarła do nich nie dalej jak godzinę temu.

Która teraz była? Rozejrzał się i zauważył, że idzie w jego stronę oficer. Każdego, kto stał na warcie, sprawdzali co godzinę. Jeśli ktoś zasnął, oddawano go pod sąd polowy i rozstrzeliwano. Poborowy, stary wyga, zawodowiec – wszystkich traktowano tak samo, nieważne, ile lat służby miało się za sobą. Zabierali cię i rozstrzeliwali razem z dezerterami, szaleńcami i beksami.

Ale on nie zaśnie. Nie wiedział, czy w ogóle jest jeszcze w stanie spać. Nie mógł sobie przypomnieć, jak to jest. Sny okazywały się koszmarami, dnie również. Nieważne, czy spał, czy nie, było dokładnie tak samo. Żadnej różnicy.

Oficer dotarł do niego.

– W porządku, Harrison?

– W porządku, sir.

– Ostrzał o piątej rano. Pierwsze bataliony wychodzą o piątej trzydzieści. To my.

– Tak jest, sir. Która jest godzina?

– Prawie trzecia.

– Dziękuję, sir.

– Będzie eskadra lotnicza. Powinniśmy zobaczyć ich po wschodzie słońca.

Oficer odszedł. Kilka dni wcześniej zabrali ich do okopów dla rezerwy na niedzielne nabożeństwo. W półkolu stały setki żołnierzy, więc nie słyszał dwóch księży. Jeden wygłaszał kazanie, a drugi udzielał komunii. I niech go szlag trafi, jeśli ten drugi to nie był

Whittaker ze wsi. Co prawda schorowany i drżący, niemniej z całą pewnością Whittaker.

Chciał do niego podbiec, zagadać, jednak co miałby powiedzieć? Zresztą może... może tylko sobie wyobrażał, że to Whittaker. Ostatnio wyobrażał sobie wiele rzeczy. Widział coś w pasie ziemi niczyjej albo wydawało mu się, że lecące nad nimi samoloty chronione są przez prawdziwe skrzydła, olbrzymie, jakby ptasie, ukryte w pasmach chmur. Wyobrażał sobie, że pije herbatę z rękami opartymi o czysty stół w kuchni dla służby. Och, to byłoby cudowne. Po prostu wspaniałe. Ale wszystko na nic, bo wyobraźnia nie miała żadnej mocy.

O czwartej rano wzeszło słońce. Świat wokół znieruchomiał.

Harrison zszedł z warty i zjadł w okopie razem z innymi coś w rodzaju śniadania. Nie było niczego gorącego do picia; dawali tylko twarde suchary. Próbował je żuć, ale usta miał suche. Przełknął kilka kęsów. Pozostali również się poddali i wyrzucili resztki, po czym zaczęli czyścić broń. Robili to skrupulatnie, a kiedy Harrison czuł, że ręce zaczynają mu się trząść, rzucał jakimś dowcipem.

– Z ciebie to niezły żartowniś – powiedział ktoś. – Prawdziwy komediant.

Wszystko to mówili szeptem, kucając za nasypem.

Nadeszła piąta i na niebie pojawiły się piękne ciemnobłękitne i różowe pasma. Wtedy zaczął się ostrzał. Działa polowe wypluwały szrapnele w stronę niemieckich zasieków, a haubice posyłały pociski eksplodujące w kierunku ich linii frontu. Ziemia się trzęsła, z rozerwanego gruntu wydobywał się smród, błoto leciało na wszystkie strony. Sunące nad ich głowami pociski jęczały cienko i żałobnie – jak niezliczone zawodzące i lamentujące dziewczęta – by w końcu roztrzaskać się z oszałamiającą siłą.

„Och. Niech to się skończy" – pomyślał.

Kucał w swoim szeregu i wdychał zapach zimnego potu znajdującego się przed nim mężczyzny.

– Wstawać! – nadszedł rozkaz. – Przygotować się!

Piąta trzydzieści. Stali w kupie i patrzyli na krawędź okopu, przez którą wkrótce mieli rzucić się do ataku. Bez słowa, dyszeli, czekali, ramię w ramię, ręka w rękę, stopa trącała stopę, kiedy dreptali w miejscu. Zawieszeni jak rozpięty na wietrze rząd brudnego prania. Łokieć napierał na łokieć, twarz koło twarzy, walące serca.

Nagle ostrzał się nasilił. Po niemieckiej stronie odezwała się artyleria, podejmując wysiłek zmiecenia ich z powierzchni ziemi. W tej kakofonii, gdzieś po lewej stronie, usłyszeli gwizdki. To pierwsza dywizja. Do walki ruszyli żołnierze z Northamptonshire i Królewski Oddział Piechoty z Sussex, a za nimi poszli Królewscy Strzelcy Wyborowi z Munster i Walii. Mężczyźni z terenów rolniczych w samym sercu Anglii, mężczyźni z walijskich gór i górniczych dolin. A gdzieś dalej oddziały hinduskie, Brygada Dehra Dun i Gurkhowie, i Seafort Highlanders, oddział szkockich górali.

Przygotować się, teraz.

W żyłach krążyło szaleństwo. Dusza zgęstniała, jakby stała się cięższa i trzeba ją było strącić z ramion, by nie przygniotła do ziemi. Należało się pozbyć duszy i rozsądku. Pełna mobilizacja. Stopa na drabinie. Deszcz ziemi i smrodu. Gotowość.

Ruszyli. Oficerowie z tyłu pilnowali, żeby nikt się nie ociągał. Zupełnie niepotrzebnie. Piechota parła do przodu, z trudem znajdowała punkty oparcia na szczeblach, obciążona plecakami, amunicją i bronią, wynurzała się niezdarnie z cienia okopu w blade światło świtu. Wreszcie stanęli wyprostowani i na wpół idąc, na wpół człapiąc, brnęli przed siebie w poszarpanym szeregu, próbując utrzymać równowagę na nierównym gruncie, ogłuszeni wybuchami dział.

Przez pierwszych kilka jardów Harrison trzymał głowę nisko. W głowie pałętały mu się absurdalne myśli: co sadzono na tym polu przed wojną. Co posadzą, kiedy to wszystko się skończy? I czy kiedykolwiek się skończy? To będą dobre zbiory, pomyślał, bujne.

Wyrosną wysoko. Pszenica czy jęczmień albo ziemniaki. Może kukurydza. Trawa.

Uniósł wzrok i przez krótką dziwną chwilę zdawało mu się, że widzi przed sobą łąkę pełną dzikich ciemnych kwiatów. Granatowych i wysokich, jak irysy albo rosnące nad brzegiem rzeki sitowie. I wtedy zdał sobie sprawę, że to nie są kwiaty, tylko żołnierze, a raczej zarysy ich sylwetek w unoszącej się nad ziemią mgle. Kołysali się i zataczali. Ciemne dzikie kwiaty chylące się ku ziemi.

Spojrzał znów pod nogi, lekko się potknął, ale znalazł oparcie dla stopy. I wtedy zobaczył, ku swojemu zdumieniu, że otwiera się przed nim rządek w ziemi. Niewielkie grudki, jakby coś błyskawicznie kiełkowało. Czas wystrzelił do przodu; zasadzono tu coś, co gorączkowo wypuszczało pędy, zupełnie jak bajkowa łodyga fasoli.

Przez ułamek sekundy przyglądał się z fascynacją wyrastającym spod ziemi pędom po prawej i lewej stronie. Nie widział niemieckiej linii frontu. Otaczały go kiełkujące ziarna. W tej samej chwili został trafiony.

Dopiero wtedy zrozumiał, że to nie były ziarna, ale koszące szeregi żołnierzy kule broni maszynowej.

Nadeszło południe. Harrison leżał w głębokim na pół jarda leju. Za poduszkę służył mu plecak. Po jakimś czasie przestał strząsać z siebie osypującą się ziemię. Najpierw leżał twarzą w dół tam, gdzie upadł, nakrywszy głowę rękami, ale po chwili ziemia zaczęła go dusić, więc odwrócił się na plecy.

Obok niego leżało dwóch mężczyzn. Najpierw pomyślał, że im się poszczęściło; dostać z broni maszynowej to jak potknąć się o rozciągnięty przy ziemi drut. To musiał być dość groteskowy widok – wszyscy padali na ziemię w rządku, jakby potykali się o własne stopy.

Po głębszym namyśle uznał, że nie można mówić o żadnym szczęściu.

Przypominali tancerki w wodewilu, które widział jakiś czas wcześniej. Próbował sobie przypomnieć tytuł przedstawienia. Francuskie tancerki w miejscowości pod Paryżem, gdzie zatrzymał się pierwszy pociąg. To miał być wyuzdany taniec, on jednak nie dostrzegł w nim ani odrobiny erotyki. Nie tańczyły zbyt dobrze. Żadne tam Moulin Rouge, tylko wiejska grupa taneczna, a część kobiet już znacznie posunięta w latach. Podnosiły spódnice, ale żaden z nich nie miał ochoty zobaczyć, co się pod nimi kryło. Biedulki. Próbowały zarobić. Kiedy skończyły, dostrzegli ich wychudzone z głodu twarze. Biedne, stojące w rządku stare kaczki z lunaparku.

Leżeli teraz w leju i wyglądali jak tamte kobiety. Tańczyli, ale nie byli w tym wystarczająco dobrzy. Nic dziwnego. W trakcie szkolenia nikt nie pokazał im, jak pląsać na tyle szybko, by uniknąć walącego po kolanach strumienia pocisków.

Taniec i deszcz ziemi, taniec i deszcz ziemi.

Harrison dostał w biodro. Kolejna kula, odbijając się od czyjegoś ciała, trafiła go w szyję. Mężczyzna obok niego okazał się najlepszym tancerzem. Podskakiwał jak klaun, zanim wreszcie upadł. Jakże inaczej zachowywali się ludzie. Niektórzy wyrzucali ręce w górę; wydawali z siebie taki dźwięk, jakby pod wpływem uderzenia z ich płuc ulatywało powietrze. Część tańczyła, jak ten obok. Inni po prostu padali na twarze, jak on. A mimo to wszyscy trzej skończyli w tym samym miejscu. W dziurze szerokiej na dziesięć stóp i długiej na sześć, zasypani najróżniejszymi odpadkami.

Tuż po tym, jak upadli, Harrison zdał sobie sprawę, że brytyjski ostrzał zmienił nieco kierunek. Poznał po dźwięku. „Idą" – pomyślał i przez kilka minut się cieszył, sądząc, że prą do przodu i że przenoszą broń, by wesprzeć piechotę.

Po chwili sobie przypomniał, że zgodnie z rozkazem mieli ponownie spróbować zmiażdżyć linię niemieckiego frontu. Prawdopodobnie pierwszy ostrzał nie odniósł skutku. Broń maszynowa wciąż klekotała miarowo. Boże, czy Niemcom kiedykolwiek kończy się pieprzona amunicja? Nic na to nie wskazywało. Cekaemiści nie przerywali, żeby złapać oddech. Trwało to i trwało, a im dłużej bębniły karabiny, tym więcej słyszał gwizdów i wrzasków. Kolejni ludzie szli naprzód. Kolejni upadali. Kolejni wyli.

Gdzieś w oddali ktoś krzyczał: „Maud, Maud!". Potem przez chwilę panowała cisza i znów: „Maud, och Maud!". Po półgodzinie głos umilkł.

– Dzięki Bogu za to – mruknął Harrison.

Słońce zaczęło wspinaczkę po niebie. Harrison poczuł szalone pragnienie. Odwrócił głowę i spojrzał na swoje spodnie; były ciemnoczerwone po lewej. Niczego nie czuł. Stopę miał gdzieś pod ciałem, ale jej też nie czuł.

Spojrzał na prawo.

Mężczyzna, o którym Harrison myślał, że przeżył – kiedy upadli i łudził się, że im się poszczęściło – patrzył na niego. Usta miał otwarte, dolna szczęka opadała, jakby coś mówił, w oczach rysowało się lekkie zaskoczenie. Trzymał się za gardło, mocno zaciskając palce na tym, co zostało z jego szyi pomiędzy podbródkiem a ramieniem. Klatka piersiowa ociekała krwią. Umarł szybko, zapewne w niecałą minutę. Tętnica, elegancko odcięta, zniknęła.

Trzeci leżał za nim. Bardzo długo kulił się w rogu leja i Harrison był niemal pewny, że on też nie żyje, ale w pewnej chwili otworzył oczy i się rozejrzał.

– Co się stało? – spytał, oszołomiony.

– Złapaliśmy gumę w autobusie, więc pomyśleliśmy, że odpoczniemy w trawie – odpowiedział Harrison.

– Ach – westchnął. – Komediant.

– Ty jesteś tym gościem ze Smithfield.

Teraz go rozpoznał. Kilka dni temu mówił mu, że pracował na targu mięsnym w Londynie. Chwalił się, że potrafi przenieść wołową tuszę na jednym ramieniu.

– Idziemy dalej czy wracamy? – spytał.

– Co ci się stało?

Ranny popatrzył po sobie. Podniósł rękę.

– To.

Stracił trzy palce. Harrison zauważył, że jedno z kolan towarzysza zmieniło się w krwawą miazgę.

– I... – Obmacał się, drapiąc w krawędź owłosionej części głowy. – Coś mnie tu trafiło.

– Lepiej zaczekajmy na rozkazy – stwierdził Harrison.

– Rozkazy? – powtórzył. – Jesteś kompletnie szurnięty, przyjacielu. Nie słyszysz, co się tam dzieje? Setki naszych utkwiło na ziemi niczyjej.

Harrison spojrzał na niego uważnie. Mężczyzna płakał bezgłośnie. Reakcja na ból, odruch nie do powstrzymania. Ale nie zawracał sobie głowy wytarciem łez z twarzy.

– Możemy działać zgodnie z ostatnim rozkazem. Posuwać się do przodu. Albo raczej ty możesz – powiedział Harrison i wskazał na swoje biodro. – Mnie wysiadł napęd. A jeśli sądzisz, że pójdziesz na tym rozpieprzonym kolanie, to sam jesteś szurnięty.

– Nie będę tu czekał – upierał się. Głos mu się łamał i drżał, ale twarz zastygła w wyrazie oszołomienia i wściekłości.

Żaden z nich się nie poruszył.

– Poczekamy, aż karabiny przestaną strzelać – stwierdził wreszcie.

– Jasne, stary – odparł Harrison. – Jakby to się miało wydarzyć w najbliższej przyszłości, nie? – Poklepał się po ubraniu i sięgnął do tyłu. – Miałem gdzieś papierosa.

– Palenie tutaj jest niezgodne z rozkazami.

Harrison uśmiechnął się do niego ponuro.

– Myślisz, że ktokolwiek zauważy strużkę dymu?

Towarzysz westchnął.

– Nie. Rzuć mi jednego.

Nadzwyczajnym wysiłkiem Harrison zdołał wydobyć zapałkę. Pełną minutę zajęło mu zapalenie jej, przypalenie papierosa i zaciągnięcie się. Potem rzucił go na drugą stronę dołu i przypadkiem trafił w klatkę piersiową tamtego. Mężczyzna chwycił papierosa i z wdzięcznością włożył do ust.

– Dzięki – powiedział. Po chwili dodał. – Trochę mokry. Paliłem lepsze.

Harrison wyszczerzył do niego zęby.

– Nie ma za co – mruknął.

Wkrótce dalsze próby rozmowy zostały udaremnione. Dziesięć stóp od nich spadł pocisk i uniósł ich z ziemi, a martwy mężczyzna przeturlał się na ramię Harrisona. Ręka rozluźniła uścisk na szyi i opadła na biodra Harrisona, jakby chciał go zamknąć w miłosnym objęciu. Harrison miał usta pełne ziemi. Brzeg dziury, w której wcześniej leżeli, zniknął, a nad nimi pojawił się nowy gliniany nasyp.

Facet ze Smithfield leżał teraz zakopany w ziemi niemal po szyję. Wystawały mu ramię i głowa. Harrison nie był w stanie zrobić nic poza patrzeniem na niego. Rzeźnik się rozglądał. Wreszcie trafił na spojrzenie Harrisona i uśmiechnął się słabo, po czym w nieznośnie powolnym tempie mrugnął do niego.

– Wszystko w porządku? – spytał Harrison.

– Doskonale. Po prostu doskonale.

Nadeszło wczesne popołudnie i Harrison zdał sobie sprawę, że ostrzał umilkł.

Zapadła cisza. Nie było słychać karabinów, nie gwizdały pociski artyleryjskie. Z bardzo daleka, a przynajmniej tak mu się wydawało, do Harrisona dobiegały głosy. Zapewne szykowali do wysłania na front kolejnych ludzi.

„Równie dobrze moglibyście wywiesić flagę i powiedzieć im, gdzie jesteście" – pomyślał gorzko. Zastanawiał się, co myśleli nowi, patrząc na połać ziemi pomiędzy nimi i Niemcami. Zobaczą porozrzucane ciała i rozkopaną glebę, a kawałek dalej jardami ciągnące się grube, nieporozcinane druty.

Zapewne wkrótce każą im iść. Kolejny atak. Kolejna fala żywych trupów.

„Boże, miej litość".

Słońce paliło coraz mocniej. Niebo nad nimi miało wspaniały błękitny odcień. Cóż za ironia. Niemal się uśmiechnął. Gdzieś w Rutherford to samo niebo rozciągało się nad pięknymi polami i zadbanymi ogrodami. To samo niebo... to samo niebo. Niemożliwe, prawda? Rutherford wciąż istniało, spokojne i nienaruszone, podczas gdy tutaj zryta ziemia zmieniła się we wściekły, wyjący chaos. Spojrzał na stos gliny. Mężczyzna ze Smithfield wpatrywał się bez ruchu w jeden punkt. Harrison zastanawiał się, jakiż widok tak go pochłonął. Czy był podobny do tego, który widział on sam, cudowny i spokojny? Po jakimś czasie nie mógł już dłużej wytrzymać.

– Na co patrzysz? – spytał.

Mężczyzna ze Smithfield się nie poruszył.

Tak bardzo chciało mu się pić. Tak strasznie... Mógłby wypić to, co zebrało się na dnie płytkiej dziury. Kiedyś już tak zrobił. Jednak nie... to obrzydliwe paskudztwo. Spróbował zobaczyć, co leży obok jego stopy. But. Jego własny. Ale, nie... nie był oddzielony od jego ciała. Nie leżał tam w ten sposób. Musiałby to poczuć...

Pomyślał o włożeniu stóp do wody. To byłoby przyjemne. Słodka czysta woda. Pojechał nad morze tylko raz, z jaśnie panią, dawno temu. Podobała mu się rozległa toń oceanu, jego anonimowość. Tam było się nikim – morze nie rozpoznawało nazwisk. Chciałby nauczyć się pływać i unosić na jego powierzchni. To byłoby miłe.

Przyszło mu do głowy, że chyba przez całe życie pragnął tylko, żeby zabrała go woda. Zastanawiał się dlaczego. Chciał po prostu dać się ponieść i zmyć własne istnienie. Tak naprawdę nienawidził wszystkiego, czym się stał – służącym, mężczyzną. Myślał o Emily i Mary, o przestraszonej Jenny, która drżała pod jego dotykiem. Może zawsze był pusty. Cóż za strata.

Ktoś w pobliżu płakał i Harrison przez chwilę sądził, że to Jenny przyszła go szukać.

– Nie podchodź – szepnął. – Tu jest niebezpiecznie, Jenny.

Zobaczył nad sobą jej twarz i dwie zbliżające się do niego blade dłonie.

– Nie przejmuj się mną – poprosił. – Schowaj się. Dbaj o siebie, Jenny. Dbaj o siebie...

Złapały go czyjeś ręce. Dwie pary rąk. Ktoś podnosił go z ziemi, śliskiego, niesprawnego, pokrytego brudem.

– Weźcie go za nogi – polecił głos.

Harrison próbował się skupić. Twarz należała do oficera, który dał rozkaz ataku.

– Nic mi nie jest, sir – powiedział. – Ale tego gościa ze Smithfield zasypało...

– On nie żyje – rzucił sucho oficer, po czym stęknął i zarzucił sobie Harrisona na plecy.

Ruszyli przed siebie. Kapral z Królewskiego Kolegium Wojskowego szedł obok i ciągnął pod ramię innego mężczyznę. Obaj się potykali. Z dziwną złością Harrison zdał sobie sprawę, że był to człowiek, który przez cały dzień krzyczał gdzieś w pobliżu. Wciąż to robił, wywrzaskiwał przekleństwa, walczył z każdym, kto próbował go uratować.

Kiedy zbliżali się do brytyjskich okopów, nie dobiegał z nich żaden dźwięk. Może Harrison się mylił. Nikogo tam nie było. „Wszyscy pojechali do domu" – pomyślał i ta myśl sprawiła, że zachciało mu się śmiać.

– Do domu – mruknął.

– Właśnie tak – powiedział major przez zaciśnięte zęby. – Gdziekolwiek to jest.

– Yorkshire – wymamrotał Harrison. – Rutherford.

Na myśl o powrocie do Rutherford jego serce wywinęło wdzięcznego fikołka. Leżał na plecach majora, wiedział, że się poruszają. W ogóle nie czuł bólu. Było tak, jakby nigdy nie pojechał na wojnę. Jakby leżał na tyle jednego z wozów, które w pierwszych latach jego służby kursowały od stacji kolejowej do Rutherford. Pamiętał, jak siedział w jednym z nich z kartonową walizką między kolanami. Patrzył na wielki dom, gdy wóz powoli zbliżał się do Rutherford.

Widział teraz drzewa, długie, zielone trawniki, róże na tarasach, jezioro i rzekę. Rezydencja rosła, błyszczała w słońcu w oddali.

Nigdy nie wyglądała tak dobrze, tak pięknie.

– Dom – szepnął Harrison z uśmiechem. – Dom.

Major i kapral z Królewskiego Kolegium Wojskowego dotarli wreszcie do brytyjskich linii, obaj słaniali się na nogach. Kapral popchnął wrzeszczącego mężczyznę, tak że ten poślizgnął się i wywrócił, lądując na głowach czekających w okopach żołnierzy.

Oszalały, zaczął walczyć. Rzucił się na nich z pięściami, z ust ciekła mu piana. Po kilku sekundach zażartej bójki silne ramiona przygwoździły go do ziemi. Wtedy również w dół zsunął się major, ściągając za sobą worki z piaskiem i zalewając tym samym okop strumieniem słonawej, krwawej wody. Upadł ciężko na ziemię. Las ciał przewracających się jedno o drugie.

– To samobójstwo, sir, robić coś takiego!

– Spokojnie... spokojnie...

– Już w porządku, sir.

Major wyprostował się, łapiąc powietrze.

– Nikt nie strzelał – powiedział, uśmiechając się ze zdumieniem.

– Dostanie pan za to Krzyż Wiktorii, sir.

– Nie sądzę – odpowiedział i wytarł pot z oczu. – Zabierzcie stąd tego wariata. Zanieście go do lekarza.

Żołnierze robili, co w ich mocy. Złapali krzyczącego i powlekli, na tyle na ile zdołali, wąskim przejściem pełnym czekających oddziałów.

Major wiedział, co zaplanowano na resztę dnia. Otrzymał rozkazy, jeszcze zanim zdecydował, że wyjdzie i wyniesie z tego piekła każdego, kogo zdoła.

Już rano Haig zdecydował, że ponowią atak. Południe ogłoszono godziną zero, ale nie wystarczyło czasu na sprowadzenie posiłków, wobec tego kolejny atak miał się zacząć o drugiej czterdzieści. Major spojrzał na zegarek.

Piętnaście po drugiej. Było mnóstwo do zrobienia, zanim kolejni ludzie ruszą do ataku. Spojrzał pod nogi, gdzie leżał mężczyzna, którego przyniósł. Wcześniej zauważył, że dostał w biodro, może również w plecy. Nie miał lewej stopy. Ale był przytomny. Przeżył niemal pięć godzin pod nieustającym ostrzałem Niemców.

Kapral, który klęczał nad rannym, wyprostował się.

– Przyniesiemy tu nosze – zarządził major. – On wraca do domu, do Yorkshire. Właśnie mi o tym mówił.

Kapral wzruszył ramionami w sposób trudny do wyjaśnienia.

– Nosze nie będą potrzebne – powiedział w końcu.

Obaj spojrzeli na człowieka, którego żaden z nich nie znał, człowieka, dla którego major zaryzykował własne życie.

Major milczał przez chwilę.

W końcu odwrócił się, kręcąc głową.

Mówiono mu po wojnie, wiele lat później, kiedy wreszcie dało się ocenić skalę koszmaru, jakim był tamten czas, i w pełni go zrozumieć, że tamtego dnia zginęło jedenaście tysięcy żołnierzy.

Ale on pamiętał tylko jednego z nich.

Na zawsze zapamiętał mężczyznę z Rutherford w Yorkshire, który jechał do domu.

O piątej rano zrobiło się widno. William nie spał.

Sen miał niespokojny, dusił się w ciężkim powietrzu pokoju na Grosvenor Square. Nie chciał jeszcze dzwonić po Coopera, z trudem wstał więc z łóżka i podszedł do okna, a po krótkiej szarpaninie udało mu się podnieść ramę.

Powoli do pokoju przenikał chłód. William wsłuchiwał się w odgłosy Londynu – smętne, odległe pohukiwania pociągów i przerywany oraz coraz rzadszy w dzisiejszych czasach stukot końskich podków.

Jaki to dzień? Próbował sobie przypomnieć.

Dziewiąty maja. To był jego ulubiony miesiąc, lubił Rutherford wiosną. Zawsze w maju zaczynał wybierać się na dłuższe spacery i ulubione przejażdżki po wrzosowiskach. Ale nie w tym roku. W tym roku wszystkie cenne tradycje uległy zmianie, najpierw z powodu wiadomości o śmierci Ruperta Kenta, potem o obrażeniach Harry'ego. Przyjechali do Londynu w porze, kiedy w przeszłości zawsze stąd wyjeżdżali, z końcem sezonu.

W tym roku darowali sobie sezon. Uznali, że nie chcą narażać ani siebie, ani Louisy na kontakt z Londynem tak krótko po aferze z Charlesem de Montfortem. Zatem rok płynął w zniekształconym rytmie, zanim na dobre się zaczął.

Odnosił wrażenie, że wszyscy, właściwie cała Anglia, wpadli w sidła jakiejś dziwnej mocy, która każe im się przeglądać w osobliwym krzywym zwierciadle. Nic nie było takie samo jak wcześniej. Człowiekowi wydawało się, że coś wie, chwilę później jednak fakty rozpływały się w powietrzu jak dym. Teraz miał pewność, że Octavia się nie myliła: gazety istotnie nie pokazywały wojny w sposób, w jaki naprawdę przebiegała. Huraoptymistyczne wieści o głośnych zwycięstwach przykrywały znacznie gorszą prawdę – bezkształtną, zniszczoną i pokręconą.

Spod domu naprzeciwko odjeżdżała właśnie konna taksówka. Patrzył na nią z mieszaniną konsternacji i ciepłych wspomnień.

Taksówki stały się niemal przeżytkiem, podobnie jak oczekiwania i przyzwyczajenia tych, którzy z nich korzystali. William mieszkał tu za młodu. Prowadził przez pewien czas hulaszcze życie, a znacznie później, już żonaty, wrócił jako członek parlamentu

– wcielenie powagi i przyzwoitości. Młodsza wersja zniknęła, jakby jego flirty i błędy młodości nigdy nie istniały.

Z wyjątkiem Helene de Montfort. Rzadko o niej myślał w minionych miesiącach. Dziwne, że przyszła mu do głowy właśnie teraz. Ostatni raz widział ją przed rokiem w Paryżu. Bardzo nisko upadła po kolejnym fatalnym w skutkach romansie, porzucona przez anonimowego kochanka. Od tamtego czasu zdołał wypchnąć Helene ze swoich myśli. Uznał, że da sobie radę bez niego, w końcu on sam mało ją obchodził i przez wiele lat okłamywała go, dając do zrozumienia, że Charles jest jego synem. I dlatego – kiedy tylko przywiózł Louisę z Paryża do Rutherford – zamknął w myślach drzwi przed Helene.

Oparł głowę o zimną szybę i popatrzył na pusty zielony skwer za płotem. Jego małżeństwo. Octavia. Sądził, że udało mu się je uratować, naprawić stosunki z żoną. Sprowadził ją i dzieci z powrotem pod dach Rutherford.

„Ale co tak naprawdę osiągnąłem?" – rozmyślał. Octavia wczoraj pojechała do Folkestone, zupełnie sama. Bez Coopera, Amelie i oczywiście bez niego. Była tak pełna werwy i taka zimna... zupełnie inna niż kobieta, którą poślubił. Rzeczowa, z czymś na kształt litości w spojrzeniu.

– Rób, co każe ci lekarz – poleciła.

Poczuł się jak duże, uciążliwe dziecko. Wszystko stanęło na głowie. To ona miała polegać na nim, słuchać go i zgadzać się z nim, a nie sama podejmować decyzje.

Patrzył, jak odjeżdża, obserwował powóz z tego samego okna. Potem przyszedł Cooper, zaczął się nad nim trząść i zagonił go do łóżka. Znów jak dziecko.

– Wyjdź stąd – syknął wreszcie William. – Przynieś mi brandy.

– Tego nie mogę zrobić, proszę pana.

Popatrzył zdumiony na kamerdynera. Mężczyzna bezradnie rozłożył ręce.

– Ścisłe rozkazy jaśnie pani.

– Niech to szlag trafi! – ryknął.

Poczuł, że serce zaczyna tłuc się w jego klatce piersiowej jak wróbel. Cooper zauważył zmianę w barwie twarzy jaśnie pana i czym prędzej zapakował go do łóżka. Ku swojemu przerażeniu, William nie był w stanie go powstrzymać. Leżał i ciężko oddychał jak ryba wyrzucona na brzeg.

– Octavia – szepnął, kiedy znów został sam.

Pomyślał o jej pięknej twarzy. Patrzyła na niego, gdy zakładała rękawiczki i narzucała szal na podróżny płaszcz.

– Wrócę z Harrym tak szybko, jak tylko zdołam.

– Wynajmij prywatny ambulans – powiedział. – Nie pozwól, żeby wepchnęli go do jakiegoś pociągu. Znajdź zmotoryzowaną karetkę i wróćcie autem.

– Tak zrobię – odparła. – Wszystko jest pod kontrolą, Williamie. Jutro zjawią się tu dwie pielęgniarki. Amelie wie, co ma robić.

I zniknęła.

Kiedyś było nie do pomyślenia, żeby kobieta z jej sfer sama podróżowała transportem publicznym. Zupełnie nie do pomyślenia. W jego młodości takie rzeczy robiły wyłącznie panie podejrzanej konduity. Teraz je sobie przypomniał. Chodził wraz z innymi młodymi mężczyznami na Piccadilly i widział umalowane szesnasto- i siedemnastolatki.

Dziś to wszystko wydawało się wielkim żartem, przecież nigdy nie poświęcił im ani jednej myśli. Nie zastanawiał się, skąd się tam wzięły. Były tam, to wszystko. Dziewczyny, które miały go zabawić. Dziewczyny, którym płaciło się po dwudziestu minutach w jakimś zawilgotniałym pokoju. Kieliszki taniego szampana, fałszywe westchnienia, a po chwili ręce sięgające po pieniądze. „Mój Boże", pomyślał, okrutna bezduszność młodości. Błędy, chciwość.

Oderwał czoło od okna i spojrzał na stojący przy łóżku zegar.

Dziesięć po piątej.

Zdał sobie sprawę, że jego myśli galopują. Musiał postarać się myśleć jaśniej. Podszedł powoli do sekretarzyka. Wyjął plik kartek i wieczne pióro. Wrócił do łóżka i z trudem się na nie wspiął. Położył papier na kapie i otwartej książce, która leżała tam od poprzedniego wieczoru.

Po chwili zaczął pisać.

Znacznie później ktoś zapukał do drzwi.

– Kto tam? – zawołał. Leżał na plecach. Skończył pisać, a kopertę schował pod narzutę, z dala od wścibskich oczu.

Drzwi się otworzyły i stanęła w nich uśmiechnięta Charlotte. Weszła do pokoju, niosąc tacę ze śniadaniem.

– Co ty wyprawiasz? – zapytał. – Chyba nie zrobiłaś tego sama?

– Nie bądź niemądry, tato – odpowiedziała ze śmiechem. – Wzięłam od kucharki na dole.

Odstawiła tacę na nocny stolik i usiadła na brzegu olbrzymiego łóżka. Owinęła się ciaśniej gęsto haftowanym chińskim szlafrokiem, który miała na sobie.

– Teraz będę cię rozpieszczać i cię nakarmię.

Próbował się zezłościć, ale nie potrafił.

Patrzył, jak córka nalewa mu herbaty, sypie do filiżanki zdecydowanie zbyt dużo cukru i energicznie miesza. Była dobrą dziewczyną. Nie aż tak ładną jak Louisa, a może raczej ładną w inny sposób. Nie miała delikatnych rysów twarzy, lecz wyraziste i interesujące.

Któregoś dnia dawno temu, obserwując ledwie wyrosłe z niemowlęctwa Louisę i Charlotte podczas zabawy na trawniku, szepnął do Octavii: „Zastanawiam się, skąd się wzięło takie niezgrabne dziecko". Octavia uśmiechnęła się i natychmiast zaprotestowała, ale powiedział, że tylko żartował. Niemniej Charlotte od dziecka wydawała się przy siostrze solidna i duża. W latach nastoletnich zaczęły się u niej napady złego humoru, patrzyła na nich spode łba i kłóciła się o wszystko. A teraz dojrzała i stała się zupełnie inna. Miała ciemne włosy i krótko przyciętą grzywkę, oraz jasne oczy. Bardzo żałował, że kobiety ścinają dziś swoje piękne warkocze... To go odrobinę przerażało, chociaż nie potrafił powiedzieć dlaczego.

– Proszę – Charlotte podała mu filiżankę.

Uniósł się na łóżku.

– Dziękuję.

– Mieliśmy telefon od matki. Pomyślałam, że chciałbyś wiedzieć.

– Dziękuję, kochanie. Oczywiście. Rozmawiałaś z nią?

– Nie. Powiedzieli mi na dole. Wlokła się pociągiem niemal do północy, potem wysiadła w miasteczku zwanym Plummington. Zdecydowała, że resztę drogi przejedzie samochodem. Rano znalazła kogoś, kto obiecał ją zabrać.

– Mój Boże. Co się stało z pociągiem?

– Och, był przepełniony, zepsuła się sygnalizacja czy coś w tym rodzaju. – Charlotte uśmiechnęła się i poklepała go po kolanie. – Nic jej nie jest. Zostawiła wiadomość, że zadzwoni, kiedy statek Harry'ego dopłynie do portu. Jest całkiem zadowolona, tylko zirytowana, że jeszcze nie dotarła do Folkestone. Możesz przestać robić taką oburzoną minę, tato.

– Mimo wszystko napiszę do spółki kolejowej ze skargą. Samotna kobieta...

– Nie wszystkie jesteśmy ujmującymi, małymi kwiatuszkami, mój drogi. Mama z pewnością nie jest.

Upił łyk herbaty.

– Nie – mruknął. – Zdaję sobie z tego sprawę.

Oparł się o zagłówek. Córka popatrzyła na niego.

– Wyglądasz lepiej – zauważyła. – Kolory ci wróciły.

– Poprawi mi się, kiedy wstanę z łóżka.

– Och nie, nie wolno ci!

– Jestem już zmęczony tym, że wszyscy mnie niańczą – parsknął z irytacją. – Zejdę na dół i chociaż poczytam gazetę.

Charlotte zrobiła zmartwioną minę.

– Wydaje mi się, że raczej nie powinieneś.

– Nie powinienem! – Przez ostatnie pięćdziesiąt lat czytał „Timesa" codziennie, od deski do deski, nad poranną kawą.

– Zwłaszcza że wieści są okropne. Pan Asquith znów wspominał o amunicji. Wiesz, jak bardzo ten temat cię denerwuje.

– Brak amunicji jest równoznaczny z mordowaniem naszych oddziałów.

– Właśnie. Sam rozumiesz. Przestań, ojcze. W ogóle nie zobaczysz gazety. Zostaniesz tutaj i będziemy cię karmić chlebem maczanym w mleku. Łyżeczką.

Musiał się roześmiać.

– Przynieś mi „Timesa" – poprosił cicho. – Przynajmniej poczuję się człowiekiem, częścią ludzkości. Obiecuję, że nie będę krzyczał.

– Widzisz, to kolejna rzecz. Nie ma dzisiaj „Timesa". Dostawca bardzo przepraszał, ale ludzie wykupili wszystkie egzemplarze.

– O czym ty mówisz? – zdziwił się. – Mamy codzienną dostawę. To niedorzeczne.

– Wiem – przyznała. – Ale chodzi o „Lusitanię". Służba ma „Daily Sketch". Wczorajszy. Chciałbyś poczytać go w zamian, dopóki nie dostarczą nam „Timesa"?

– „Lusitania"...?

– Wczoraj czytałam o tym trochę. Florence przechodziła koło biura Cunard i mówiła, że pełno tam ludzi. Na West Endzie były nawet jakieś zamieszki. Rabowano niemieckie przedsiębiorstwa.

William patrzył na nią w zdumieniu.

– „Lusitania"...? – powtórzył, tym razem głośniej.

Wzruszyła lekko ramionami.

– No cóż, i tak się o tym dowiesz, więc przeczytanie o wszystkim w gazecie niczego nie zmieni. – Zeskoczyła z łóżka. – Przyniosę ją.

– Charlotte – zapytał cicho. – Co się z nią stało?

Dziewczyna zatrzymała się przy drzwiach.

– Och, obawiam się, że zatonęła. Siódmego po południu. Okropność, prawda? Została storpedowana przez łódź podwodną.

Na pokładzie byli sami cywile. Rozumiem, że topią statki kupieckie, ale pasażerski liniowiec!

I zamknęła za sobą drzwi. Zeszła na dół. Dobiegły go zduszone dźwięki pospiesznej rozmowy. Potem na schodach ponownie rozległy się kroki.

Przez cały ten czas leżał nieruchomo, mając wrażenie, że z płuc uszło mu powietrze. Oczywiście Charlotte nie wiedziała, że John Gould płynął „Lusitanią". Gdyby przypadkiem odkryła, że Amerykanin znajdował się na pokładzie statku, pod żadnym pozorem nie wolno mu było tego zdradzić. Ich dzieci nie miały pojęcia o związku Octavii z Gouldem. Wiedziały tylko, że gościł w Rutherford. Żadne z nich nigdy się nie dowie. Już on się o to postara. Gdyby Charlotte skojarzyła te dwie sprawy – wyżej podciągnął się na łóżku, krzywiąc się, kiedy poczuł w gardle drapiący ból – gdyby Charlotte skojarzyła fakty... musi to dobrze rozegrać. Musi powiedzieć niedbale: „Och, to ten mężczyzna, który był w Yorkshire zeszłego lata?", tak jakby nie mógł zniszczyć jego życia w dowolnym momencie.

Córka wróciła z gazetą i położyła ją na łóżku. William kątem oka dostrzegł nagłówek „Szwaby zatapiają «Lusitanię»" nad wielką na pół strony fotografią ogromnego liniowca płynącego pod pełną parą. Pod spodem umieszczono zdjęcia pasażerów. Charles Frohman... Alfred G. Vanderbilt... sir Hugh Lane.

Charlotte czytała razem z nim, trzymając rękę na jego ramieniu. Nie podniósł dziennika, żeby nie zauważyła, jak bardzo trzęsą mu się ręce.

– Spotkałem kiedyś Vanderbilta – powiedział. – Porządny facet. Lubił polowania.

– A Frohmana?

– Nie znam go.

– Lane'a...?

William z powrotem opadł na poduszki, oparł głowę i patrzył na baldachim.

– Czy twoja matka słyszała o tym przed wyjazdem? – spytał.

– Nie sądzę. Bardzo się spieszyła... Florence przyszła opowie-dzieć mi o wszystkim już po jej wyjściu. Mówiła też, że wczoraj podano błędne informacje. W wielu gazetach napisali, że wszy-scy się uratowali. Dopiero wczoraj późną nocą łodzie ratunkowe zaczęły przybijać do Queenstown. Wcześniej nie było właściwie żadnych informacji.

Odwrócił głowę, żeby na nią popatrzeć.

– I to nieprawda? – spytał.

– Co jest nieprawdą?

– Że uratowano wszystkich pasażerów.

– Nie – powiedziała. – Chyba nie. Florence mówiła, że na wi-trynie biura Cunard wisi obwieszczenie. Zginęło tysiąc albo więcej osób. Statek zatonął w czternaście minut. Na pokładzie znajdowało się mnóstwo kobiet i dzieci.

– Czternaście minut – powtórzył. Zamknął oczy.

„Czternaście minut. Czternaście minut. Kto to przeżył?" – po-myślał. Ból w przełyku lekko się nasilił, przyduszając go. Było to szalenie nieprzyjemne, dziwne uczucie, jakby małe, ostre paluszki zaciskały się na jego krtani i odcinały dostęp powietrza. Zaczął kaszleć. Pod czaszką nieustająco tłukła mu się jedna myśl – „Kto zginął? Kto zginął?".

Charlotte zmarszczyła brwi. Po chwili łagodnie wyjęła mu gazetę z dłoni, złożyła ją i położyła na stoliku przy łóżku.

– Jeśli chcesz, mogę przejść koło biura Cunard w drodze do St. Dunstans – zaproponowała.

Otworzył oczy.

– Nie, kochanie – powiedział. – I proszę, nie wychodź dzisiaj.

– Ale...

– Będą kolejne zamieszki. Nie idź.

Zawahała się. Postanowienie, by pomagać w szpitalu, co ostat-nio często robiła, wyraźnie walczyło w niej z niechęcią do sprze-ciwienia mu się.

Wziął ją za rękę i mocno ścisnął.

– Tylko ten jeden raz – poprosił. – Zostań ze mną przez kilka godzin.

– Dobrze – mruknęła, zagryzając wargę.

– I zawołaj Coopera – westchnął William. – Powiedz mu, żeby tu natychmiast przyszedł.

9

To było jedno z najładniejszych małych miasteczek, jakie Octavia kiedykolwiek widziała.

O siódmej rano stała przed pubem, wkładała rękawiczki i cieszyła się chłodną słodyczą powietrza. Poprzedniej nocy nazwa „Plummington" wyłoniła się z ciemności na jedynym peronie dworca w postaci wypisanej czarnymi literami na białym tle tablicy. Po pięciu godzinach podróży pociągiem, który wlókł się w ślimaczym tempie, Octavia zaczęła tracić cierpliwość. Przez jakiś czas drzemała w cichym wagonie, tak samo jak milczący współpasażerowie, ale im bliżej północy, tym bardziej się irytowała.

Wstała ze swojego miejsca i ruszyła korytarzem. Wszystkie siedzenia były zajęte, a ku jej zdumieniu pasażerowie tłoczyli się również w przejściu. Młoda kobieta siedziała na podłodze, skulona, rękami obejmując kolana. Spojrzała na Octavię, na chwilę zawiesiła wzrok na jej ubraniu, po czym z rezygnacją opuściła głowę. Małe dziecko, chłopiec, przytulało się do jej boku, częściowo przykryte spódnicą matki. Spało mocno.

Na łączeniu wagonów pierwszej i drugiej klasy na Octavię niemal wpadł wycieńczony steward.

– Długo tu będziemy stać? – spytała.

– Bardzo mi przykro, ale nie wiem. Mamy opóźnienie.

Uśmiechnęła się do niego lekko.

– Wysiądę tutaj. Bardzo proszę, by zdjął mi pan bagaż.

– Ależ... ależ nie mogę tego zrobić – zmieszał się. – To nie jest regularna stacja na tej trasie.

– To zupełnie nieistotne – odpowiedziała uprzejmie. – Nie zamierzam spędzić w tym wagonie całej nocy.

– Ale nie jesteśmy jeszcze w Folkestone – zaprotestował steward.

– To prawda – zgodziła się. – Poproszę o swoją walizkę. Porozmawiam z naczelnikiem stacji i wszystko mu wyjaśnię. – Odwróciła się i zatrzymała. – Widzi pan tę kobietę? Siedzi przed nami na podłodze.

– Tak, proszę pani. Bardzo przepraszam. Ludzie są zmęczeni i...

– Proszę jej oddać moje miejsce – zażądała Octavia. – Musi zająć się dzieckiem.

Wyglądało na to, że naczelnik stacji również się nie spodziewał, że ktokolwiek wysiądzie w Plummington. Kiedy zobaczył Octavię, wybiegł i stanął na peronie, w pośpiechu zapinając guziki kołnierzyka.

– Ten pociąg zwykle się tu nie zatrzymuje, proszę pani.

Jego nastroszone włosy w świetle pojedynczej lampki wyglądały jak aureola.

– Już mi o tym powiedziano.

Spojrzenie naczelnika powędrowało od jej twarzy do eleganckiej, włoskiej skórzanej torby, z powrotem na twarz i ponownie na torbę.

Wyciągnęła rękę.

– Jestem lady Cavendish. Rano muszę jechać do Folkestone. Czy mógłby mi pan powiedzieć, gdzie mogę się dziś zatrzymać? I będę jutro potrzebowała samochodu.

Mężczyzna spojrzał na jej dłoń, po czym podskoczył, jakby ktoś poraził go prądem.

– Och, tak. – Ujął niezręcznie jej dłoń, a po kilku chwilach męczarni bezceremonialnie ją puścił. – Panuje okropny bałagan, widzi pani. Rozkład jazdy. Pociągi. Zazwyczaj jeździmy z dokładnością co do minuty. Ale są też transporty wojskowe, no i zazwyczaj nocą. Nigdy wcześniej nocą nie jeździły tędy pociągi. Nie sposób

przewidzieć, co się zatrzyma. – Uśmiechnął się do niej bezradnie.
– Zacząłem kłaść się spać w ubraniu, jak pani widzi... tak na wszelki wypadek. Nie powinno tak być, proszę pani. Lubię wyglądać jak spod igły. Ale ostatnio...
Octavia straciła nadzieję, że mężczyzna wkrótce przejdzie do rzeczy.
– Mam poczekać na zewnątrz? – spytała. – Czy tutaj?
– Ależ nie! – zmitygował się. – Nie, nie. Proszę wejść do domu, jaśnie pani. Jest znacznie bardziej... przestronny, a ja poszukam kogoś... kiedy będę dzwonił do...
Teraz, w świetle poranka, Octavia stłumiła lekki uśmiech rozbawienia. Całkiem nieumyślnie wprowadziła w uroczym małym Plummington okropne zamieszanie. Jakieś dwadzieścia minut po tym, jak opuściła pociąg, nadjechała zdezelowana taksówka. Znaleziono jej nocleg w pubie w ciągu pięciu kolejnych minut. A pół godziny później leżała w łóżku w najmniejszym pokoju, jaki kiedykolwiek widziała.
Na swój sposób było to ekscytujące. Zorganizowała sobie nocleg nie dalej niż dwadzieścia mil od Folkestone, bez pomocy pokojówki, służby czy kierowcy. Odniosła sukces, chociaż wiedziała, że raczej niewielkiego kalibru. Czuła się tak, jakby zdołała wyrwać się na wolność. To bardzo niemądre, pomyślała, może nawet niedorzeczne w przypadku dorosłej kobiety, ale ogromnie ucieszyła ją ta drobnostka. Jeszcze nigdy nie była nigdzie sama, naprawdę sama.
Za nią otworzyły się drzwi.
Właścicielka pubu stanęła na stopniach z niewyraźną miną.
– Samochód już jedzie, proszę pani. Będzie lada chwila.
– Dziękuję – odpowiedziała Octavia. – I dziękuję za herbatę.
– Och, wolelibyśmy zrobić pani porządne śniadanie.
– Obawiam się, że niestety nie mam na to czasu.
– Jedzie pani do Folkestone?
– Tak.

Kobieta zrobiła krok w przód i z cienia krytego strzechą ganku wyszła na słońce.

– Trafił się pani piękny dzień – zauważyła. – Ale tam się strasznie dużo dzieje, wie pani. Obozowiska, baraki i co tam jeszcze. Wszędzie zakwaterowali Kanadyjczyków, nawet tu niedaleko. I uchodźców z Belgii.

– Uchodźców? – powtórzyła zaskoczona Octavia.

– A, tak. Zaczęli przyjeżdżać w sierpniu zeszłego roku. Jest ich coś sześćdziesiąt pięć tysięcy.

– Sześćdziesiąt pięć tysięcy?! – wykrzyknęła lady Cavendish. – Mój Boże. W takim razie Folkestone musi pękać w szwach. – Wiedziała tylko tyle, że było to niegdyś ciche, nadmorskie miasteczko, z którego od czasu do czasu odpływały promy na kontynent. – Nie miałam pojęcia.

– U nas jest jeszcze spokojnie, ale już kilka mil stąd... Po prostu by pani nie poznała tego miasta. – Kobieta nagle zamilkła. Przechyliła głowę. – Słyszy pani?

Octavia nasłuchiwała.

– Burza – stwierdziła. – Daleko.

– To nie burza. To strzały. Musi trwać duże natarcie.

– Strzały? – powtórzyła Octavia. – Chyba nie mówi pani o artylerii? O działach we Francji?

– Właśnie tak, proszę pani. Słychać je tu dość często. I... niech pani wybaczy, że pytam – ciągnęła kobieta – ale kierowca wczoraj mówił, że wyjeżdża pani na spotkanie statku szpitalnego.

– Tak. Po mojego syna.

– Och, tak mi przykro. Odesłali kilku naszych chłopaków i... – Nagle zamilkła, najwyraźniej sądząc, że lepiej nie opisywać tych, którzy wrócili. – Obawiam się, moja pani, że okropnie ciężko będzie go znaleźć – powiedziała z wyraźnym współczuciem. – To bardzo trudne przy całym tym ruchu i wśród tego wojska. Nie pozwalają ludziom wchodzić do portu.

– Naprawdę? – mruknęła lady Cavendish. – Zobaczymy.

Ich uwagę odwrócił nadjeżdżający samochód. Tego wczesnego poranka był to jedyny pojazd w okolicy. Jechał alejką w cieniu kasztanowców. Auto zatrzymało się koło Octavii i wysiadł z niego elegancki mężczyzna w średnim wieku.

– Dzień dobry – przywitał się. – Anthony Smythe. Pani przyjazd spowodował nie lada zamieszanie.

– Jest mi z tego powodu ogromnie przykro.

– Och, żaden problem, żaden problem. Bardzo mi miło. – Octavia skinęła głową. – Ostrzegam panią, dotarcie do Folkestone to okrutnie trudne zadanie.

– Tak słyszałam.

– Ale nam się uda – ciągnął mężczyzna z szerokim uśmiechem. – Tak, z całą pewnością. – Podniósł jej walizeczkę. – Mój ojciec zna jaśnie pana, choć nie osobiście. Drobny zbieg okoliczności. Wciągnięto go w zeszłym roku do admiralicji w Whitehall, wie pani.

– Rozumiem.

– Tak więc... hm, zadzwonili do mnie z pubu... Zgodziliśmy się, że będzie pani potrzebowała wygodnego samochodu.

– Przepraszam, że pana niepokojono. Zwyczajna taksówka w zupełności by wystarczyła.

– Ależ nie, to żaden problem. – Uśmiechnął się do niej. – Rozumiem, że chodzi o „Księżniczkę Wiktorię".

– Przepraszam?

– Albo o nią, albo o „Małgorzatę". Jeśli mieli odrobinę szczęścia, trafili na „Świętą Cecylię". Jest nowsza. – Zauważył jej zdezorientowaną minę. – Statki, rozumie pani. Kursujące z Folkestone. Tak czy inaczej... Musimy ruszać pełną parą. Proszę wygodnie usiąść.

Octavia zatrzymała się przed drzwiami auta.

– Olśniewający pojazd. Nie jest brytyjski, prawda?

Smythe napuszył się z dumy. Właśnie poznała jego słabość: chłopięcy podziw dla wszystkiego, co mechaniczne. Przypominał jej boleśnie Harry'ego. Z dumą poklepał karoserię.

– To peerless z tysiąc dziewięćset trzynastego – wyjaśnił. – Przypłynął w zeszłym roku. Piekielnie dobre samochody. Byłem w Ameryce i widziałem te...

– W Ameryce? – spytała. – Doprawdy?

– Lubię Amerykanów. A pani?

Nie odpowiedziała. Popatrzyła tylko na kremowo-czarną karoserię, składany dach i białe opony.

– Jest jak gwiazda filmowa – powiedział Smythe. – Przypłynęła „Lusitanią", niech pani sobie wyobrazi.

Spojrzała na niego. W dziwny sposób podkreślił nazwę statku.

– Wspaniały statek – ciągnął. – Sam nim płynąłem, żeby przywieźć samochód do kraju. To pewnie dlatego, że jest najszybsza. Niemcom musiało to zaleźć za skórę. Nie mogli tego znieść. Po prostu nie mogli, wie pani?

Położył jej torbę na przednim siedzeniu. Wsiadła do środka, zdumiona. Gospodyni pomachała jej lekko, kiedy odjeżdżali. Smythe wcisnął gaz i obejrzał się przez ramię.

– Za chwileczkę będziemy na miejscu – krzyknął.

Próbowała pochylić się do przodu, walcząc z pędem powietrza.

– Co pan miał na myśli, mówiąc, że „Lusitania" jest najszybsza? – spytała.

Ale Smythe, opierając łokieć o otwarte okno, zaczął pogwizdywać, podczas gdy samochód, rycząc na pełnym gazie, pędził po polnej drodze.

Folkestone istotnie okazało się przepełnione.

Przyjechali od strony łagodnych, wiejskich wzgórz Kentu. Przemierzali drogi, niegdyś ciche i wysadzane drzewami, mijali olbrzymie wiktoriańskie wille postawione w rozległych ogrodach, które bez wątpienia z wyższych pięter miały widok na morze. Przed laty z pewnością należały do elity, teraz jednak znalazły się, jak przypuszczała Octavia, w stanie oblężenia.

Na chodnikach i drogach tłoczyły się pojazdy każdego rodzaju, nawet wyładowane towarami po brzegi wózki ciągnięte przez konie. Zielone pola Kentu stopniowo zapełniały się brezentowymi namiotami, a im bliżej byli miasta, tym więcej mijali rzędów czegoś, co wyglądało jak postawione naprędce szopy, rozdzielone ścieżkami tak wąskimi, że ledwie dało się przecisnąć.

W tym rozgardiaszu Octavia wreszcie ujrzała morze: nie spokojną, błękitną przestrzeń, którą kojarzyła z minionymi podróżami, lecz szachownicę łodzi i okrętów wojennych, stojących nieco dalej od brzegu. Niebo upstrzone było sterowcami.

– Nieustannie szukają tych diabelnych U-Bootów – wyjaśnił Smythe. – Transportowce i statki szpitalne muszą mieć obstawę, rozumie pani. Przeklęte Szwaby. Proszę sobie wyobrazić, że biorą na cel łódź z rannymi i pielęgniarzami. Nie mówiąc już o kobietach i dzieciach. Gdyby tylko kapitan takiego U-Boota mi się nawinął pod rękę... z przyjemnością pociągnąłbym za cyngiel, o tak, z całą pewnością. Dla mnie to po prostu piractwo.

Octavia nie odpowiedziała. Słuchała go jednym uchem, zastanawiając się jednocześnie, jak przetransportuje Harry'ego z powrotem do Londynu. Po chwili Smythe zwolnił i odwrócił się do niej.

– Przepraszam najmocniej – powiedział. – To u nas rodzinne, pleciemy, co nam ślina na język przyniesie. Jestem pewien, że statek pani syna dotarł już bezpiecznie na miejsce.

– Nic się nie stało – zapewniła go.

Samochód zatrzymał się na skrzyżowaniu.

– Proszę posłuchać – odezwał się Smythe. – Postaram się dotrzeć do portu, ale nie wiem, czy się uda. W każdym razie spróbujemy.

Ostrzeżenia właścicielki pubu i Smythe'a okazały się niebezpodstawne. Pół mili dalej samochód utkwił na dobre w gąszczu przechodniów i pojazdów. W stronę portu maszerowała kolumna kanadyjskich żołnierzy, a ulice zapełniły się machającymi im energicznie na pożegnanie ludźmi.

Octavia obserwowała, jak Kanadyjczycy odpowiadają radośnie na pozdrowienia i śmieją się do siebie. To były same młode twarze i Octavii przypomniał się artykuł w „Sunday Post" z ubiegłego tygodnia, w którym pisano, że na wieść o użyciu gazu we Francji wielu Kanadyjczyków przywdziało mundury. Pisano też o dwudziestu pięciu tysiącach Nowozelandczyków w czynnej służbie. Ich premier miał powiedzieć, że żadne poświęcenie nie jest zbyt wielkie, by godnie reprezentować kraj. Musiała odwrócić głowę od chłopców maszerujących tak żwawo w stronę wyjącej po drugiej stronie kanału artylerii.

Sięgnęła do torebki.

– Mam list z biura pana Churchilla – powiedziała do swojego kierowcy. – Pomoże nam dotrzeć do statku.

Smythe ze zdumienia szeroko otworzył oczy.

– Naprawdę?

– Wczoraj rano wysłałam wiadomość do admiralicji. Churchill jest w tej chwili we Francji, ale jego pracownicy okazali się tak mili, że odpowiedzieli. Przesłali mi list z kopią jego podpisu.

– Dobry Boże – mruknął Smythe do siebie. – Ależ zaradna kobieta.

Zaparkował samochód, wydostał się z niego i pomógł wysiąść Octavii.

– Stąd powinniśmy iść na piechotę – powiedział. – Znam drogę. Prowadzi z dala od tłumu. Można tędy dojść do portu.

Ruszyła za nim. Po kilku krokach mężczyzna się zatrzymał.

– Zastanawiam się, czy to rozsądne, posługiwać się nazwiskiem Churchilla.

– Dlaczegóż by nie?

– Wie pani, jak go teraz nazywają? – spytał. – „Rzeźnik z Gallipoli". Kampania w Dardanelach to katastrofa, ojciec mi mówił. A co do wydarzeń sprzed dwóch dni... To pewnie tajne. Niektórzy twierdzą, że nasze własne ministerstwo marynarki... – Smythe zacisnął usta. – No cóż. Zastanawiam się, czy tutejsze dowództwo także będzie pod wrażeniem.

– Churchill wciąż jest ministrem – zaoponowała Octavia. Niecierpliwość zaczynała brać w niej górę. Smythe bez wątpienia próbował być miły, ale ona pragnęła najszybciej, jak to możliwe, zobaczyć Harry'ego. – Mimo wszystko posłużę się listem.

– Jak pani sobie życzy, oczywiście – odparł mężczyzna.

Szli szybko. Dochodziła dziewiąta rano. Oślepiało ich słońce, kiedy zbliżali się do nabrzeża. Zatrzymali się przed zniszczoną ławką między ogródkami działkowymi.

– Czy posiedzi tu pani przez moment? – poprosił Smythe. – Pójdę i popytam. Nie ma sensu, żebym ciągnął panią przez tłum.

– Absolutnie nie ma mowy.

Smythe zrobił błagalną minę.

– Gdyby mogła pani po prostu odrobinę tu odetchnąć... – powiedział. – Pójdzie mi znacznie szybciej. Z pewnością lord Cavendish byłby przerażony, i miałby rację, gdybym ciągał panią po całym porcie.

I w następnej chwili zniknął. Octavia przez chwilę gotowała się ze złości. Poczuła się bezradna, ograniczona własną kobiecością. Nawet mężczyźni, których nie znała, zakładali, że nie nadaje się do walki, jaką okazywało się codzienne życie. Myślałby kto, że jest zrobiona z papieru i że rozpychający się łokciami, niecierpliwy tłum mógłby rozerwać ją na strzępy.

Walczyła z silnym pragnieniem, by zerwać swój niedorzecznie drogi, aksamitny kapelusz i śliczny, ozdobiony jedwabiem płaszcz. Powinna zakasać rękawy, przynajmniej metaforycznie, a przyjeżdża tu w stroju tak bardzo różnym od stroju robotniczego, że bardziej się nie da. Żenujące. Smythe uważał ją za kruchą i trudno go za to winić. Popatrzyła po sobie. Aksamit... jedwab... jak mogła być tak niepoważna, tak bezmyślna? Gwałtownie ściągnęła rękawiczki i wepchnęła je do torebki. Smythe traktował ją zgodnie z tym, jak prezentowała się światu.

Niemal czuła w uszach dudniące przestrogi Williama. Podróżowała sama, wsiadała do samochodów obcych mężczyzn z niższych klas, czekała samotnie w jakimś wąskim przejściu na zdezelowanej ławce. „Dobry Boże, Octavio!" – prawie jakby siedział obok niej.

„Tak" – pomyślała. – „I co z tego?". Wokół działy się znacznie gorsze rzeczy. Przypomniała sobie o sześćdziesięciu pięciu tysiącach uchodźców, o których mówiła rankiem ta kobieta. Wśród nich musieli być dobrzy ludzie, bez wątpienia o znamienitym pochodzeniu, właściciele nieruchomości i ziemi. Nie traktowano ich z należnym szacunkiem. Musieli uciekać, jeśli chcieli ratować życie.

Wojna zrównywała wszystkich, niszczyła klasy społeczne. Octavia zastanawiała się, czy kiedykolwiek jeszcze siądzie u szczytu stołu we własnej jadalni i porozmawia o błahostkach. Jak spojrzy w twarze mężczyzn takich jak Harrison czy Nash i każe im sobie usługiwać? Co u licha ma zrobić ze swoim życiem, żeby okazać się osobą pożyteczną, nie tylko ozdobą domu?

– Jestem przeżytkiem – westchnęła.

Siedziała w zapyziałej, małej uliczce, padały na nią ostre promienie słońca. Octavia z pełną jasnością zdała sobie sprawę, że to prawda. Ona i William pochodzili z innej epoki. Nie na miejscu i nie w swoim czasie, zaledwie widzowie w tym wojennym spektaklu, który zmieniał cały świat. Siedzieli w domach i pozwalali synom mówić o chwale i zabawie, a potem patrzyli, jak przywożą ich rannych do domu. We Francji ścierały się relikty poprzedniej epoki – Wielka Brytania i Austro-Węgry. Nazywały same siebie imperiami, ale były mamutami z innej ery.

Pomyślała o Williamie, który leżał w swoim pokoju w domu na Grosvenor Square, blady, oparty o poduszki. Idealny obraz przemijającej klasy społecznej. Patrzyła nieobecnym wzrokiem na porządnie utrzymane ogródki za płotem. Klasa pracująca. Kobieta siedząca na podłodze pociągu poprzedniej nocy była uparta i odważna, bez słowa znosiła niewygodę. Spojrzała na Octavię z obojętnością, niemal lekceważeniem. „Jesteśmy dinozaurami"

– pomyślała Octavia. – „Nie możemy liczyć, że sprawy wrócą na dawne koleiny". Z całego serca współczuła mężowi.

Jednocześnie – choć martwiła się o Harry'ego i o losy rodziny – jakaś część jej umysłu wracała do Johna Goulda. Wciąż znajdował się za kulisami teatru jej życia. Przynajmniej od dwóch dni powinien być w Liverpoolu. Nie miała chwili, żeby spróbować się z nim skontaktować. Gdyby pojechał albo zadzwonił do Rutherford, odkryłby, że nikogo tam nie ma.

W roztargnieniu potarła czoło dłonią. Wiedziała, że John jest w gorącej wodzie kąpany: pojechałby prosto do Yorkshire, a gdyby mu powiedziano, że ona i William są w Londynie, z pewnością tam właśnie by się udał. Zatrzymałby się w hotelu w mieście, o ile nie w domu na Grosvenor Square. Czy rozmawiał już z Williamem? Zadrżała. Serce Williama mogło nie wytrzymać pojawienia się Goulda.

Co zrobi, gdy znów zobaczy Johna?

– Może powinnam zupełnie go unikać...

John, William i Harry... poczuła, że tkwi w centrum skomplikowanego dramatu. To ona musiała przywieźć Harry'ego do Londynu. Musiała upewnić się, że William wróci do zdrowia. Musiała... rozejrzała się wokół.

Nici życia trzymała w swoich rękach. Gdyby upuściła choć jedną... musiała zachowywać się nienagannie. Powinna zachowywać się nienagannie. To jej obowiązek wobec męża i syna. Musiała opiekować się córkami. A jednak... a jednak... dom na Cape Cod, stojący na bielejących, porośniętych trawą wydmach nad zatoką, z latarniami ustawionymi wokół szerokiej werandy. Widziała w wyobraźni ten dom, tak jak opisywał go John.

– O mój Boże – szepnęła. – Muszę kazać mu wyjechać.

Gdyby się z nim spotkała, wszystkie nitki, którymi operowała z taką delikatnością, wymknęłyby jej się z rąk. Mimo to na obrzeżach jej umysłu migotały latarnie na szerokiej werandzie.

Minuty ciągnęły się w nieskończoność, mijały jedna po drugiej. W końcu Octavia wstała. Wyprostowała plecy i wzięła głęboki wdech. Próbowała zobaczyć, jakie statki wpływały do portu, ale był to daremny wysiłek. Znajdowały się zbyt daleko.

– Och, to niedorzeczne – mruknęła. – Tak nie może być. Po prostu nie.

Złapała torbę i ruszyła ścieżką w dół.

Nie uszła nawet dwudziestu jardów, kiedy ponownie pojawił się Smythe. Wyraźnie brakowało mu tchu.

– Przypłynął – wydyszał. – Wszedł do portu czterdzieści minut temu. Kompletny dom wariatów. Nie jestem pewien, czy chce pani to oglądać... niektóre przypadki...

– Bzdura. Proszę, pospieszmy się.

Smythe uśmiechnął się szeroko.

– Oni wiedzą, kim pani jest. Komendant portu otrzymał telefon od pani męża. Nie mogą uwierzyć, że przyjechała pani sama. – Podał jej ramię. – I jest też karetka. Chyba dla pani. Ale obawiam się, że będzie pani musiała porozmawiać na ten temat z lekarzem. Wygląda na to, że chcą wysłać pani chłopaka do Liverpoolu następnym pociągiem.

Wyraz twarzy Octavii wyraźnie zdradzał, co o tym myślała.

– Z wielką przyjemnością porozmawiam z lekarzem – stwierdziła stanowczo.

William i Charlotte siedzieli w salonie domu na Grosvenor Square. Rozłożyli na stole gazety dostarczone wreszcie przez skruszonego sprzedawcę.

Charlotte spoglądała na pierwszą stronę „Daily Chronicle". Wielki nagłówek na samej górze głosił: „Rozbitkowie z «Lusitanii» – straszliwe historie". Pod spodem kolumna za kolumną: „Ostatnie sceny z «Lusitanii»", „Cała prawda o wielkim morderstwie", „1400 niewinnych ofiar", „Dramatyczne sceny w Queenstown". Nad wszystkim górował olbrzymi rysunek postaci przypominającej średniowiecznego rycerza w pełnej zbroi, wymachującego mieczem z napisem „Zemsta".

Położyła palec na tekście i spojrzała na ojca.

– Więcej krwi, więcej umierania. Użyją tego, żeby zwerbować więcej ludzi i zmusić Amerykę do przystąpienia do wojny.

William popatrzył na swoją nadzwyczaj spostrzegawczą córkę. Nie mógł zrobić nic innego niż przytaknąć. Odkąd usłyszał wieści, przeczytał na ten temat tyle, ile tylko zdołał, wnioski jednak zachowywał dla siebie. Tuż przed wybuchem wojny U-Booty były przedmiotem wielu debat. Słyszał, jak mówili o nich zarówno Churchill, jak i Grey.

Wiedział niewiele na temat tego, jak wygląda aktualnie polityka admiralicji, a z pewnością nie miał pojęcia o wewnętrznych ustaleniach ministerstwa, ale coś w tej sprawie go niepokoiło. Żeby celnie uderzyć, kapitan łodzi podwodnej musiał ustawić się równolegle do statku. Jednostka wojskowa musiała płynąć ze znacznie mniejszą prędkością niż była w stanie rozwinąć „Lustiania", żeby w ogóle móc wystrzelić. I że trzykrotne trafienie raz za razem to zadanie niemal niemożliwe.

Spojrzał na gazetę Charlotte. „W «Lusitanię» uderzyły trzy pociski" – przeczytał, a jego serce znów wykonało ten dziwny, nieskoordynowany taniec, którego tak często doświadczał przez ostatnich kilka dni. Poczekał, aż wróci do normalnego rytmu, po czym zerknął na leżący przed nim egzemplarz.

– Jak to możliwe, że statek tej wielkości zatonął w kilka minut? – spytała Charlotte. – „Titanicowi" zajęło to kilka godzin, prawda?

– W „Titanica" nie uderzyły torpedy – odparł William.

– Tu jest napisane, że statek przewrócił się na bok, a szalupy powpadały do wody albo rozbiły się o pokład. – Zamilkła. – Ktoś o nazwisku Charles Lauriat znalazł się na łodzi ratunkowej, ale kiedy dotarli do Queenstown, kapitan nie chciał pozwolić rozbitkom zejść na ląd. Lauriat sam opuszczał trap... Och, Boże... – szepnęła. – Na wodzie unosiły się martwe dzieci. Bosman którejś z irlandzkich łodzi ratunkowych powiedział, że zwłoki pływały „gęsto jak trawa"...

– Nie czytaj więcej – poprosił William. – To cię tylko zdenerwuje.

Charlotte zmiażdżyła ojca spojrzeniem.

– Drogi ojcze – mruknęła i wróciła do lektury, od czasu do czasu wykrzykując kolejne informacje. – Podoficer „Lusitanii" tkwił w wodzie godzinami i widział pół tuzina mijających go parowców...

William czytał o problemach, jakie Charles Lauriat i inni mieli z poprawnym rozłożeniem składanej szalupy ratunkowej: musieli prosić znajdujących się w wodzie, krzyczących ludzi, by chociaż na kilka sekund puścili burty, dzięki czemu dało się podnieść poręcze i przytwierdzony do nich brezent. Wielokrążek, za pomocą którego otwierało się siedzenia wewnątrz, okazał się zepsuty i zardzewiały, a wiosła zniknęły. Williama zdumiała odwaga Lauriata, gdy ten zanurkował, żeby znaleźć wiosła. Łódź ratunkowa zabrała tylu rozbitków, że niemal poszła na dno. Mimo to wciąż wielu błagało, żeby wpuścić ich na pokład.

– Dobry Boże – westchnął William.

Historie matek, które rozpaczliwie próbowały uratować albo odnaleźć swoje dzieci okazały się najokropniejsze. Czytał te relacje pobieżnie. Znalazła się wśród nich historia Charlotte Pye, która wypadła z łodzi ratunkowej z córką w ramionach i wypuściła ją z objęć, kiedy dwukrotnie została wciągnięta pod wodę. Kolejna straciła trójkę dzieci – wszystkie zabiło zimno, podczas gdy ona ze wszystkich sił starała się utrzymać je na powierzchni. Był też ojciec, który trzymał syna w ramionach, aż chłopiec zmarł, a wtedy on sam również zatonął.

William dowiedział się, że temperatura oceanu wynosiła jedenaście stopni. Mnóstwo opowieści dotyczyło pasażerów, którym wysunęły się ze zgrabiałych rąk unoszące się nędzne szczątki. Woda wymyła ze statku niesamowite rzeczy – psie budy i kojce dla kur, fragment pianina, krzesła, puszki i wiosła. Czytał z ponurą miną o tych, którzy przeżyli, trzymając się dryfujących na wodzie martwych ciał. Jeszcze bardziej przerażające były opowieści o ludziach, którzy utonęli, bo w niewłaściwy sposób włożyli kamizelki ratunkowe – ciała unosiły się na wodzie do góry nogami, ponieważ założyli je odwrotnie, albo dryfowały twarzą w dół, gdyż założyli je tyłem naprzód.

Alice Middleton opowiadała, jak amerykański milioner Vanderbilt pomógł jej i wielu innym osobom, każąc swoim służącym szukać dzieci, zakładać im kamizelki ratunkowe i wsadzać do łodzi. Ale nikt nie wiedział, gdzie teraz jest Vanderbilt. Nie było go w żadnej łodzi ratunkowej, a jego ciała nie znaleziono. Mówiono, że flagi Vanderbilt Hotel w Nowym Jorku spuszczono po połowy masztów, a radca prawny milionera zaoferował tysiąc funtów temu, kto odzyska jego ciało. Najwyraźniej nikt się nie spodziewał, że mężczyzna przeżył.

Ponury proces odzyskiwania ciał zmarłych trwał dniami i nocami. Setki zwłok wyłowiono z morza i zebrano z odludnych plaż i równin błotnych zatoki Courtmacsherry. Zrozpaczonych rozbitków wieziono na brzeg razem z topielcami. Dopływali do brzegów Queenstown owinięci w to, co dostali od załóg łodzi rybackich, ociekający wodą, bladzi i ranni na wszystkie możliwe sposoby. Przewożono ich do szpitali, hoteli i pensjonatów. Tych, którzy mogli chodzić, wysyłano do biur Cunard, żeby zarejestrowali się na listach ocalałych.

Amerykanie narzekali, że banki nie wypłacają im pieniędzy. Wielu snuło się po ulicach w stanie oszołomienia: kredowobiali od przeżytego wstrząsu, ledwie pamiętający własne imiona. Poczta na nabrzeżu Queenstown pracowała dzień i noc, żeby dało się wysyłać telegramy. Jeden z pracowników wspominał kobietę, która trzęsła się zbyt mocno, by napisać wiadomość. Pod nosem powtarzała tylko „mój brat... moja matka...", a ołówek wysunął jej się z dłoni.

Donoszono też o różnych osobliwych wypadkach. Na przykład niejaki Roberts leżał teraz w kostnicy z czapką wciąż nasadzoną na głowę i wyglądał po śmierci niezwykle spokojnie. Żony mężczyzny nie odnaleziono, a w gazecie sugerowano, że w rzeczywistości nie byli małżeństwem, lecz parą umykających kochanków. Jakiś dziennikarz, o którym William nigdy wcześniej nie słyszał, ale który podobno sprzedał swój artykuł w czterdziestu milionach egzemplarzy, zgodnie z relacją jednego z amerykańskich pasażerów uparcie próbował wdrapać się na nieustannie obracający się w wodzie okrągły bęben. Pisarz również zaginął. Kolejna historia – Theodate Pope, rzucona na stos zmarłych na łodzi ratunkowej, nagle ożyła, pytając o swojego towarzysza, po którym ślad zaginął.

Na koniec William przeczytał z niedowierzaniem historię kapitana statku, Turnera, który próbował kupić kapelusz w sklepie z odzieżą w Queenstown. Jeśli wierzyć reporterowi, wyglądał na załamanego. „Był zdruzgotany i miał na sobie skurczony, za mały mundur". Dalej napisano: „Na wystawie tego samego sklepu wywieszono ogłoszenie o treści: «Zaginęła dziewczynka, piętnaście miesięcy, bardzo jasne, kręcone włoski i różowa cera...»".

William odłożył gazetę.

„Gdzie jest John Gould?" – zastanawiał się. I gdzie w tej chwili znajdowała się Octavia? Wyobrażał ją sobie w Folkestone. Musiała już widzieć gazety i z pewnością te straszne wydarzenia zrobiły na niej ogromne wrażenie. A jednak nie zadzwoniła do niego. Co się teraz działo w jej głowie? Co kryła w głębi serca, do którego dostępu tak skutecznie broniła mu w ostatnich dniach? Niemal nie chciał o tym myśleć.

Z całą pewnością zaś nie miał ochoty przyznawać się do pierwszej myśli, która przyszła mu do głowy – za bardzo się jej wstydził. Brzmiała tak: „Proszę, niech on nie żyje".

Nagle zdał sobie sprawę, że Charlotte bacznie mu się przygląda.

– To po prostu zbyt wiele – stwierdziła smutno.

– Tak, to prawda.

Przysunęła się i go objęła. Po chwili pocałował ją w policzek.

– Czy mogłabyś w moim imieniu gdzieś zatelefonować?

– Oczywiście – powiedziała. – Do kogo mam zadzwonić?

– Do mojego prawnika, Brethertona – odparł. – Poproś, żeby przyszedł dzisiejszego ranka, tak szybko, jak tylko zdoła.

Harry Cavendish zaczynał się okropnie nudzić.

Hooge-Haldane zniknął dawno temu, niemal wybiegł z hangaru na nabrzeżu. Na pożegnanie uniósł tylko zabandażowaną dłoń. Ze wszystkich możliwych miejsc wysłano go do Exeter. Pociąg już toczył się z hukiem po bocznym torze.

– Niech pan nie zapomni o pięciogwiazdkowym hotelu! – zawołał za nim Harry.

Natychmiast poczuł się idiotycznie, wsparty na łokciach, otoczony pustymi noszami.

– Halo! – krzyknął. W drzwiach tłoczyli się pracownicy medyczni i oficerowie armii, ich sylwetki rysowały się w jasnym słońcu. – Nie zostawicie mnie tutaj?

Ponownie opadł na podłogę. Miał irytujące wrażenie, jakby do jego ciała przytwierdzono dwa wielkie drewniane kloce. Czuł palce u stóp, chociaż bardzo słabo. Wszystko inne albo było miejscami pozbawione czucia, albo wściekle swędziało, albo – najczęściej – pulsowało bólem, dość mocno przypominającym linie pod napięciem. Jedna czy dwie z tych linii prowadziła do wyższych partii jego ciała – brzucha i pachwin.

Noc na łodzi okazała się jedną z najobrzydliwszych w jego życiu. Nie chodziło o to, że czuł się samotny, jak w pociągu, z leżącymi nad nim zwłokami, ani o to, że się bał. Po prostu było mu potwornie niedobrze. Nie tylko jemu. Kiedy łódź zaczęła się kołysać we wszystkie strony, mężczyzna obok zwymiotował na niego. W dodatku biedny stary drań śmierdział tak straszliwie, że przyprawiało to o zawrót głowy.

Gdy tylko wypłynęli z portu, statek gwałtownie skręcił. Całą noc płynęli zygzakiem, aby, jak przypuszczał Harry, uniknąć storpedowania.

– Parszywe te Szwaby – narzekał Haldane. – Gonić za statkami... Wojna tchórzy.

Usłyszeli o „Lusitanii" od jednego z żołnierzy, który po zejściu ze statku jechał na front. Wiadomość ta wywołała gorące reakcje. W nocy w ładowni jeden z rannych zaczął krzyczeć z nieznanym nikomu akcentem. Mężczyźni stłoczyli się wokół biedaka, który, jak się okazało, pochodził ze Szkocji i w malignie zaczął mówić po gaelicku. Wzięto go za Niemca. Cztery pielęgniarki musiały odciągać od bredzącego żołnierza trzech dorosłych mężczyzn.

„Cóż za farsa" – pomyślał Harry. W tym samym momencie poczuł, że dłużej już nie wytrzyma, starał się jednak wymiotować ostrożnie.

– Haldane, wygląda na to, że zaraz puszczę pawia, ale spróbuję zrobić to po dżentelmeńsku – zażartował zażenowany.

Nie udało się. Haldane skończył ochlapany tak samo jak wszyscy pozostali.

– Gdybym miał pięść, złączyłbym ją z pańskim okiem – poinformował kwaśno Harry'ego.

Choroba morska okazała się wybawieniem. W jej obliczu znikał wszelki ból. Tak przynajmniej odczuwał to Harry. Nie był w stanie ręczyć za samopoczucie tych ze strasznliwymi obrażeniami, którzy również znajdowali się na pokładzie. Oni walczyli o każdy oddech, zieloni na twarzy z powodu gazu, nie choroby morskiej.

– Och, papo – świszczał Harry nierówno. Znów to samo, gadka o papie. Serwował ją również wieki temu, kiedy wyciągali go z samolotu. Pomiędzy atakami torsji ponownie wypróbował to słowo. „Papa, papa". Czy ojciec przyjedzie i zabierze go z Folkestone? Liczył na to. Zdecydowanie chciałby znów zobaczyć się z ojcem. Gwarantował stabilność na ruchomych piaskach szaleństwa, spokój w obliczu wrzawy i zamętu.

Wreszcie nadszedł oczekiwany świt w postaci snopów światła wpadających przez poznaczone solą bulaje. Pielęgniarka rozdała im herbatę. Powiedziała, że widać już brzeg.

– Anglia – westchnął do siebie. I dodał: – Chciałbym zobaczyć małą Sessy.

Potem, ku własnemu zażenowaniu, zaczął płakać. Haldane opadł bezładnie na miejsce obok. Żaden z nich nie zażartował, że trzeba wziąć się w garść albo szukać jasnych stron. Haldane również szlochał. Spojrzeli na siebie i wiedzieli, że tym wspólnym wspomnieniem nie podzielą się nigdy z nikim.

Statek, poskrzypując, wpłynął do portu, stuknął o nabrzeże, został zacumowany i wyłączył silniki, co sprawiło Harry'ego niemalże w ekstazę. Rozejrzał się i zauważył, że mężczyzna obok wymyka się ukradkiem, podobnie jak wszyscy pozostali.

– Halo! – krzyknął. – Miejcie litość, koledzy!

Jeden z oficerów z Królewskiego Kolegium Wojskowego podszedł do niego energicznie.

– Cavendish?

– Owszem.

– Mieliśmy wysłać pana do Liverpoolu.

– Och, nie... To bardzo niedobrze.

– Dziwaczna z was zgraja, prawda? – spytał nieporuszony oficer. – Pańska matka stoi na nabrzeżu z karetką. Rzuca się w oczy.

– Niech ją Bóg błogosławi.

– Muszę porozmawiać z nią i z panem, kiedy już przeniesiemy pana na suchy ląd.

– Proszę rozmawiać do woli. – Harry uśmiechał się szeroko. – Ale na litość boską, niech mnie pan stąd wypuści.

Był piątek, czternastego maja.

Londyn stał się innym miastem niż to, które Octavia znała od urodzenia. Nie był nawet miastem, które widziała w zeszłym roku, gdy Louisa debiutowała na dworze.

W ten słoneczny poranek wyglądała przez okno domu na Grosvenor Square. Wspomnienia z zeszłego roku przypominały baśń. Pamiętała Louisę na balu u Chasterisów schodzącą w świetle świec po schodach w pięknej różowej, jedwabnej, nieco zwiewnej sukience. Pamiętała wizytę u krawcowej, kiedy Charlotte opierała głowę na jej ramieniu i narzekała, że dopasowywanie kreacji Louisy zajmuje wieczność. Pamiętała herbatki z Hetty de Ray. Boże, to było tak dawno... Minęło dwanaście miesięcy, ale równie dobrze mogło minąć pięćdziesiąt.

Spojrzała na Williama.

Siedział naprzeciwko i przyglądał się jej – na twarzy malowała się troska, smutek i dawna oraz wyćwiczona nieugiętość.

– Powiedz, o czym myślisz – poprosił.

Wzruszyła lekko ramionami.

– Naprawdę nie wiem – odpowiedziała. – To wszystko jest niemal nie do zniesienia.

Nie skomentował. Jego wzrok powędrował w stronę gazety.

– Zachowanie nie do przyjęcia – zauważył.

W „Timesie" roiło się od opisów zamieszek w Londynie i Liverpoolu. Atakowano niemieckie przedsiębiorstwa. Motłoch składający się z setek, a według niektórych źródeł z tysięcy ludzi, siał spustoszenie na ulicach, tłukł okna i niszczył sklepy. Nad jednym ze zdewastowanych lokali wymalowano farbą: „Idź do diabła, Hunie".

William uśmiechnął się słabo.

– Sam cesarz zapoczątkował użycie tego słowa – zadumał się. – Kiedy pracowałem w parlamencie w 1900 roku, wygłaszał mowę do swoich oddziałów jadących do Chin. Polecił, by nie mieli litości dla wrogów. Hunowie zapracowali na imię, które napawa strachem jeszcze tysiąc lat później, mówił. Nazwa „Niemcy" powinna budzić podobny lęk. I tak... – Machnął ręką w stronę zdjęcia.

– I dostał to, czego pragnął – szepnęła Octavia. – Ma teraz swoje brudne imię.

Czuła się odrętwiała. Jakie to podobne do Williama, że znał kontekst polityczny i wciąż z tym samym uznaniem odnosił się do historii. Żałowała, że nie jest w stanie wykrzesać z siebie choćby dziesiątej części jego obiektywizmu.

– Byłem u Harry'ego – ciągnął William cicho. – Chyba mu przeszło, tak mi się wydaje. Nie jest już wściekły, tylko zrezygnowany.

Zamknęła na chwilę oczy, nie chciała myśleć o tamtym poniedziałku w porcie. O śmierdzącym starością pomieszczeniu, w którym urzędował komendant portu i gdzie lekarz wojskowy poinformował ją o faktycznym stanie zdrowia jej syna. W tym czasie zirytowany Harry czekał w karetce.

– Nie wystarczy mu odpoczynek w domu, żeby wrócił do zdrowia. To nie ten przypadek – poinformował Octavię surowo. – Trzeba go będzie ponownie operować. Złamanie w prawej nodze okazało się na tyle skomplikowane, że kość trzeba będzie powtórnie nastawić. Jeśli chodzi o lewą, nie jest tak źle, ale ją również trzeba będzie złamać.

– Złamać? – powtórzyła z przerażeniem.

– Na froncie robimy, co w naszej mocy – odpowiedział. – Chodzi głównie o usunięcie odłamków, żeby uniknąć gangreny.

Wyszła do Harry'ego, swojego ukochanego chłopca, swojego synka, który wyglądał teraz na o wiele starszego. W oczach miał dziwne, martwe światło. Nie była w stanie zmusić się, by powiedzieć mu prawdę. On za to sądził, że przedmiotem jej zmartwienia jest rozwalająca się, zdezelowana karetka.

– Ja uważam, że to luksus – powiedział. – Powinnaś widzieć miejsca, przez które mnie przewleczono i problemy innych ludzi. Nie płacz, mamo, na litość boską.

Posłuchała. Przywiozła go do domu. Na schodach zjawiła się cała służba. Harry'ego zaniesiono do jego sypialni na górze. Ułożyli go na łóżku, a on zasnął jak zabity. William tak właśnie powiedział, ale złapała go za rękę.

– Nie, nie jak zabity – zaprotestowała. – Nie mów tak.

W gardle ją piekło. Płonęła.

William wziął ją pod rękę i zaprowadził do jadalni. Tam, wśród wypolerowanych mahoniowych mebli, ciężkich zasłon oraz sreber – to nieistotne szczegóły, ale wszystkie wzory i refleksy boleśnie wyryły się w jej pamięci – powiedział:

– Z pewnością już usłyszałaś o „Lusitanii".

Siedziała przy pustym stole, w którego elegancko wypolerowanej powierzchni widziała niewyraźnie własne zamglone odbicie. Nie dalej niż kilka godzin temu poprosiła kogoś, by przyniósł im coś do jedzenia, kiedy karetka wlokła się przez zatłoczone ulice Folkestone. Chłopak na posyłki wrócił z chlebem i serem; uśmiechał się od ucha do ucha. Przyniósł im także gazetę. Wzięła ją i na widok pierwszej strony poprosiła kierowcę, żeby się zatrzymał. Odeszła od auta z gazetą w dłoni. Od tej chwili nawet w towarzystwie Harry'ego czuła się nieobecna, znieczulona. Wysiłek, jaki włożyła w zachowanie spokoju i zaopiekowanie się synem sprawił, że czuła się tak, jakby powoli umierała na galopującą gorączkę.

– Tak, słyszałam.

– Poprosiłem Brethertona, żeby skontaktował się z konsulatem amerykańskim w Queenstown – oznajmił. – Żeby zdobył o nim jakieś informacje.

Nie wiedziała, co odpowiedzieć. Spojrzała z wdzięcznością. William wyszedł, żeby sprawdzić, co u syna. Po drodze położył jej przelotnie dłoń na ramieniu.

Pomyślała, że była to najbardziej czuła rzecz, jaką jej mąż kiedykolwiek zrobił. Nie chodziło tylko o instrukcje, które wydał Brethertonowi, ale również o to, że bez słowa i ze współczuciem przez moment ją dotknął.

Spojrzała na niego.

– Nie próbuję trzymać niczego w tajemnicy – szepnęła. – Po prostu nie wiem, co czuję.

Gazety powoli przechodziły do następnych tematów. Octavia przebiegła wzrokiem po stronie i zobaczyła artykuł o „skandalicznych brakach pocisków na zachodnim froncie". Próbowała to zrozumieć. Harrison tam był – usłyszeli o jego śmierci zaledwie wczoraj. Wysoki i beztroski Harrison, zawsze spokojny. Pochowano go, zanim się dowiedzieli, jaką cenę zapłacił za swoją służbę. W depeszy wspomniano nazwisko majora, który się tym zajął.

Telegram wysłano do Rutherford.

– W żółtej kopercie nadeszła smutna wiadomość o Harrisonie – powiedział Williamowi przez telefon Bradfield. – Oraz o wielebnym Whittakerze z wioski.

Octavia przez jakiś czas siedziała w swoim pokoju i zastanawiała się, czy Harrison miał rodzinę, którą powinna zawiadomić. Nie wiedziała. To sprawiło, że wpadła w jeszcze większą rozpacz.

„Times" pełen był fotografii tych, którzy przeżyli katastrofę „Lusitanii", i tych, którym się nie udało. Wśród ofiar znalazło się stu dwudziestu ośmiu Amerykanów i dziewięćdziesięcioro czworo spośród stu dwadzieściorga dziewięciorga dzieci. W sumie zginęło ponad tysiąc dwieście osób. Tego samego dnia, kiedy Octavia przywiozła Harry'ego z Folkestone, pochowano w Irlandii sto czterdzieści niezidentyfikowanych ciał. Szacowano, że około dziewięciuset osób nigdy się nie odnajdzie, bo albo zatonęły razem ze statkiem, albo prąd porwał je głęboko w morze.

Konsul amerykański narzekał, że spośród Amerykanów, którzy ocaleli, wielu odmówiło pomocy w identyfikacji zwłok leżących w kostnicach. Dla zszokowanych rozbitków to było za dużo. Ci, którzy nie mieli krewnych na statku, wsiadali na promy do Liverpoolu i opuszczali Irlandię. Spędzali całą noc w pomieszczeniach wspólnych, ubrani w kamizelki ratunkowe i zbyt przerażeni, żeby zasnąć. Konsul stracił nadzieję, że uda mu się prześledzić losy wszystkich zaginionych, uciekających i zmarłych.

Pierwszy pociąg z ocalałymi dotarł do Londynu w niedzielę, w dniu, kiedy Octavia pakowała się w podróż do Folkestone. Nie rozmawiała ze służbą i nikt jej o niczym nie wspomniał. Pojechała na Charing Cross, żeby zdążyć na wieczorny pociąg. Najpierw w prywatnym samochodzie, potem w wagonie pierwszej klasy – nikt nie wspominał o „Lusitanii". W poniedziałek rano Smythe zakładał, że zna już całą historię.

Gdy w karetce wręczono jej gazetę, John Gould prawdopodobnie nie żył od trzech dni.

Teraz William znów zaczął mówić.

– Bretherton przesłał mi list.

Podniósł się powoli i jej go podał, po czym odszedł i odwrócił się do żony plecami. Stanął przy kominku, patrząc pod nogi.

List datowany był na środę dwunastego maja. Octavia zaczęła czytać.

*Lordzie Cavendish,*

*W Queenstown mamy do czynienia z ponurym stanem rzeczy. Poleciłem mojemu agentowi, żeby sprawdził wszystkie kostnice i dowiadywał się w biurze Cunard oraz w konsulacie USA. Zajęło to trochę czasu. Jak może Pan sobie wyobrazić, w każdym punkcie informacyjnym czekają pogrążeni w żałobie ludzie.*

*Obawiam się, że nie wiadomo nic na pewno o losie pana Goulda. Mojego agenta poinformowano w biurze Cunard, że tuż przed zatonięciem statku, widziano Goulda z dwójką dzieci przy barierce w pobliżu szalup ratunkowych. Dalsze dochodzenie ujawniło, że chłopiec, niejaki Joseph Petheridge, dotarł żywy na brzeg dzięki pomocy trawlera „Indian Empire". Chłopiec twierdził, że wskoczył do wody razem z mężczyzną o imieniu John Gould. Chłopca umieszczono w hotelu Queens, gdzie rozmawiał z nim mój agent. Podał nam opis, który zgadza się z dostarczonym przez Pana, dziecko jednak nie widziało pana Goulda po tym, jak statek poszedł na dno. Co przykre, odnaleziono ciała matki i siostry chłopca. Obie pochowano w poniedziałek.*

*Konsul przygotował dla nas listę zidentyfikowanych ofiar amerykańskich obywateli, ale pana Goulda nie było wśród nich. Ponieważ to niemożliwe, aby przeżyć w wodzie więcej niż kilka godzin i ponieważ pan Gould nie zgłosił się ani do Cunard, ani do konsulatu, można wywnioskować, że nie zostanie już odnaleziony, chociaż oczywiście poszukiwania są kontynuowane. Istnieje szansa, że pan Gould jest w stanie szoku, ranny albo wciąż niezidentyfikowany. To możliwe, chociaż mało prawdopodobne.*

*Poprosiłem, by poinformowano mnie w razie odnalezienia ciała. O ile wiem, jego rodzicom posłano telegram z informacją, że prawdopodobnie znalazł się wśród ofiar.*

*Z wyrazami szacunku,*
*Bretherton*

Octavia przeczytała list dwukrotnie.

– To bardzo miło z twojej strony, że zasięgnąłeś języka, Williamie – wykrztusiła wreszcie. – Dziękuję.

Jej mąż przez dłuższy czas milczał. Wydawało się, że ma problem z ubraniem myśli w słowa. Podszedł do swojego krzesła.

– Octavio – odezwał się w końcu. – Nie myśl, że nie zdaję sobie sprawy ze skali tej tragedii. Mam na myśli tragedię samą w sobie, lecz zwłaszcza, co znaczy dla ciebie.

– Nie pisałam do niego – odparła z rezygnacją. – Wysłałam tylko ten jeden telegram. Chcę, żebyś mi uwierzył...

Po chwili z wielkim wysiłkiem zaczęła mówić dalej:

– Chcę, żebyś mi uwierzył, że próbowałam zapomnieć o wydarzeniach zeszłego roku. – Przerwała, po czym spojrzała prosto na Williama. – Ale nie ma sensu udawać. Prawda jest taka, że chciałam go znów zobaczyć.

Wyraz twarzy jej męża nie zmienił się wiele. Jeśli poczuł się zraniony albo zaskoczony, nie dał tego po sobie poznać.

Zapadła długa cisza. Przed oczami Octavii wciąż wirowały słowa Brethertona. Nawet teraz list w dłoniach niemal ją parzył. Wiedziała, jak bardzo John bał się utonięcia, jaki lęk wywoływały w nim katastrofy morskie. Wciąż myślała o jego przerażeniu.

„Dobry Boże. Mam nadzieję, że to nie trwało długo". Przeżywała męki na myśl, że mógł godzinami unosić się w lodowatej wodzie i stopniowo tracić siły.

Podniosła wzrok. William przyglądał jej się spokojnie. Nie odwrócił spojrzenia.

– Jutro będą operować Harry'ego – powiedział powoli. – Cóż za świetny sposób na świętowanie dwudziestych pierwszych urodzin.

– Istotnie – bąknęła.

– Rozumiem, że potem wrócimy razem z nim do Rutherford?

– Oczywiście – odparła. Bardzo powoli złożyła list Brethertona i odłożyła. – Zdajesz sobie sprawę, że Charlotte nie pojedzie z nami?

– Tak, mówiła mi – powiedział William. – Przedstawiła to jako fakt dokonany.

– Ma siedemnaście lat, Williamie. Ona i Florence chcą szkolić się na wolontariuszki. Chcą zostać w St. Dunstan's. Co możemy zrobić? To ważne zajęcie.

William spojrzał na podłogę. Ręce złożył przed sobą na kolanach. W końcu uśmiechnął się lekko.

– Zacząłem jej mówić, że to niemożliwe... ale jaką moc mają moje zachcianki? To bardzo stanowcza młoda kobieta. Nie mogę jej zabronić zajęcia się czymś pożytecznym. Tak samo jak nie mogę zabronić tobie, Octavio. Musisz żyć tak, jak pragniesz.

Octavia patrzyła na niego w osłupieniu. Ledwie mogła uwierzyć, że to ten sam mężczyzna, który przez całe ich małżeńskie życie traktował ją tak surowo, z taką przyganą. Właściwie w niewielkim stopniu przypominał również człowieka, który pomstował na nią nie więcej niż tydzień temu. Tak jakby zawał serca złamał w nim ducha. Po raz pierwszy zobaczyła przed sobą człowieka przestraszonego własną śmiertelnością.

– Kiedy byłam w Folkestone – wyznała cicho – zdałam sobie sprawę, że moje życie zamyka się w bardzo wąskich ramach. Myślę, że to się zmieni. Myślę, że musi.

– Tylko w Folkestone? – spytał William. – Wcześniej nie myślałaś, żeby ode mnie odejść?

Machinalnie chciała zaprzeczyć, ale zdołała się powstrzymać. W końcu powiedziała:

– To, co oferował mi John Gould... czego od niego chciałam... Nie chodziło tylko o niego, Williamie. Oferował mi życie, w którym mogłabym robić to, czego pragnęłam, bez skrępowania. Moja podróż do Folkestone... zdajesz sobie sprawę, że był to pierwszy raz, kiedy podróżowałam całkowicie sama? Moje życie jest zbyt ograniczone, Williamie. Muszę poznać świat.

– Jechać do Ameryki...

– Tak, na przykład. John Gould podróżował. Był wolnym duchem. Żyłam szczęśliwie, lecz nie jest to życie, które bym wybrała. Miałam tyle marzeń, romantycznych marzeń, dotyczących nas dwojga. Porzuciłam je i zmieniłam się w kogoś, kogo potrzebowałeś. Ale teraz...

Westchnęła głośno, ze złością, że nie potrafi przekazać mu dokładnie swoich myśli.

– Williamie – powiedziała. – Nie chodzi o to, że nie czuję do ciebie przywiązania. Można je nazwać poczuciem wspólnoty. Wychowaliśmy trójkę cudownych dzieci. Nie wątpię, że będziemy się o nie martwić przez resztę naszego życia, jakiekolwiek decyzje podejmą. Ale chociaż tak bardzo je kocham, mam też swoje życie. Są rzeczy, które chciałabym osiągnąć w Blessington.

– Prace posuwają się do przodu.

– Wiem o tym – zgodziła się spokojnie. – Ale to nie wystarczy. Przędzalnie zarabiają ogromne pieniądze. Chciałabym być lepszym pracodawcą. Patrzę na Blessington i nie czuję nic poza poczuciem winy. Gdzie indziej w Anglii funkcjonują miasteczka, szpitale i szkoły wybudowane przez pracodawców bardziej oświeconych niż my. Chcę, żebyśmy stworzyli coś podobnego. Mężczyźni wracający z wojny będą potrzebowali pracy. Niewidomi, niepełnosprawni... wśród nich nasi dawni pracownicy. Musimy się nimi zająć.

Zapadła cisza. Octavia widziała, że William próbuje ją zrozumieć, że walczy z własnymi ograniczeniami. Wreszcie westchnął.

– Jeśli tego właśnie pragniesz, musisz to zrobić. Cokolwiek cię uszczęśliwi. – Rozłożył ręce. – Przed kilkoma dniami wprowadziłem zmiany do testamentu. Zapisałem ci znacznie więcej niż wcześniej. Masz pełną swobodę działania.

Jego spokojna rezygnacja łamała jej serce. Kiedyś natychmiast by się jej sprzeciwił. Wstała, podeszła do niego i uklękła obok. Wzięła go za rękę.

– Nie chodzi o to, co zrobiliśmy lub nie – powiedziała. – Świat po prostu się zmienił. Nie możemy oglądać się za siebie. Musimy patrzeć do przodu.

Wpatrywał się w jej twarz. W końcu podniósł jej dłoń do ust.

– Gdybym tylko potrafił sprawić, żebyś była szczęśliwa – westchnął. – Tak szczęśliwa jak z nim.

Popatrzyła na niego znad ich złączonych dłoni.

– Uszczęśliwiłeś mnie – powiedziała. Nie do końca kłamała. Byli kiedyś szczęśliwi, a on tak bardzo starał się teraz wszystko wyprostować. To nie jego wina, że jej serce znajdowało się gdzie indziej. Podejrzewała, że tak już będzie zawsze.

William podniósł głowę i wykonał wzruszająco oczywisty wysiłek, żeby rozluźnić atmosferę.

– W biurze jest list od naszego lokaja, Davida Nasha.

– Nie pojechał do Francji?

– Jeszcze nie. Zanim wyjedzie, prosi o pozwolenie, by on i Mary Richards mogli się pobrać.

– Dobry Boże!

William uśmiechnął się.

– Nie wiem, dlaczego do mnie napisał. Chyba postanowił uczynić zadość dawnym obyczajom.

– Wspaniale! Mary to bardzo dobra dziewczyna. Lubię ją. Kiedy wesele?

– Pewnie wkrótce.

Przyszła jej do głowy pewna myśl.

– Williamie, powinniśmy urządzić im ślub na terenie posiadłości, w kaplicy Rutherford.

Widziała, że instynktownie chciał zaoponować. Tylko członkowie rodziny pobierali się w kaplicy. Po chwili się jednak rozluźnił.

– Jeśli uważasz, że to rozsądne.

– Myślę, że bardzo – powiedziała. – Niech mają odrobinę radości. Wszystkim nam przyda się odrobina radości w tych okrop-
nych dniach.

Patrzył na nią z uwagą.

– A my? – spytał. – Pójdziemy dalej?

– Oczywiście – zapewniła. – Pójdziemy dalej, razem.

Nie wiedziała, czy to prawda.

Ale musiała sprawić, by tak się stało.

Po prostu nie było innego wyjścia.


Kilka minut później Octavia opuściła Williama i poszła do swojego
pokoju. Wygoniła Amelie, która weszła za nią. Zamknęła za sobą
drzwi i oparła się o nie.

– John – szepnęła. – Mój biedny ukochany...

Opadła na kolana i zaczęła płakać.

Zostało po nim tylko imię, nawiedzające ją w ciszy.

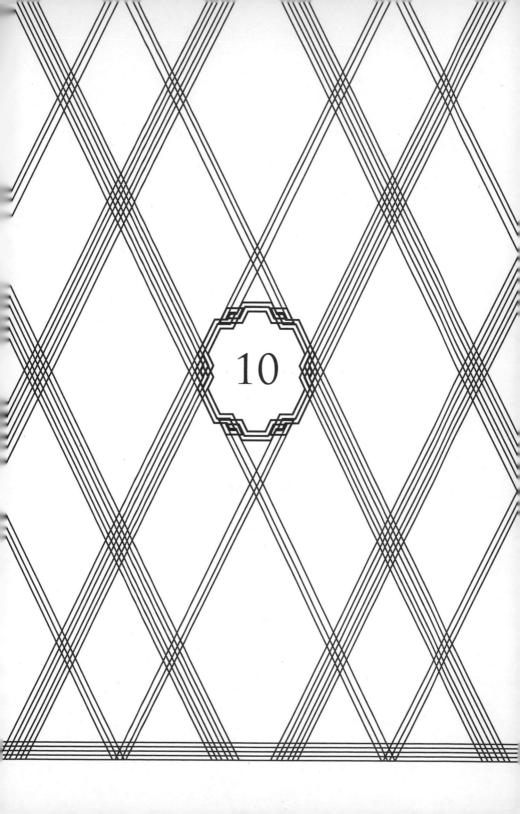

10

Sierpień był pełen deszczu i słońca, jasności goniącej ciemność przez teren wielkiego parku. Na początku miesiąca ulewa zalała trawę, rozrzuciła płatki róż i zniosła je na tarasy. Srebrnoróżowe ściany domu ściemniały do koloru terakoty. Rzeka wystąpiła z brzegów, a bukowe liście spadały we mgle. Nie dało się dostrzec wrzosowisk.

Ale dzień ślubu Davida i Mary na szczęście okazał się pogodny. Octavia wstała wcześnie i ubierając się, omawiała z Amelie plan dnia.

– Pamiętasz przyjęcie, które urządziliśmy dla Louisy w dniu jej szesnastych urodzin? – spytała pokojówkę.

– Tak, proszę pani.

– W jadalni do obrusów przyczepiłyśmy lniane kwiaty. Ty i ja zrobiłyśmy je w ten sam sposób, jak kwiaty do kapeluszy w czasach mojej matki. Wielkie kwiaty w kremowym i różowym odcieniu, z lamówką. Zajęło nam to trochę czasu...

– Jak peonie, proszę pani.

– Dokładnie – uśmiechnęła się Octavia. – Myślałam o tym, jak ładnie wyglądałyby na stołach w spichlerzu podczas weselnej kolacji. Kobiety z wioski mogłyby wziąć je sobie później na pamiątkę.

– To bardzo miłe, proszę pani.

– I tak nie ma z nich wiele pożytku, kiedy leżą w szafie.

Amelie skończyła i Octavia przyjrzała się sobie w lustrze.

– Czy mogłabyś zejść na dół i poprosić panią Jocelyn, żeby do mnie przyszła? Jestem pewna, że chowała kwiaty do bieliźniarek w moich starych pudłach na kapelusze.

Amelie skinęła głową i opuściła pokój. Octavia owinęła się delikatnym szalem, zeszła na parter i wyszła do ogrodu. Rozejrzała się po tarasie i trawnikach. Ruszyła wyłożoną cegłami ścieżką i w dół schodami koło oranżerii. Tutaj znalazła tego, kogo szukała, zajętego pracą, którą każdego ranka wykonywał z religijną niemal obowiązkowością. Ojciec Mary sumiennie zamiatał każdy cal ścieżki w ogrodach w stylu francuskim.

– Dzień dobry, panie Richards.

Podskoczył gwałtownie, po czym zamiótł czapką ziemię.

– Proszę jaśnie pani.

– Cóż to za cudowny dzień dla pana.

– Tak, proszę pani, w rzeczy samej.

Jego twarz przybrała kolor głębokiej, buraczanej czerwieni. W jej obecności często zapominał języka w gębie.

– Mam klucz do kaplicy – powiedziała. – Wybierzemy się ją obejrzeć? Pokojówki pracowały tam wczoraj cały dzień.

Poszedł za nią długą ścieżką przez ogród, aż do ukrytej wśród drzew piętnastowiecznej kaplicy. Kiedy Octavia zamieszkała w Rutherford, w każdy niedzielny poranek odprawiano tu nabożeństwa dla rodziny. Kaplica przypominała wtedy pokryty bluszczem kurhan, wewnątrz którego podłoga była gąbczasta od wody, a ściany zielone od wilgoci. W trakcie renowacji odkryto, że kaplica nie rozpadła się tylko dzięki oplatającym ją gałęziom. Budynek został rozebrany kamień po kamieniu, a podłogę wyczyszczono z mającego kilka stuleci brudu. Po wszystkim niewielki budynek prezentował się czarująco. Octavia przekręciła klucz i ciężkie dębowe drzwi uchyliły się do wewnątrz.

Pobocza pobliskich dróg musiały zostać doszczętnie ogołocone. Niewielką przestrzeń kaplicy udekorowano w prawdziwie wiejski sposób – pękami złocieni, które ułożono we wnękach ściennych i na parapetach.

– Jak ślicznie – westchnęła Octavia. Coś w tej scenie poruszyło jej serce. Nie mogła nic na to poradzić. Kwiaty w kaplicy przypomniały jej o Johnie. Czuła smutek, że nie znaleziono ciała i dlatego nigdy nie będzie miejsca, w którym mogłaby go opłakiwać. Nie wiedziała, czy jego rodzina urządziła w Nowym Jorku nabożeństwo żałobne. Przypuszczała, że tak. Miała wrażenie, że jest odcięta zarówno od nich, jak i od niego. Tego nie dało się znieść. Bezwiednie podniosła rękę do ust. Trawiąca ją od wewnątrz pustka była czymś, czego nie mogła z nikim dzielić. Zdarzały się takie dni, kiedy myślała, że oszaleje, ale w tej chwili musiała po prostu ukryć ją najlepiej, jak potrafiła. Uśmiechnęła się do ojca Mary.

Zauważył jej wzruszenie, chociaż nie domyślał się prawdziwej przyczyny.

– Piękności – mruknął.

– Tak – zgodziła się. – Będziecie tu mieli śliczną ceremonię.

Trzymał czapkę i gniótł ją w rękach.

– To jaśnie pani przyjdzie? – spytał.

– Nie. Nie będziemy przeszkadzać. Tutaj jest mało miejsca, a poza tym to dzień Mary. Ale oczywiście zjawimy się na kolacji.

– To bardzo miło z pani strony – wymamrotał. – Od dawna już chciałem to powiedzieć, jeśli pani pozwoli. Zrobiła pani dla mnie tak wiele.

Poklepała go po ramieniu.

– Bzdura – powiedziała. – To pan nam tutaj pomógł. March jest szczęśliwy, że pan tu jest, podobnie Bradfield. Mamy okropnie mało ludzi do pracy.

Uśmiechnęła się i powierzyła mu klucz do kaplicy.

– Jako ojciec panny młodej pan tu dzisiaj rządzi – oznajmiła.

Kruchtę kaplicy osłaniała powódź kwiatów i gałęzie kasztanowca. Szczupły mężczyzna o ciężkim życiu, które na zawsze wyryło bruzdy na jego twarzy, wciąż trzymał czapkę przyciśniętą do piersi, gdy zostawiła go stojącego w drzwiach.

Ruszyła przez trawnik w stronę domu i zobaczyła Harry'ego. Zatrzymała się, obserwując, jak syn z trudem idzie kamienną ścieżką, wzdłuż której rosły róże, siada na ławce i wyciąga papierosy.

Nie słyszał, jak nadchodzi.

Położyła mu dłoń na ramieniu.

– Dobry Boże, mamo! Aż podskoczyłem przez ciebie.

Usiadła naprzeciwko.

– Jak dzisiaj twoje nogi?

– Jakby toczył je cholerny ból zęba najgorszego rodzaju.

Kiedyś by go napomniała, teraz wydawało jej się to zupełnie bez znaczenia.

– Czy mam zadzwonić po doktora Evansa?

– W żadnym wypadku. – Harry spojrzał na kule. – Boże w niebiosach, nie cierpię tych diabelnych patyków.

– Nie będziesz ich używał zawsze. Z czasem wystarczy ci laska.

– Nie będę przez resztę życia paradował z laską – sprzeciwił się Harry. – Grunt to ćwiczenia. Wezmę Sessy nad rzekę dziś przed południem. Kiedyś bardzo lubiłem łowić ryby, wtedy ty zabierałaś mnie nad wodę. Jestem pewien, że Sessy też się to spodoba.

– Musi iść z wami niania. A ty pojedź na wózku. Zbocze jest strome, a trawa wciąż śliska.

Przyjrzał jej się z krzywym uśmiechem.

– Okropnie lubisz trząść się nade mną, prawda?

– Uważam to za mój obowiązek.

Przez jakiś czas siedzieli w milczeniu i napawali się pięknem poranka. Zaledwie wczorajszego wieczoru lało jak z cebra. W końcu Harry się nachylił.

– Czy mogłabyś skończyć moje męki? Powiedz, co o niej sądzisz. – Podniósł palec ostrzegawczo w górę. – I proszę bez kręcenia!

Octavia się zamyśliła.

– Jest bardzo ładna.

– Prawda? – Uśmiechnął się szeroko. – Ale nie to jest w niej najlepsze, oczywiście.

– Nie, kochanie. Jest bardzo odważną dziewczyną. To jasne jak słońce. – Zamilkła. – Opowiedz mi o jej rodzinie.

Harry wybuchnął śmiechem.

– W żadnym wypadku. Sama może ci opowiedzieć, jeśli będzie chciała. – Wydmuchał spory kłąb dymu. – No, naprawdę, mamo. To pytanie, którego spodziewałbym się po ojcu. Co jeszcze?

– Sądząc po akcencie, pochodzi z Irlandii. Ale nazwisko... Hiszpańskie? Duńskie?

– Nie mam pojęcia – odparł Harry. – I nie mogę powiedzieć, żeby mnie to obchodziło.

Caitlin Allington de Souza przyjechała do Rutherford wczoraj późnym popołudniem.

W pierwszej chwili, gdy Octavia zobaczyła przyjaciółkę Harry'ego wysiadającą z taksówki, poczuła się lekko rozczarowana. Caitlin wydawała się bardzo nijaka – wysoka i do tego chuda, ubrana w surowy gabardynowy płaszcz w nieokreślonym kolorze. Rysy jej twarzy ukrywał bezkształtny kapelusz, coś w rodzaju dużego beretu naciągniętego na włosy. W ręku trzymała materiałową torbę, a na nogach miała płaskie sznurowane buty.

Weszła po schodkach, spojrzała na Williama i Octavię i się uśmiechnęła. Stała przed nimi osoba o oczach w niesamowitym odcieniu zieleni i twarzy o przykuwającym uwagę uroku. Może nie klasycznie piękna, niemniej niezwykła i zapadająca w pamięć. Na jej obliczu jednak rysował się wyraz, który Octavia widywała także na twarzy syna – obojętności. To była twarz osoby przywykłej do okropieństw. Octavia wzięła ją za rękę i wprowadziła do środka.

Patrzyła, jak dziewczyna przed lustrem w holu zdejmuje kapelusz, poprawia rude, elegancko przystrzyżone na pazia włosy. Ponad ramieniem Caitlin dostrzegła Harry'ego, który przyglądał się dziewczynie z czystym zachwytem.

Jak gdyby przywołana jej myślami, dziewczyna pojawiła się teraz obok nich.

– Jak tu pięknie! – wykrzyknęła, podchodząc.

Harry próbował wstać. Powstrzymała go ze śmiechem.

Zwróciła się do Octavii.

– Spałam jak dziecko. To miejsce jest cudowne.

„Czy to ty przejmiesz kiedyś to wszystko po mnie?" – pomyślała Octavia. – „Czy to twoje dzieci będą tu siedzieć?".

Zaskoczona myślą, która pojawiła się znikąd – bo Octavia nigdy dotąd nie zastanawiała się nad przyszłością – po kilku minutach wymówiła się od dalszej rozmowy. Zostawiła tę dwójkę siedzącą w porannym słońcu.

Szczerze wątpiła, czy zauważyli jej odejście.


Wchodząc do domu, Octavia dostrzegła ochmistrzynię.

– Pani Jocelyn – powitała ją. – Cieszę się, że na panią trafiłam.

To było dziwne – kobieta stała absolutnie bez ruchu. Najwyraźniej nigdzie się nie wybierała, tylko oglądała portret Octavii.

– Pani Jocelyn? – ponownie odezwała się Octavia i ruszyła w jej stronę zbudowanym za Tudorów holem.

Wreszcie ochmistrzyni się odwróciła.

– Czy Amelie z panią rozmawiała? – spytała Octavia. – O materiałowych kwiatach? Ma je pani w składziku?

Pani Jocelyn zamrugała. Twarz miała mocno zarumienioną, niemal jak od gorączki.

– To jest niestosowne – oznajmiła.

– Słucham? Co jest niestosowne?

Pani Jocelyn machnęła ręką w nieokreślonym kierunku.

– To całe mieszanie porządków. Śluby dla służby w rodzinnej kaplicy, lokaj żeniący się z pokojówką. No i pani. – Skinęła głową, jakby te ostatnie słowa znaczyły coś najgorszego. – Tak, pani.

Octavia tak była wstrząśnięta jej impertynencją, że na moment straciła oddech.

– Co na Boga ma pani na myśli?

– Nie powinni w ogóle brać ślubu, nie wspominając już o kaplicy.

– Mary i David?

Pani Jocelyn syknęła z dezaprobatą.

– Tak, oni. Nash i Richards.

Octavia próbowała powstrzymać narastającą irytację.

– Doprawdy, pani Jocelyn. To przedziwny komentarz.

– Przedziwny! – krzyknęła ochmistrzyni. – Wszystko tutaj jest przedziwne. I niewłaściwe! Nie rozumie pani? Nic dobrego z tego nie wyniknie.

– Nie wiem, co ma pani na myśli. I nie sądzę, żeby zgłaszanie zastrzeżeń należało do pani obowiązków.

Pani Jocelyn puściła rzeźbioną poręcz, na której wcześniej mocno zaciskała palce i zrobiła krok w stronę Octavii. Patrzyła na nią tak, jakby po raz pierwszy w życiu widziała ją wyraźnie.

– To wszystko zaczęło się od pani – powiedziała grobowym głosem. – Tak, w rzeczy samej. Dom wywrócony do góry nogami, chimeryczność, zmartwienia. Wcześniej panował spokój. A teraz nigdy nie ma tu spokoju. Nadszedł czas. Dzień sądu.

Octavia zmarszczyła brwi. Rozejrzała się z nadzieją, że ktoś się pojawi. Nigdy nie przepadała za ochmistrzynią, ale przynajmniej sumiennie wypełniała swoje obowiązki. Jednak zawsze była odrobinę przerażająca. Niepozorna jak cień, przypominała ducha, zawsze czujnego, precyzyjnego. Octavia wiedziała też, że pani Jocelyn bardzo podziwia Williama i jego dobro stawia wyżej niż własne. Niemniej ochmistrzyni – aż do tej chwili – zachowywała się w sposób boleśnie wręcz sztywny i grzeczny.

– Nie rozumiem, co ma pani na myśli, mówiąc o sądzie, pani Jocelyn.

Ochmistrzyni wyszczerzyła zęby.

– Och, ci, którzy grzeszą... To mam na myśli. Oni zbiorą burzę.

Podeszła bliżej, zdecydowanie za blisko. Mówiła niskim głosem i pobrzmiewała w nim groźba.

– To musi się skończyć, czas na odkupienie. To właściwa droga, tak powinno być. Jego nie ma, prawda? Zapłacił za swoje przewinienia, kiedy wciągnęła go głębia.

– Na litość boską, o czym pani mówi?

– Ależ o nim. O Amerykaninie. Pan przyjdzie i po innych. Po panią.

– Dobry Boże! – zachłysnęła się Octavia. Obejrzała się, szukając wzrokiem dzwonka, którym mogłaby wezwać Bradfielda.

– O tak, z pewnością działo się to w imię Boże – mówiła pani Jocelyn. – Strącony w głębiny w imię Pana, racja. Całkowita racja.

Przerażona Octavia stanęła do niej tyłem. Pani Jocelyn zaczęła spokojnie i powoli odchodzić. Dotarła do zielonych, obitych suknem drzwi i otworzyła je.

– Kwiaty z materiału ułożyłam na stołach weselnych w spichlerzu – oznajmiła. – Bo, jak rozumiem, chciała pani, żeby się tam znalazły?

Octavii odebrało mowę.

– I widzi pani...

Pani Jocelyn zamilkła na moment. Potem przechyliła głowę i wygładziła czarną sukienkę.

– Imię Boże, o tak – mruknęła. – I panicz Harry... ale on wrócił.

Na dźwięk tego imienia w Octavii wreszcie zawrzał gniew.

– Ani słowa o Harrym! – rozkazała. – O co pani chodzi?!

– Mówię o karze, jaką otrzymał za swoje błędy.

Pani Jocelyn wypowiedziała te słowa z najwyższą pogardą, jakby tłumaczyła coś głupiemu dziecku.

Przez chwilę przyglądała się swojej pani badawczo, z osobliwym wyrazem twarzy, jednocześnie gorzkim i tryumfującym. Potem zamknęła za sobą ciężkie drzwi, a Octavia usłyszała jej cichnące kroki na schodach do piwnicy.

Zanim Octavia znalazła Williama, minęło kilka minut.

Nie było go w gabinecie, jak sądziła. Siedział w oranżerii i czytał książkę.

Pospiesznie weszła do środka, ale nie do końca wiedziała, w jaki sposób sformułować skargę. William spojrzał na nią i zauważył, że jest strapiona. Odłożył książkę.

– Coś się wydarzyło – zaczęła. Usiadła na krześle naprzeciwko. Czuła się słaba, brakowało jej tchu. Któreś z rosnących w pobliżu roślin pachniały odurzająco. Octavia spojrzała na rząd lilii. To musiały być one. Pomiędzy nimi orchidee wychylały swoje ciekawskie, małe twarzyczki. – Coś bardzo złego dzieje się z panią Jocelyn.

– Złego?

– Właśnie mi groziła, Williamie.

Zaczął się uśmiechać.

– Niedorzeczność! Czym?

– Nie wierzysz mi – mruknęła.

– Czym dokładnie ci groziła? – spytał. – Pewnie ma to związek z kolacją weselną. Bradfield mi mówił, że zareagowała na ten pomysł lodowato.

– Nie chodzi o wesele! – wykrzyknęła Octavia. – Williamie, ona przed chwilą... To naprawdę bardzo dziwne... sugerowała, że moje zachowanie...

– Z pewnością źle ją zrozumiałaś.

– Nic podobnego – warknęła Octavia, starając się zapanować nad złością. – To wynik jakiegoś stresu, jestem pewna. Bradfield ci mówił, że każe fanatycznie wszystko sprzątać...

– Nie zauważyłem nic niewłaściwego.

Westchnęła z rozdrażnieniem.

– Oczywiście, że nie zauważyłeś...

– I nic mi nie mówiła.

Octavia popatrzyła na męża. Nie chciała, żeby się denerwował – miał przecież odpoczywać.

– Williamie – zaczęła po raz kolejny. – Sądzę, że powinniśmy przynajmniej nalegać, by wzięła urlop, odpoczęła.

– Odkąd ją znam, pani Jocelyn nie wzięła urlopu ani razu przez te wszystkie lata. Może dzień lub dwa, ale nic ponadto.

– Chcę, żeby gdzieś wyjechała – powiedziała Octavia. – Chcę, żeby nie było jej przez tydzień albo dwa. Jest w najwyższym stopniu wzburzona.

– W takim razie zajmij się tym.

Octavia zagryzła wargę.

– Wolałbym, żebyś to ty jej powiedział, Williamie. Mówiła o...

Nie. Nie mogła wspomnieć o Johnie. Nie chciała też przywoływać pokrętnej wzmianki o Harrym. Octavia wywnioskowała, że ochmistrzyni uważa obrażenia Harry'ego za konsekwencję jego zachowania wobec Emily Maitland albo lekkomyślnych hulanek w Londynie zeszłego roku.

– Och, to niedorzeczne – jęknęła. – Proszę, porozmawiaj z nią, Williamie.

Przyjrzał się jej skonsternowany. W końcu westchnął i ponownie podniósł książkę.

– Skoro nalegasz – zgodził się wreszcie. – Skoro nalegasz.


Tuż przed lunchem do salonu weszła Charlotte.

Zatrzymała się w progu i rozejrzała z roztargnieniem, po czym, zauważywszy Caitlin w jednym z oddalonych od wejścia foteli, zamknęła pospiesznie drzwi i podeszła do niej raźnym krokiem.

– Miałam nadzieję, że uda mi się z tobą porozmawiać.

Opadła na stojące obok krzesło i bez dalszych wstępów sięgnęła po rękę Caitlin. Dziewczyna wyglądała na zaskoczoną, lecz nie zabrała dłoni.

– Przyszłam prosić cię o przysługę – oznajmiła Charlotte. – Gdzie jest Harry?

– Chyba na górze. Mam po niego zadzwonić?

– Nie, nie. Chcę pomówić tylko z tobą. – Charlotte ścisnęła dłoń dziewczyny i odrobinę się wyprostowała. – Wiem, że poznałyśmy się dopiero wczoraj, ale możesz doradzić mi jak nikt inny. I muszę poprosić o przysługę.

Ostatnie słowa powiedziała szeptem, marszcząc brwi, po czym chwilowo zmieniła temat.

– Spodziewam się, że widziałaś kawał świata.

Caitlin się uśmiechnęła.

– Jedynie bardzo smętny kawałek po drugiej stronie Kanału.

– Ale podróżowałaś. Nie tylko do Francji. Jesteś Irlandką, prawda?

Caitlin na chwilę zamilkła, jakby zastanawiała się nad odpowiedzią.

– Nie do końca.

– Masz irlandzki akcent. Wyglądasz na Irlandkę.

– Miałam irlandzką nianię. Wychowała mnie.

– A twoi rodzice?

– Rzadko bywali w pobliżu. – Uśmiechnęła się ostrożnie. – Cóż to za przesłuchanie!

– Przepraszam, nie cierpię wymieniać uprzejmości. Ale jeśli wolisz, możemy porozmawiać o pogodzie.

Caitlin się zaśmiała.

– Rozumiem. Pytaj więc dalej.

– Poznałaś tam Harry'ego, we Francji.

– Tak. Opiekowałam się nim przez krótki czas.

– To bardzo... – Charlotte szukała właściwego słowa. – Trudne przeżycie, prawda?

– Owszem. Twoja matka powiedziała mi, że pracowałaś w St. Dunstan's. Czy chciałabyś zostać pielęgniarką?

– Tak – potwierdziła Charlotte. – Chciałabym pracować jako wolontariuszka. Myślisz, że mam do tego odpowiedni charakter?

Uśmiech Caitlin, który, jak zauważyła Charlotte, był raczej wyćwiczony (dziewczyna zastanowiła się przelotnie, co ukrywał), stał się szerszy.

– Będziesz wiedziała dopiero wtedy, gdy spróbujesz – odpowiedziała. – To ciekawe, jak niewiele są w stanie znieść ludzie z pozoru bardzo silni, i odwrotnie.

– Tak. – Charlotte się zamyśliła. Przez chwilę obserwowała przez okno horyzont, potem znów spojrzała na starszą dziewczynę. – Czy mogłabyś mi o tym opowiedzieć?

– Och, nie jestem pewna, czy twoi rodzice by mi za to podziękowali.

– Tu nie chodzi o moich rodziców – odparła stanowczo Charlotte. – Muszę wiedzieć. W St. Dunstan's słyszałam historie, które opowiadali mi pacjenci, ale oni próbowali mnie chronić. Mam już dość bycia chronioną. Byłaś na wzniesieniu Aubers? Dostaliśmy wiadomość, że zginął tam jeden z naszych służących.

Caitlin przez dłuższy czas przyglądała się Charlotte badawczo.

– Najlepiej jest się odciąć, jeśli to możliwe – powiedziała cicho. – Mam na myśli serce. Płacz nad tym, co się zobaczyło, w niczym nie pomoże. To bardzo ciężka praca. Czasami najtrudniejszą rzeczą jest utrzymanie wydajności. Ostatnio byłam w Boulogne, nie w Aubers. Przywieźli nam jednak ofiary tamtych walk.

– Wydaje mi się, że dałabym radę.

– Na pewno? – spytała Caitlin. – Nie dowiesz się, dopóki nie sprawdzisz.

– Mogę się szkolić.

– Tak, możesz się szkolić. Ale bezmiar nieszczęścia... ciężko to znieść.

– Litujesz się nad Harrym?

– Nie.

– Dlaczego nie?

– Żałuję tylko tych, którzy nie wrócą do domu. Poza tym litość nie jest dobrą podstawą przyjaźni, prawda?

Dziewczyny spojrzały na siebie.

– We Francji jest znacznie gorzej, prawda? – spytała wreszcie Charlotte.

– Tak i chyba znacznie gorzej, niż jesteśmy sobie w stanie wyobrazić. Pomyśl o piekle, a potem przemnóż to przez dwa. Przez trzy. Wątpię, czy nawet ta wizja odpowiada prawdzie.

Charlotte opuściła wzrok. Kiedy ponownie się odezwała, nie podniosła oczu.

– Widziałam, jak wsiadasz do pociągu – mruknęła.

– W Londynie?

– Tak. – Charlotte zamilkła, po czym znów się odezwała: – Myślałam: „Być może to jest dziewczyna, o której mówił Harry", i zastanawiałam się, czy mnie widziałaś. Ojciec kupił mi bilet w pierwszej klasie i... cóż, nie widziałam cię tam później.

– Nie, nie było mnie tam.

– Przez kilka ostatnich tygodni mieszkałam w Londynie u przyjaciół. Wczoraj na platformie, kiedy nas mijałaś... – Charlotte zamilkła. – Cóż, żegnałam się z przyjacielem. Kapitanem z St. Dunstan's.

– Ach – mruknęła Caitlin.

Charlotte w końcu podniosła wzrok.

– Nie powiesz nic, prawda? – spytała. – Nawet Harry'emu. Nie chodzi o... cóż, to nie jest zbytnio efektowny romans. I z pewnością nie opiera się na litości.

– Mam nadzieję, że się nie obrazisz, ale i tak jesteś odrobinę za młoda na romans.

– Wiem... wiem – odparła Charlotte.

W tej chwili drzwi otworzyły się i weszła Octavia.

Charlotte położyła palec na ustach i patrząc na Caitlin, wymownie uniosła brwi. Potem wstała, żeby przywitać się z matką.

– Czy kolacja weselna jest już gotowa? – spytała głośno.

– Tak sądzę, kochanie.

– Pójdziemy zobaczyć? – poprosiła Charlotte. – Może weźmiemy Sessy i Louisę, obejrzymy stoły i całą resztę? To takie przyjemne, a przyjemności ostatnio nieczęsto się nam zdarzają, prawda? Mamy czas przed lunchem.

– Jeśli chcesz...

– Dobrze. – Charlotte pocałowała matkę w policzek. – Poszukam Louisy.

Patrzyły, jak wychodzi, po czym Octavia odwróciła się do Caitlin.

– Zawsze była niespokojnym duchem. – Uśmiechnęła się. – Nigdy nie wiadomo, co za chwilę wymyśli.

– Bez dwóch zdań – mruknęła Caitlin, wstając.

Tuż po lunchu, kiedy zaczęli zjeżdżać się weselni goście, jeszcze raz spadł deszcz. Wiatr hulał po otwartej przestrzeni parku. Osoby z wioski, wśród nich matka Davida Nasha i jego brat, zostały zaproszone do ciepłej kuchni dla służby, gdzie królowała pani Carlisle, goszcząc wszystkich, których coś łączyło ze szczęśliwą parą.

Wcześniej Jack Armitage zabrał Mary do domu swoich rodziców przy stajni po drugiej stronie podwórza, gdzie miała się wyszykować z pomocą matki i Jenny. „Biedna Jenny", pomyślał Jack. Odkąd dotarły do nich wieści o Harrisonie, wyglądała na nieobecną. Wciąż zaprzeczała, że był jej ukochanym; wyznała Mary, że nigdy nie napisał jej nic miłego. Przynajmniej tak słyszał Jack. Współczuł jej. Być blisko kogoś, uwielbiać go, bać się go stracić, a jednocześnie nie móc myśleć o jakiekolwiek przyszłości – rozumiał to aż zbyt dobrze.

Wybiła trzecia, do ceremonii została godzina. Jack siedział w siodlarni, kiedy wszedł David Nash. Przyszły pan młody promieniał szczęściem.

– Tutaj jesteś – ucieszył się. – Robię obchód, upewniam się, że wszyscy czują się zaproszeni. Przyjdziesz na ślub?

– Oczywiście.

David westchnął i usiadł naprzeciwko. Śmiał się do siebie.

– Byliśmy w gospodzie w wiosce – powiedział. – Wiesz, że Kessington wrócił?

Kessington, jeden z pomocników w stajni, pojechał do Francji dwa tygodnie temu, a wczoraj został zwolniony ze służby z powodu kalectwa.

– Widziałem go – odparł Jack. – A przynajmniej to, co z niego zostało.

– Tak – zgodził się David, nagle poważniejąc. – Straszna strata.

– Przyszedł tu wczoraj – ciągnął Jack. – Szukał koni. Odbiło mu, kiedy odkrył, że ich nie ma.

Kessington, który opuszczając Rutherford, był tęgim, przysadzistym, pogodnym chłopiną, wrócił, dosłownie słaniając się na nogach. Jego chód stał się dziwnie niezgrabny i tak jakby przestał kontrolować twarz. Jack mu współczuł i starał się na niego nie gapić. Przeprosił za brak koni i poczuł skrępowanie, kiedy mężczyzna osunął się na pustą podłogę stajni i zaczął się trząść.

Jack wziął go pod ramię i odprowadził do matki. Chłopak nieustannie dygotał, co było tyleż przerażające, co fascynujące.

– Nic nie może na to poradzić – mruknął teraz do Davida. – Zwróciłeś uwagę na jego twarz? Już go w niej nie widzę. Wygląda jak Kessington, ale w środku siedzi ktoś inny. To nie on na mnie patrzy.

– Matka mi mówiła, że tłoczyli się w okopach rezerwy, kiedy trafił w nich pocisk – powiedział David. – Tylko on wyszedł stamtąd żywy, ale nie mógł ustać. Nawet go nie drasnęło, ale kiedy próbowali podnieść go na nogi, upadał.

Dwaj mężczyźni siedzieli i wyglądali przez otwarte drzwi na deszcz tańczący na kamieniach w podwórzu.

– Próbował mi opowiedzieć o tamtejszych koniach – westchnął Jack. – Powiedział, że jest tam mnóstwo zwierząt. Nie tylko koni i nie tylko należących do armii, ale też zwierząt pozostawionych na farmach i w wioskach. Słyszeli, jak psy szczekają w niemieckich okopach. Jeden z gońców miał teriera, którego nosił na rękach. Kessington mówił, że wyglądał zupełnie jak pies panny Louisy, ten mały Max.

Zamilkł na chwilę.

– Nie mogę uwierzyć, że zwierzaki zostają z nami po tym, co im robimy.

– Mary mówiła, że sam zastanawiałeś się nad wyjazdem – powiedział David.

Wiatr szarpnął drzwiami do siodlarni, które zaczęły bujać się na zawiasach. Jack obserwował je przez moment.

– Rozmawiałem z jaśnie panem – wyznał cicho. – Mówi, że mógłby mi pomóc. Załatwić przydział do oddziałów weterynaryjnych. Prawdopodobnie raczej szybciej niż później.

David wstał.

– Lepiej pójdę się przygotować.

Jack również się podniósł. Wyciągnął rękę.

– Może się spotkamy, we Francji – powiedział. – To możliwe.

– Tak – zgodził się David.

Patrząc na siebie, trzymali mocno swoje dłonie. Jack nie przypominał sobie, żeby David kiedykolwiek wcześniej był na podwórzu przy stajni, nie mówiąc już o siedzeniu w niej. Ale podziały przestały istnieć. Przeszłość zmieniała się w popiół, zwiewany przez wiatr, jak liście na podwórzu. Czuli jednocześnie, że są tacy sami, choć sobie obcy. Widzieli się w identycznych zielonych mundurach, idących po tych samych zrujnowanych drogach.

– Idź i weź za żonę tę dziewczynę – uśmiechnął się Jack. – To nieżgorsza panna.

– Zgadzam się. – David uśmiechał się od ucha do ucha. – Przyjdź i zjedz z nami.

– Tak zrobię.

Jack patrzył, jak David przemierza podwórze – taki wysoki, taki szczupły. Włożył na głowę wojskową czapkę, gdy biegł przez deszcz.

Kiedy przestało padać i niebo gwałtownie się wypogodziło, nastało jedno z tych złocistych popołudni, tak częstych na granicy lata i jesieni. Usłyszawszy, że tam jest Harry, William udał się nad rzekę. Nie spieszył się. Od tygodni uczył się tej lekcji – jak iść powoli, patrzeć i słuchać.

Nie było to łatwe. Przez całe życie William mówił, gdy inni słuchali, i działał, gdy pozostali się ociągali. Ale postanowił stosować się do rad lekarza z jednego istotnego powodu – jeśli będzie się ich trzymał, może uda mu się dłużej pozostać na tym świecie. I nawet jeśli nie pojedzie już do Paryża, nie wróci do parlamentu, a jego świat zmniejszy się do rozmiarów Rutherford, zaczynał czuć wdzięczność. Każdego dnia próbował objąć umysłem dom i pagórkowate tereny wokół. Rozmyślał o nich, obracał w wyobraźni z delikatnością i intensywnością większą niż kiedykolwiek wcześniej. Jego myśli prowadziły do jednej kluczowej i ważkiej konkluzji – że wszystko, co zna, może przekazać Harry'emu, który nareszcie wrócił do domu i miał pozostać tu na dobre.

Zatrzymał się nieopodal mostu na zakolu rzeki, gdzie byli Harry i jego córka. Niania szyła coś kawałek dalej i tylko od czasu do czasu spoglądała na swoją podopieczną.

Harry i Sessy siedzieli obok siebie na brzegu, w miejscu gdzie trawnik schodził do piaskowo-żwirowej płycizny. Harry trzymał w ręku pudełko z przynętą. Obok niego leżała wędka, a dziewczynka zaglądała do pudełka z fascynacją i zachwytem, gmerając w środku paluszkami. „Ta mała jest jak Charlotte" – pomyślał William. – „Niczego się nie boi". Oparł się o most i zawołał – pomachali mu w odpowiedzi.

Kiedy William podszedł bliżej, Sessy, kołysząc się, stanęła na nóżkach.

– Bardziej interesuje ją przynęta niż ryby – roześmiał się Harry.
– Coś złowiłeś?
– Absolutnie nic.
– Jeszcze przez jakiś czas nie będzie ich zbyt wiele.

– To prawda. Ale widzieliśmy małe rybki, zgadza się? – spytał Sessy.

Dziewczynka bez słowa skinęła głową, wplatając paluszki w kręcone włosy.

Niania podeszła do nich i skinęła głową, uśmiechając się do Williama.

– Dzień dobry, proszę jaśnie pana.

– Lepiej ją zabierz, Agnes – poprosił Harry. – Minie trochę czasu, zanim wrócę do domu. Już dotarcie tutaj okazało się niezłym ćwiczeniem.

Niania podniosła Sessy i umieściła ją w kunsztownym wózku – fantastycznym, miękko wyściełanym i pomalowanym na czarno-srebrno. Dziewczynka pomachała im z jego głębin iście po królewsku. William i Harry słyszeli, jak niania śpiewa *Piękną dolinę*, kiedy odjeżdżały.

Harry słuchał, popatrując na ojca.

– „Rzeka była tak czysta, gdy w dzieciństwie biegaliśmy wzdłuż jej wód..." – zanucił. – „Piękna dolina"... Zastanawiam się, ile lat ma ta piosenka. Równie dobrze mogłaby powstać w tym miejscu.

William po chwili wahania usiadł obok syna. Nie bez emocji przypomniał sobie, że stał właśnie tutaj, kiedy czekali na poprzednią wizytę Harry'ego, zanim został ranny.

– To było ulubione miejsce mojego ojca – powiedział.

Harry nie skomentował. Patrzył w wodę i myślał, że to również miejsce, gdzie matka Sessy niemal utonęła, gdy ją odtrącił. Milczał. Przyprowadzenie tu Sessy oznaczało dla niego przyprowadzenie dziecka do mamy, choć nie sądził, by William mógł to zrozumieć. Matka by zrozumiała. Właściwie Octavia z pewnością od razu by to zauważyła.

– Myślałem o posiadłości – zaczął William powoli, wyważonym tonem. – Gruntownie zastanawiałem się nad jej losami.

– Tak? – spytał Harry, chociaż jego uwaga skupiała się głównie na prądach wodnych, tworzących na rzece niewielkie wiry.

– Chciałbym wiedzieć, jaką jej część pragniesz przejąć i jak szybko.

Harry odwrócił głowę.

– Przejąć?

– W przyszłym tygodniu możemy się spotkać z zarządcą ziem. To będzie, tak czy owak, twoje zmartwienie. Równie dobrze możesz obejrzeć rachunki i tym podobne rzeczy.

– Rachunki? – powtórzył zdumiony. – Jeśli mogę pomóc, to kiedy tu jestem, z chęcią to zrobię.

William uśmiechnął się do niego.

– Nie chodzi mi o pomoc. Raczej o to, żebyś zaczął poznawać mechanizmy działania posiadłości. Dzięki temu będziesz mógł podejmować własne decyzje.

Harry wciąż patrzył na ojca z zakłopotaniem.

– Obawiam się, że nie rozumiem.

William zatoczył ręką krąg, wskazując rozległe tereny dookoła i dolinę za nimi.

– Moim zdaniem będziesz chciał to wszystko zrozumieć, zanim w pełni odzyskasz zdrowie.

A widząc, że twarz Harry'ego wciąż wyraża skrajne zdumienie, uśmiechnął się.

– Przekażę ci posiadłość, Harry, gdy tylko będziesz w stanie ją przejąć. Oczywiście nie planowałem robić tego tak szybko. Wyobrażałem sobie, że kiedy skończysz trzydzieści lat... – zamyślił się. – Ale masz większe doświadczenie, niż ktokolwiek z nas się spodziewał. Dochodzi też problem mojego stanu zdrowia. Właśnie to należy zrobić, Harry. Bądź co bądź wszystko i tak będzie twoje. Równie dobrze możesz zacząć już teraz.

– Zacząć? Ja...?

Harry zamilkł.

– Okropnie mi przykro, ojcze – powiedział wreszcie. – Zaszło jakieś nieporozumienie. Muszę wracać.

Teraz William się zdziwił.

– Dokąd wracać?

– Do Francji oczywiście. Do korpusu. Potrzebują każdego człowieka.

William był przerażony.

– Przecież nie możesz znów latać.

– Z całą pewnością mogę – powiedział Harry.

– Nie, nie. To niemożliwe.

– Przepraszam bardzo, ojcze, ale nie widzę przeszkód.

– Twoje nogi...

– Nie potrzebuję nóg, tylko rąk i oczu, a im nic nie dolega. Będę mógł się poruszać, w końcu jestem w stanie chodzić.

– To absolutnie niemożliwe! Nie możesz o tym myśleć. Twoje rany były zbyt poważne. To złamie serce twojej matki. Ona sądzi, że nareszcie jesteś tu bezpieczny. – Zamilkł, nie kwapiąc się do zdradzenia własnych uczuć w tej sprawie. Ale w końcu wymamrotał: – I ja, Harry. Potrzebuję cię tutaj. Rutherford cię potrzebuje.

– Zobaczymy, co powiedzą lekarze – ustąpił odrobinę Harry, wyraźnie zirytowany. – Jeśli jednak będą nalegać, że nie powinienem latać, co byłoby skrajną głupotą, to i tak muszę wrócić. Jest mi piekielnie przykro, jeśli rozczaruję matkę. Naprawdę. I ciebie. Ale muszę jechać. Myślałem, że to oczywiste. To mój obowiązek.

– Jak możesz pomóc we Francji, jeśli nie będziesz latać?

– W szkoleniach... dowodzeniu...

– To wymagałoby awansu.

– Może uznają, że wystarczająco się przyłożyłem, żeby na niego zasłużyć, kto wie?

Harry patrzył na Williama surowo. W tym spojrzeniu William dostrzegł upartego, krnąbrnego Harry'ego, takiego, jakim był jako nastolatek, gdy nie dało się go okiełznać ani z nim dyskutować. Teraz jednak pojawiło się coś jeszcze – jakaś zacięta, dojrzała determinacja.

– Harry, nie zdołasz sam wygrać tej wojny. Nikt nie spodziewa się po tobie niczego więcej. I tak już ogromnie się poświęciłeś.

– Poświęciłem? Ja? Nie, ja nic nie zrobiłem. – Harry roześmiał się głośno, sfrustrowany. – Ktoś z dywizjonu wspominał, że Pierwsza Dywizja Kanadyjska straciła dwa tysiące czterystu żołnierzy w Festubert, próbując zdobyć sześćset jardów ziemi. I tak już stracili połowę swojego potencjału bojowego pod Ypres. Połowę! To właśnie nazwałbym poświęceniem. I Harrison. On się poświęcił! Czy wiesz, gdzie umarł? Na rojącym się od szczurów bagnie zwanym Quinque Rue...

Zapadła cisza, Harry próbował złapać oddech. Wokół nich szeptały drzewa i rzeka, słońce przenikało przez liście. William patrzył na to, na obraz nieba, który chciał podarować synowi. Chciałby go tutaj uziemić, dosłownie zaślubić z tą ziemią. Być może również spętać, by nigdy więcej nie mógł uciec. Nie chciał, żeby Harry kiedykolwiek znów zniknął mu z oczu, nie wspominając już o wypuszczeniu go do piekła, które opisywał.

– Nie mogę spać przez myśli o poświęceniu – łagodnie powiedział Harry. – Na przykład w St. Julien. Podczas ataku o północy kopano tam okop. Pracę zaczęło ośmiuset szesnastu żołnierzy. Sześć godzin później sześciuset z nich nie żyło. Ciągle słyszymy o takich rzeczach. Tak naprawdę wygląda wojna. Wracają do korpusu dzięki pytaniom: „Które okopy są bezpieczne? Gdzie jest linia frontu?", bo wszystko się zmienia. Walczy się o okopy, przejmuje się fortyfikacje, a potem się je traci albo wszystko wylatuje w powietrze za sprawą artylerii. Kopie się nowe przejścia i w ciągu kilku godzin nic z nich nie zostaje... – Spojrzał ojcu w oczy. – Widzę te przejścia, widzę je w swoich snach. Dlatego muszę wracać.

Jeszcze jakiś czas siedzieli razem, po czym William pomógł Harry'emu wstać.

Szli razem po trawie. Patrzyli na dom, a potem na spichlerz i prowadzącą do niego ścieżkę, która, jak teraz zauważyli, została udekorowana wyniesionymi ze szklarni kwiatami w doniczkach.

– Dobry Boże – mruknął Harry. – March naprawdę pozwolił, by wyniesiono na zewnątrz jego skarby. Romantyzm wciąż żyje.

William się uśmiechnął. Dotarli do domu i stanęli w otwartych drzwiach salonu. Przez chwilę ojciec walczył z pragnieniem powiedzenia synowi czegoś jeszcze. Czuł się zawiedziony i bezradny. Szanował Harry'ego za to, co wyznał... ale... Cóż, może to była tylko słabość starego człowieka. Czuł się jak stary człowiek, na litość boską. Nieświadomie wyprostował ramiona i postanowił nie obarczać syna jeszcze mocniej.

– Wejdź do środka. – Poklepał Harry'ego po ramieniu. – Jestem pewien, że ta urocza młoda dama na ciebie czeka. I tak wykazała się delikatnością, pozwalając ci spędzić trochę czasu sam na sam z Sessy.

– To wspaniała dziewczyna – stwierdził Harry.

– W rzeczy samej. Idź już... ja muszę porozmawiać z twoją matką.

Tak jak przypuszczał, Octavia odpoczywała w swoim pokoju. Stał przez chwilę pod drzwiami i bił się z myślami. W końcu zapukał.

– Proszę – zawołała.

Leżała na łóżku.

– Spałaś? – spytał.

– Nie. – Podniosła się na łokciu. – Co się stało?

– Rozmawiałem z Harrym.

– O posiadłości?

– Tak. – William usiadł ciężko na stojącym przy łóżku fotelu. – Przykro mi, Octavio, ale Harry planuje wrócić do Francji tak szybko, jak tylko będzie mógł.

– Co? – wykrzyknęła. – Och nie, to niemożliwe!

Przerzuciła nogi przez krawędź łóżka. Ubrana była w znakomitej jakości jedwabny szlafrok, który, jak William niejasno sobie przypominał, kupili podczas wyprawy do Paryża. Musiał mieć już ze dwadzieścia lat. Pokrywały go śliczne, różowo-złote wzory i Octavia wyglądała w nim niemal dziewczęco. Przypomniał sobie ich podróż poślubną i wczesne wspólne lata.

– Opowiadał mi o bitwach – wyznał cicho. – Przynajmniej o niektórych. Mówi, że musi tam wrócić. Wszyscy do wioseł, coś w tym rodzaju. Potrzebują każdego człowieka. Harry poczuwa się do odpowiedzialności za walczących kolegów z dywizjonu. – Zamilkł na moment. – Kiedyś wybraliśmy się w podróż w tamte rejony, pamiętasz? Pociągiem i tym małym powozem, który wynajęliśmy, żeby woził nas po wiejskich drogach. Do Ypres i Lille.

– To był rok Wystawy Światowej w Paryżu – szepnęła Octavia.

– Pamiętasz średniowieczne sukiennice w Ypres?

– Tak. Bardzo piękne.

– Już ich nie ma, legły w gruzach.

– Zatrzymaliśmy się na lunch w takiej knajpce... – Octavia uśmiechała się czule. – Pamiętasz? To było gdzieś w dolinie Sommy. Zwykła kawiarnia, bistro. Mój Boże! Siedzieliśmy na zewnątrz, w cieniu... Jakiś wiekowy spaniel przyszedł i położył się na chodniku. Wciąż go widzę, jak śpi na kamieniach tak starych, że wyglądały jak wypolerowane szkło. Spędziliśmy tam całe popołudnie.

– St. Julien.

– Dobry Boże! – powiedziała. – Nie myślałam o tym od lat. Po prostu mały lokal wśród pól. Tak ciepło było tego dnia... Wydaje mi się, że masz rację. Dlaczego o tym pomyślałeś?

– To bez znaczenia – westchnął. Pochylił się i podparł głowę na dłoniach. – Podziwiam oczywiście Harry'ego za chęć powrotu. Za lojalność i odwagę. Ale to szaleństwo.

Octavia powoli wstała, przeszła przez pokój i oparła się o kamienny parapet okna.

– To okropne – stwierdziła w końcu. – Nie mogę tego znieść. Czy możemy go jakoś powstrzymać?

– Wątpię.

– Jego dowódca?

– Wypoczynek tutaj wyszedł chłopakowi na dobre, Octavio. Nie był nerwowy jak wtedy, gdy przyjechał kilka miesięcy temu. Mówi, że źle sypia, ale trudno to nazwać powodem, przez który nie mógłby latać. Prawdopodobnie za miesiąc lub dwa, kiedy obejrzy go komisja lekarska, uznają go za zdolnego do dalszej służby. Kraksa równie dobrze może sprawić, że będzie mniej ryzykował. Koniec końców... – zawahał się – może nawet stać się lepszym pilotem, lepszym oficerem.

– A jego rany...?

– Mówi, że nie mają znaczenia.

Widział ból na twarzy żony i rozumiał, co ona czuje. Zrobiłaby wszystko, żeby zatrzymać Harry'ego w Rutherford. Octavia powoli podeszła do łóżka.

– Tak się zastanawiam – szepnęła – czy dzieci kiedykolwiek myślą o tym, co robią swoim rodzicom.

Uśmiechnęła się z ogromnym smutkiem.

– Puszczenie ich wolno, patrzenie, jak radzą sobie w świecie, chęć, by miały własne życie... oczywiście. Ale patrzenie, jak odchodzą? To niemal nie do zniesienia. Mimo to nie można o tym mówić. Okropnie bym się czuła jako matka, która kurczowo czepia się dziecka, któregokolwiek z nich... ale...

William od dawna nie słyszał z ust żony równie szczerych słów.

– Musimy pod każdym względem być z niego dumni – powiedział.

– Oczywiście, że jestem z niego dumna. I oczywiście, że czuję podziw... ale patrzenie, jak twoje dziecko rzuca się w otchłań... Tak się właśnie czuję. Myślę o Kentach, o tym, w jakim stanie była Elizabeth, kiedy się z nią spotkałam. Zgaszona, krucha. Stracić ich i co gorsza wiedzieć, że zginęli w tak okropny sposób... Mój Boże, Williamie... Gdyby chodziło o Harry'ego...

Usiadła powoli, wpatrując się w męża.

Powinien wygłosić jakiś pełen współczucia banał. W końcu bycie podporą należało do jego obowiązków. A jednak oczy wypełniły mu się łzami. Miała rację. Mogli stracić Harry'ego, tak jak Kentowie stracili Ruperta. Każdego dnia widział w gazetach poruszające zawiadomienia z niewyraźnymi, czarno-białymi zdjęciami i towarzyszące im nieodłączne wyrazy żałoby.

Próbował powiedzieć: „Musimy mu pozwolić", ale tylko zabełkotał. Zawstydził się, kiedy wyrwał mu się szloch. Myślał: „Ci, których straciliśmy, ci, których chcielibyśmy zatrzymać...".

A Octavia, która położyła łagodnie dłoń na jego włosach i delikatnie go głaskała... ona przecież straciła Johna Goulda, a przedtem, jak z trudem wyznała Williamowi, jego miłość. A przynajmniej tak to postrzegała.

Zdeptał jej uczucia, kiedy była jeszcze panną młodą, później zniszczył zaufanie z powodu Helene de Montfort i nie wiedział, czym zapełnić tę pustą ruinę, którą stało się jego małżeństwo. Nic, co robił ani co czuł do żony, nie mogło poprawić sytuacji. Ona po prostu się od niego oddalała. Odnosił wrażenie, że nie ma wystarczających kompetencji, żeby wyciągnąć ku niej rękę, zrozumieć ją. W jej towarzystwie czuł, że coś niezwykle cennego przecieka mu przez palce.

Myślał zrozpaczony: „To nie przesada, całkiem możliwe, że pewnego dnia zostanę tu całkiem sam, bez Octavii, córek i Harry'ego". Wszyscy mogli odejść z takiego czy innego powodu i wtedy znajdzie się w takim samym położeniu jak przed ślubem – samotny w Rutherford.

– O, Boże – powiedział cicho.

Zdał sobie niejasno sprawę, że Octavia przy nim uklękła. Otworzył oczy i zobaczył jej łagodność, żałobę, jej lęk: wszystko razem.

– Och, Williamie – szepnęła. – Co my zrobimy?

Objął ją.

– Połóż się ze mną i trochę mnie kochaj, skarbie – poprosił. – Błagam. Tylko dzisiaj. Tylko odrobinę.

Kiedy poprzedniego dnia Nash wrócił do domu i poszedł z Arthurem zobaczyć się z matką, w pierwszej chwili był bardzo blady.

Niedawne szkolenie okazało się dla braci okropnym doświadcze-
niem. Słyszeli o masakrach w Gallipoli, Churchill został odwołany
ze stanowiska, a na zachodnim froncie Niemcy używali nowego
upiornego wynalazku – *flammenwerfer*, płynnego ognia.

Powiedziano im, że ich pułki zostaną wysłane do Hooge, na
najkrwawsze pole walki w ostatnich miesiącach. Hooge było usia-
nym zmarłymi miejscem, które armie wyrywały sobie raz za razem, miejscem, gdzie okopy budowano, wysadzano w powietrze
i odbudowywano. Ktoś wspomniał Davidowi, że stąpa się tam po
trupach i przez całą drogę do Rutherford próbował wyrzucić ten
obraz ze swoich myśli.

Kiedy wczoraj wieczorem dotarł do bram posiadłości, wreszcie zdołał się pozbyć dręczących wizji. Odseparował tę myśl i zostawił przy bramie, gdy zarządca i jego żona wyszli mu na spotkanie,
uścisnęli ręce i życzyli wszystkiego najlepszego. Nie chciał obcią-
żać Mary swoimi lękami. Spieszno mu było ją zobaczyć, poczuć jej
ramiona obejmujące go w gasnącym świetle dnia.

Kaplica oszałamiała pięknem.

Zapierało mu dech na myśl, że to wszystko dla niego i Mary –
kwiaty, otwarcie prywatnej kaplicy pod drzewami za ogrodem kuchennym. Aż musiał się uszczypnąć, kiedy czekał przed małym
kamiennym ołtarzem. Arthur, jego drużba, stał obok.

Gdy weszła Mary, zapadła cisza. Siedzący w tylnych ławkach
pracownicy posiadłości chóralnie westchnęli. Dziewczęta zalały
się łzami. David zastanawiał się, jak to możliwe, że tak łatwo ro-
niły łzy, zanim ktokolwiek powiedział choć słowo. Może to lubiły.
On obiecał sobie, że nie będzie płakał, i nie płakał. Żołnierzowi
– w najlepszym ubraniu, z wypucowanymi na błysk butami, przy-
lizanymi do tyłu włosami i czapką pod pachą – nie wypadało.

Mary szła wyprostowana, twarz miała jasną. Ojciec trzymał ją
pod ramię. Stary mężczyzna – wyszorowany do czysta – wyglądał
elegancko. Nosił ubranie, które dostał od Bradfielda, i ktoś zbyt
mocno mu zawiązał krawat. Kiedy prowadził Mary, przez moment

powłóczył nogami, ale udało mu się zapanować nad chodem i zrobił przepraszającą minę. Odwrócił się, poruszony, wykręcając dłonie, zanim odnalazł swoje miejsce.

„Ona mnie przeprowadzi" – pomyślał David, patrząc na Mary. – „Przez to i przez wszystko, co nadejdzie potem".

– Nadasz się – powiedziała mu rozpromieniona wczoraj wieczorem, kiedy mówili sobie dobranoc w kamiennym korytarzu na dole. – Będziesz do mnie pasował.

Tego wieczoru już nie padało.

Przejaśniło się i chociaż słońce nie grzało zbyt mocno, bezchmurne niebo wyglądało pięknie. Miało ten sam jasny, blady odcień błękitu co satynowa szarfa na sukience Mary. David nie zapomniał tego koloru. Widział go w różnych chwilach: w najbliższych miesiącach i rok później. Wspominał go w zimowe poranki, kiedy na błocie osadzała się gruba warstwa szronu. Wspominał przez całą wiosnę 1916 roku. Ponownie zobaczył go w myślach rankiem pierwszego lipca, kiedy stał o świcie obok Arthura w okopie rezerwowych w pobliżu folwarku zwanego Mouquet nad Sommą.

Po ceremonii udali się do spichlerza, który zdaniem Davida prezentował się bardzo elegancko: udekorowano go flagami, ustawione na kozłach stoły nakryto białym materiałem, a z domu przyniesiono najlepszą porcelanę służby. Cudownie szumiało mu w głowie. Nieprzyzwyczajony był do mocnego piwa, a jeszcze ten szampan, którym wznoszono toasty... Czuł się doskonale, czuł się bogaty, czuł się najszczęśliwszym mężczyzną na ziemi.

Lord Cavendish stanął u szczytu stołu i wygłosił krótką przemowę. David za skarby świata nie mógł sobie później przypomnieć, o czym traktowała – coś o trzymaniu się razem i że to ważne. Jaśnie pan wziął pod rękę lady Octavię i podeszli do nich, żeby uścisnąć ręce jemu i Mary oraz życzyć szczęścia. David czuł się odrobinę jak wypchana lalka, radosny i zadowolony, odrętwiały z przyjemności. Mary szturchnęła go w ramię.

– Pani Nash – mruknął do niej.

– Panie Nash – odparła ze śmiechem.

Po drugiej stronie pomieszczenia rodzina Cavendishów zajęła w całości szczyt stołu.

Kiedy zapadła ciemność, a goście zaczęli zachowywać się bardziej hałaśliwie, Octavia zauważyła, że w drzwiach sztywno stanęła pani Jocelyn. Ochmistrzyni zgromiła wzrokiem zespół wiejskich grajków, jakby nigdy w życiu nie widziała czegoś podobnego. Kiedy zaczęli grać *Moja ślicznotka z Yorkshire*, wykonała rękami drobny gest, uniosła dłonie, zupełnie jakby chciała zatkać uszy. Skrzypce zawodziły, wygrywając melodię, a na parkiet wyszli tańczący.

– Williamie. – Octavia delikatnie szturchnęła męża w ramię. – Może poprosisz panią Jocelyn do tańca? To idealna okazja, żeby z nią porozmawiać.

William uśmiechnął się lekko.

– Skoro muszę.

Podszedł do niej, a ochmistrzyni wykonała coś w rodzaju dygnięcia. Nie zrobiła nic, żeby wyglądać bardziej uroczyście. Wciąż miała na sobie ciężką czarną sukienkę, którą nosiła codziennie.

– Czy uczyni mi pani zaszczyt i zatańczy ze mną? – spytał.

Rozbawiony, zauważył, że pani Jocelyn zaskakująco mocno się zarumieniła.

– To pan robi zaszczyt mnie – szepnęła. Wziął ją pod ramię i poprowadził na nierówny parkiet z desek ułożony na środku spichlerza.

– Nie jestem szczególnie dobry w tańcach – ostrzegł. – Czy możemy trzymać się krawędzi parkietu?

– Jak pan sobie życzy.

Trzymał ją delikatnie w ramionach, dość daleko od siebie. Jej dłonie w jego dłoniach okazały się nieprzyjemnie wilgotne od potu.

– Dziękuję za wszystko, co zrobiła pani dzisiaj dla szczęśliwej pary – powiedział.

Zacisnęła usta w wąską kreskę, zanim odpowiedziała.

– Z pewnością była to przyjemność.

– Chociaż nie coś, co zobaczylibyśmy w dawnych czasach – skomentował, widząc malujące się na jej obliczu mieszane uczucia.

– W żadnym razie.

– Świat się zmienił.

– Jeśli wybaczy mi pan te słowa... – zaczęła, ale zamilkła. Popatrzyła znacząco na Louisę, która nieopodal tańczyła z Jackiem. Dziewczyna uśmiechnęła się niepewnie, zdając sobie sprawę, że ojciec ją zauważył. Williamowi wydawało się, że wysunęła się nieco z czułego uścisku chłopaka. Oboje mieli takie miny, jakby ktoś przyłapał ich na zalotach w miejscu publicznym. Jack uniósł podbródek, ale nie puścił dłoni Louisy.

– Co pani mówiła? – zapytał zmieszany William.

– Jeśli mam być szczera, a zawsze jestem, proszę mi wierzyć – ciągnęła pani Jocelyn – lata temu było mi znacznie łatwiej. Kiedy byliśmy tu sami.

Pomyślał, że musiał się przesłyszeć. Piosenka się skończyła i tancerze zaczęli klaskać. William poprowadził kobietę w pobliże pustego stołu. Nagle wyglądała na bardzo poruszoną.

– Kiedy byliśmy sami? – spytał.

– Szczęśliwe dni. Więcej szacunku. Każdy znał swoje miejsce. Czułam się wtedy zaszczycona, mogąc prowadzić Rutherford z jaśnie panem.

Zmarszczył brwi.

– A teraz nie?

– Och, teraz... – Spojrzała na stół, przy którym siedziała Octavia. – Ciągle jakieś przeszkody. Czuję to. Wszystko stanęło na głowie. Nie ma pobożności. Dzieją się tu takie rzeczy...

– Nie rozumiem, pani Jocelyn.

– Nie? – Stanęła bardzo blisko niego. – Jestem już starsza, wie pan. Nie należę do młodszego pokolenia. Ubolewam nad tym zniszczeniem.

– Ma pani na myśli wojnę?

– Nie – zaprzeczyła.

– A zatem co dokładnie?

Położyła mu rękę na ramieniu i mocno zacisnęła. Byli na wpół ukryci za dekoracją z kwiatów i chorągiewek. William poczuł się przyparty do muru: stał między krawędzią stołu i ścianą.

– Zawsze byłam panu oddana – szepnęła. – Darzę pana czcią i będę poważać aż do końca moich dni.

– Cóż, to jest... – zaplątał się William. – Pani Jocelyn – zdołał wreszcie powiedzieć stanowczym tonem. – Może ta praca stała się dla pani ostatnio zbyt uciążliwa, zbyt męcząca? Lady Cavendish ma wrażenie, że zanadto się pani przeciąża. Przydałyby się pani wakacje.

Patrzyła na niego osłupiała.

– Może tydzień lub dwa na wybrzeżu? – ciągnął. – Pani Dodd świetnie da sobie radę, kiedy pani nie będzie. Może nawet miesiąc. Zasłużyła pani na to.

– Chce pan, żebym wyjechała? – spytała. – I żeby Dodd przejęła moje obowiązki? Na miesiąc?

Uścisk na jego ramieniu nie osłabł, wręcz przeciwnie, stał się jeszcze mocniejszy.

– Tak. Oczywiście będziemy pani płacić.

– I to jest jej pomysł.

Próbował oderwać rękę ochmistrzyni.

– Jeśli ma pani na myśli jaśnie panią...

– Nie nazywam jej tak – syknęła kobieta. – W myślach nigdy.

– Pani Jocelyn!

– Ona na pana nie zasługuje. – Ku jego osłupieniu zaczęła głaskać klapę jego fraka, jak matka gładzi ubranie dziecka. – Tak, pan jest idealny. Zbyt dobry dla niej.

– Wystarczy tego – uciął stanowczo i złapał ją za nadgarstek. – Proszę się opanować.

– Opanować? – spytała. – Ależ ja jestem opanowana.

– Nie. To, co pani do mnie powiedziała, jest absolutnie nie-dopuszczalne.

– To ona – powtórzyła, spoglądając na niego zmieszana i urażona. – Ja nic nie zrobiłam. Jestem bożą służebnicą. I pańską. Słucham lepszych od siebie. Ale ona nie jest lepsza ode mnie. Nie znoszę tego. Jej. A co do Amerykanina...

– Wystarczy!

– Był pan dla mnie wszystkim – powiedziała. – Nie rozumie pan?

– Rozumiem aż za dobrze. – Teraz naprawdę się zdenerwował. – I jeśli będzie się pani dalej w ten sposób zachowywać, zwłaszcza mówić tak o jaśnie pani, zrezygnuję z pani usług.

Jego słowa wywołały nadzwyczajny efekt. Pani Jocelyn w pierwszej chwili uśmiechnęła się, kręcąc głową, jakby powiedział coś zabawnego. Potem, kiedy nie opuścił wzroku, pojęła, że William mówi poważnie. Zbladła jak ściana.

Zrobiła krok do tyłu i spojrzała na stół, przy którym siedziała Octavia.

– A więc to tak – sapnęła.

– Ani pani, ani nikt inny nie będzie niepokoił mojej żony ani jej pouczał – oznajmił. – Niezależnie od tego, ile lat służby ma za sobą. Z pewnością to pani rozumie.

– O, tak – powiedziała cicho. – Rozumiem.

William się odwrócił. W tej samej chwili bardziej poczuł, niż zobaczył, że pani Jocelyn go mija. Błyskawicznie przemierzyła pomieszczenie, przeszła po deskach parkietu, po leżącym na ziemi sitowiu i piasku, pomiędzy stojącymi najbliżej stołami. Szła z wysoko uniesioną głową, wyprostowana jak struna, niemal jak żołnierz. Williamowi skojarzyła się z wojowniczką, aniołem zemsty, nie zwyczajną kobietą. Osoby na jej drodze cofały się, a wśród siedzących przy stole rozległy się szepty.

Jeden z mężczyzn, zataczając się, wstał. William z trudem go rozpoznał: był to jeden z dzierżawiących ziemię farmerów.

Rolnik z uśmiechem zagrodził drogę pani Jocelyn, ona jednak położyła mu rękę na piersi i wściekle popchnęła. Mężczyzna stracił równowagę i poleciał do tyłu. Z hukiem runęły stojące za nim drewniane krzesła. Pisnęło dziecko, a matka mocno złapała je w ramiona.

Przy stole Octavii reagowano powoli. Harry był zatopiony w rozmowie z Charlotte i Caitlin. Dziewczęta pochylały głowy, obserwując, jak za pomocą garnuszków z solą i pieprzem oraz sztućców pokazuje im, jak wygląda formacja. To Caitlin pierwsza podniosła głowę, kiedy zaczęło się zamieszanie. Po chwili skoczyła na równe nogi.

Octavia siedziała przy stole bokiem, plecami do parkietu. Właśnie podawała coś stojącej za nią kobiecie. William jak przez mgłę zauważył, że była to matka Davida Nasha, która trzymała kilka materiałowych kwiatów ze stołu. Ona też spojrzała w stronę, skąd dobiegł rumor wywracających się krzeseł, i uśmiech zniknął z jej twarzy.

Trwało to dziesięć, może dwanaście sekund.

Pani Jocelyn dotarła do stołu. W odpowiedzi na głuchy okrzyk ochmistrzyni, Octavia odwróciła wzrok. William dopiero wtedy zauważył ostrze – nóż zabrany zapewne ze stołu, przy którym oboje wcześniej stali. Kobieta zrobiła krok w przód i jakby od niechcenia machnęła nim w stronę Octavii.

Caitlin złapała Harry'ego za ramię. Chłopak spojrzał i zorientował się w sytuacji. Bezskutecznie spróbował stanąć na nogi. Charlotte poderwała się z miejsca.

Octavia nieznacznie się uniosła, zrobiła krok do tyłu, żeby uniknąć noża i potknęła się. Charlotte przepchnęła się obok krzesła Harry'ego i podbiegła do matki. Ponieważ dzielił je stół, pani Jocelyn musiała się zatrzymać. Louisa ruszyła w stronę ojca – słyszał jej nagły krzyk, chociaż całą uwagę skupił na Octavii. Pani Jocelyn coś wołała, a stojący obok mężczyzna próbował ją unieszkodliwić.

Ale to Caitlin, która w międzyczasie obeszła stół, szybko znalazła się przy starszej kobiecie. To ona od tyłu oplotła ją ramionami. Trzymała panią Jocelyn w uścisku, który w absurdalny sposób przypominał uścisk kochanka: jej głowa nachylała się nad uchem ochmistrzyni.

Mówiła do niej i jednocześnie łagodnie odciągała od stołu. Ramiona pani Jocelyn wciąż wyciągnięte były do przodu, po chwili jednak nóż upadł na podłogę. Unieruchomiona przez Caitlin, pani Jocelyn ostatni raz popatrzyła ostro na Octavię.

Potem odwróciła głowę.

Spojrzała na Williama. Poruszała wargami, ale z jej ust nie wydobywał się żaden dźwięk.

David Nash zarezerwował dla nich na noc poślubną pokój w wiosce.

Chciał Mary tylko dla siebie, z dala od Rutherford, od życzliwych osób, tłoku, poszturchiwań łokciami, zamroczonych piwem spojrzeń i hałasu.

Pożegnano ich na schodach spichlerza o dziesiątej wiwatami i ożywionym chórem głosów śpiewających Sto lat. Kiedy szli ramię w ramię przez ciemne ogrody, śmiechy cichły i zmieniały się w coraz bardziej odległe echo.

Przed frontem domu Mary na chwilę się zatrzymała.

– Jak myślisz, co powiedzą? – odezwała się niespodziewanie.

– O czym? – spytał. – I o kim?

– O Jacku – szepnęła. – Pójdzie na wojnę tak samo jak ty. Zastanawiam się, co wtedy zrobi panna Louisa. Co powiedzą jej rodzice, kiedy się dowiedzą?

David nie znał odpowiedzi.

– Może nigdy się nie dowiedzą.

Marzył tylko o tym, żeby znaleźć się z Mary w ich pokoju, w łóżku. Pocałował ją, a kiedy ruszyli ponownie podjazdem, ona wzięła go mocno pod ramię.

– Od dawna się to szykowało – mruknęła Mary.

– Co?

– Afera z tym głupim starym babsztylem.

– Panią Jocelyn?

– Och! – oburzyła się Mary. – Wydaje jej się, że jest taka sprawiedliwa, ot co.

– Nie jest sprawiedliwa – zauważył David. – Jest stuknięta.

Mary cicho parsknęła.

– Przynajmniej jaśnie pani nic się nie stało. – Zatrzymała się znowu i spojrzała na Davida. Popatrzył na nią z uczuciem. W półmroku okrągła, mała buzia wydawała się taka słodka. Zauważył też blask w jej oczach. – Może pójdzie do więzienia. Powinna.

– Nie sądzę, żeby lord Cavendish ją tam wysłał.

– W takim razie co się z nią stanie? Zasłużyła na to.

– Pójdzie do szpitala dla obłąkanych.

– Myślisz?

– Tak.

Znów ruszyli, zaczęło im się spieszyć.

Drzewa nad ich głowami poruszały się łagodnie jak duchy. Kiedy dotarli niemal do bramy, David spojrzał na rozległą plątaninę gałęzi, zastanawiając się, jak długo będą tu stały. Między ich liśćmi prześwitywał księżyc, dryfujący po niebie krążek światła.

– Mój Boże – jęknęła nagle Mary. – O mój panie Boże.

Spojrzał w kierunku, który wskazywała.

Przez bramę przechodził mężczyzna. Miał żółtobrązowy płaszcz, a na głowie miękką czapkę w kratkę. Był trochę jak duch w ciemnościach.

Szedł w ich stronę i kiedy się z nimi zrównał, zatrzymał się.

– Jesteś Nash, prawda? – spytał.

– Tak, proszę pana. – Zdumiony David mówił powoli. Obok niego Mary lekko posapywała jak przestraszone zwierzę.

– I Mary.

– Tak, proszę pana – odparła.

– To dzień naszego ślubu – wyrwało się Davidowi.

Mężczyzna wyciągnął rękę, żeby uścisnąć mu dłoń.

– Gratulacje – powiedział do obojga. – To doskonałe wieści.

David przez jedną głupią chwilę sądził, że za chwilę dotknie czegoś zimnego. Zawahał się. Jednak dłoń, która go uścisnęła, była całkiem ciepła i prawdziwa.

– Dobrej nocy zatem – pożegnał się mężczyzna.

– Dobrej nocy, sir – szepnęła Mary.

Mężczyzna patrzył na podjazd prowadzący do Rutherford i przez chwilę przyglądał się domostwu.

– Czy jaśnie pani jest w domu? – spytał wreszcie.

– Tak, panie Gould – odparł David. – Jaśnie pani jest w domu.

W KOLEJNEJ POWIEŚCI CYKLU O

# RUTHERFORD PARK

W dniu jej ślubu padał deszcz.

Charlotte przez całą noc śniła o dawnym domu w Rutherford Park. Wydawało jej się, że dźwięk ulewy za oknem to woda pędząca korytem rzeki po czerwonych kamieniach przy mostku. Dopiero kiedy się obudziła, zrozumiała, że jest w Londynie, w domu w Chelsea, należącym do Amerykanina Johna Goulda.

O wpół do szóstej rano Charlotte wyszła na dwór. Cheyne Walk dopiero zaczynała się budzić. Ulicą niosło się tylko echo jej pospiesznych kroków. Kilka chwil później stała przy murku na nabrzeżu. Oparła się i spojrzała na szarą, żywą wstęgę Tamizy. „Za kilka godzin zostanę mężatką" – pomyślała. Wystawiła twarz na deszcz.

Był kwiecień 1917 roku, miała dziewiętnaście lat, a wokół nic już nie wyglądało tak samo. Na polach Flandrii historię ludzkości tworzyło cierpienie. Jej matka grzeszyła, przynajmniej zdaniem niektórych, mieszkając z ukochanym w pięknym osiemnastowiecznym domu. Charlotte twierdziła co innego. Dla niej było to właściwe zachowanie, sposób na przeżycie. Jej niegdyś szczęśliwy ojciec, po utracie Octavii, zanurzał się w zgorzknieniu. Świat toczył się i zmieniał.

Dziewczyna opierała się o dzielący ją od nabrzeża murek i czuła jego granitową siłę. Słyszała, że kamienie, z których go zbudowano, przywieziono z Lamorna Cove w Kornwalii. Podobno to przepiękne miejsce, choć ona sama nigdy tam nie była. Nie pojechała również do Francji, mimo że pracowała w St. Dunstan's jako pielęgniarka. Jej brat Harry szkolił tam teraz oddziały lotnicze. Nigdy nie pojechała też do Ameryki, jak pan Gould, ani do Włoch. Marzyła, by wyruszyć w wielką podróż, jak jej męscy przodkowie. Teraz nie będzie mogła tego zrobić. Zostanie mężatką.

Odwróciła się, aby powstrzymać idiotyczne pragnienie rzucenia się do wody. Powtarzała sobie, że nie ma się czym martwić. To tylko głupi niepokój, ostatnia fala przedślubnej paniki. Musi dorosnąć, porzucić romantyczne wyobrażenia o niezależności. Bądź co bądź czym tu się martwić? Michael Preston to wspaniały, odważny mężczyzna. Jego ślepota nie stanowiła przeszkody. Miał zwyczaj żartować, że są zgranym zespołem, i to była prawda. Jej rodzice cieszyli się, że wejdzie do jednej z najstarszych i najbardziej szanowanych rodzin w kraju. W dodatku bardzo bogatej, mogącej zapewnić jej bezpieczeństwo i opiekę. Zamieszkają o krok od jej rodzinnego domu przy Grosvenor Square w Londynie, w uroczym, małym domku przerobionym z dawnych stajni. Dostali go w prezencie od rodziców Michaela. Jej ojciec wspomniał nawet mimochodem o wnukach... Tak bardzo pragnęła znów zobaczyć szczęście na jego twarzy. Strasznie nie chciała przysparzać mu zmartwień.

A jednak ogarniało ją dawne poczucie, że się dusi.

Pomiędzy drzewami widziała domy na Cheyne Walk. John Gould kupił Octavii jeden z najładniejszych. Mieszkali w nim niczym para nowożeńców. W ciągu minionych sześciu miesięcy Charlotte często ich odwiedzała, wchłaniając zarówno atmosferę skandalu, jak i szczęścia. Do kościoła miała pojechać stąd, nie z domu na Grosvenor Square, gdzie wśród zakurzonych wspomnień po swoim małżeństwie mieszkał jej ojciec – w luksusie, lecz samotnie. Oczekiwał, że żona w końcu do niego wróci, tak wynikało z rozmów z nim. Niektórzy uważali go za starego głupca, wiedziała o tym. To Louisa, jej starsza siostra, częściej zajmowała się ojcem. Charlotte czuła się bardziej związana z matką. Ale czasem nawet ona tęskniła za dawnymi, dobrymi czasami w Rutherford, gdy wszyscy naiwnie wierzyli, że Anglia nigdy się nie zmieni. Rodzinna posiadłość Cavendishów oraz ten uroczy, pełen przepychu styl życia miały trwać wiecznie.

Charlotte uśmiechnęła się do siebie. Cóż, teraz wybito im to z głowy.

Wspomniała inne tragedie, które przez wieki rozegrały się na tej londyńskiej ulicy. Pod numerem szesnastym Dante Gabriel Rosetti przeżył z Fanny Cornforth ostatnie lata swojego życia. Dom numer cztery był ostatnim miejscem zamieszkania George Eliot. Kawałek dalej znajdowały się szpital i Chelsea Physic Garden. To właśnie tam, w oazie zieleni stworzonej przy Tamizie jeszcze w siedemnastym wieku, Charlotte oznajmiła matce w październiku zeszłego roku, że Michael się jej oświadczył. Sądziła, że Octavia zdecydowanie sprzeciwi się małżeństwu ze względu na jej młody wiek. Kiedy później wróciła myślami do tamtej chwili, zrozumiała, że właściwie na to liczyła. Mogłaby wrócić do Michaela i powiedzieć, że nie może za niego wyjść bez zgody matki, choć oświadczyny ogromnie jej schlebiają. Ale ku jej zdumieniu Octavia w ogóle nie protestowała. Była tak otumaniona i rozanielona, że po prostu chwyciła dłonie córki i uśmiechnęła się, po czym dała jej błogosławieństwo. Nie o to chodziło Charlotte! Pragnęła dezaprobaty i pretekstu, by nie musieć wychodzić za mąż.

W ciągu tych miesięcy jedynie John Gould, kochanek jej matki, ostrożnie i subtelnie podważył jej decyzję. Pomyślała, że to bardzo dziwne.

– Będziesz szczęśliwa jako żoneczka? – spytał w żartach na dzień przed Wigilią. Spojrzała na niego z powagą. W dłoni trzymała kieliszek szampana. Goście siadali właśnie do świątecznej kolacji w jadalni.

– Sądzisz, że nie?

John przyjrzał się jej, jak zwykle swobodny i uroczy.

– Zawsze miałem cię za dzikiego ptaka, który tylko czeka, żeby odlecieć.

– Cóż, po ślubie też można latać – powiedziała i się zarumieniła. – Mam na myśli jako para. Możemy polecieć dokądkolwiek, dokąd tylko zechcemy.

Nawet jeśli zauważył jej zakłopotanie, nie naciskał.

– Kiedy skończy się ta okropna wojna, jedź do Ameryki. Zobaczysz dom, który zbudowałem dla twojej matki na Cape Cod. Spodoba ci się. Ameryka też.

Serce jej urosło. Och, była pewna, że zakocha się w plaży, domu, kraju. Każde z tych słów oznaczało wolność i przestrzeń. Oczywiście wyruszy tam z Michaelem. Przyjadą z przyjemnością, powiedziała Johnowi. Potem odwróciła się, chcąc uniknąć jego świdrującego, oceniającego spojrzenia. Zaczęła wesoło rozmawiać z kobietą siedzącą po drugiej stronie stołu, ale o czym, nie miała pojęcia.

Od tamtej pory czuła, że porwał ją prąd wydarzeń. Rodzice Michaela okazali się czarujący. Ich wielki dom i wspaniałe ogrody w pobliżu Sevenoaks – czarujące. Sam Michael, oczywiście, również był czarujący. To doprowadzało ją do rozpaczy! Wszystko, co czarujące, potwornie ją irytowało. Niedorzeczne, że dała się zapędzić do tego gniazdka miłości. W dojrzałość, poczucie bezpieczeństwa i inne rzeczy, które tak bardzo cenił jej ojciec. Jej się zdawało, że od nich umrze.

– Przestań – nakazała sobie na głos. – Ty nierozsądna, egoistyczna idiotko.

Minęła furtę i podeszła do domu. Za sześć godzin, w południe, ojciec przyjedzie po nią niedawno kupionym rolls-royce'em. Szofer zawiezie ich do parafialnego kościoła Świętej Małgorzaty w Opactwie Westminsterskim, w pobliżu samego Westminsteru i słynnego zegara na wieży Pałacu Westminsterskiego, poufale nazywanego Big Benem.

W kościele pojawią się tłumy, ponieważ śluby wśród śmietanki towarzyskiej stały się wytchnieniem dla zmęczonego wojną Londynu, a także z tego powodu, że związek niewidomego bohatera wojennego i najmłodszej córki lojalnego sługi Korony uważano za nadzwyczaj romantyczny. Od mas gapiów oddzieli ich konna policja. Kiedy Charlotte będzie wysiadać z samochodu ubrana w białą, jedwabną suknię i długą woalkę z tiulu, które – w głębi duszy, w olbrzymiej tajemnicy – uważała za skrajnie idiotyczne, rozlegną się wiwaty. Jej siostra, Louisa, będzie stała w drzwiach kościoła, uśmiechając się promiennie i rozrzucając płatki róż. A po ceremonii dźwięk kościelnych organów, wygrywających marsz weselny, stopi się z biciem dzwonów w Świętej Małgorzacie. Ona i Michael staną ramię w ramię w kruchcie, uśmiechnięci.

I przez cały ten czas Charlotte będzie chciała uciec.

Gdy podeszła, drzwi domu się otworzyły. Pokojówka, która zamierzała wypolerować framugi i mosiężną rączkę dzwonka, przestraszyła się na jej widok.

– Och, panienko! – Uśmiechnęła się szeroko, kiedy rozpoznała Charlotte. – Najszczęśliwszy dzień w życiu panienki. Wszyscy jesteśmy tacy podekscytowani, jeśli wybaczy mi panienka te słowa.

Charlotte przestąpiła próg i strząsnęła z płaszcza krople deszczu.

– Tak – mruknęła. – Masz całkowitą rację, Milly. To najszczęśliwszy dzień mojego życia.

TYTUŁ ORYGINAŁU *The Wild Dark Flowers*
PRZEKŁAD Agata Żbikowska

REDAKTOR PROWADZĄCY, REDAKCJA Adam Pluszka
KOREKTA Elżbieta Jaroszuk, Mariola Hajnus

PROJEKT OKŁADKI, OPRACOWANIE GRAFICZNE I TYPOGRAFICZNE Anna Pol
ŁAMANIE manufaktura | manufaktu-ar.com

ZDJĘCIA NA OKŁADCE © Natalia Ciobanu
© Scott Stulberg / Corbis / FotoChannels

WARSZAWA 2015
WYDANIE PIERWSZE

ISBN 978-83-64700-92-7

WYDAWNICTWO MARGINESY SP. Z O. O.
UL. FORTECZNA 1a, 01-540 WARSZAWA
TEL./FAKS: 48 22 839 91 27
redakcja@marginesy.com.pl
www.marginesy.com.pl

ZŁOŻONO KROJEM PISMA Scala

KSIĄŻKĘ WYDRUKOWANO NA PAPIERZE Creamy 70 g vol 2.0
DOSTARCZONYM PRZEZ PAPERLINX SP. Z O.O.

DRUK I OPRAWA
Opolgraf S.A., www.opolgraf.com.pl